Im Banne der Zeit

Im Banne der Zeit

Zum Buch

Die friedliche Idylle, in der Anne und ihr stummer Bruder Niklas am Rande des Stroms der Zeit aufwachsen, wird jäh zerstört. Hilflos müssen sie mit ansehen, wie Marodeure Vater und Mutter erschlagen. Sie haben nicht nur ihre Eltern verloren, sondern auch ihr Zuhause, die Mühle auf der Waldlichtung. Die Zeit, diese unruhige Zeit des 14. Jahrhunderts, in der reine Schönheit und wilder Schrecken grelle Gegensätze sind, hat sie eingeholt. Um zu überleben, müssen sich Anne und Niklas auf gefahrvolle Wanderschaft begeben. Die Suche der beiden Geschwister nach einer neuen Heimat wird zu einem Aufbruch ins Ungewisse. Ihr Ziel ist die kleine Stadt im Norden, in der der Bruder des Vaters lebt, ein angesehener Waffenschmied, der gegen den Willen der allmächtigen Kirche eine kunstvolle Uhr konstruiert. Aber auch seine Zeit ist bemessen, und nach dem Tod des Onkels, der die Nichte in die Geheimnisse des Uhrenbaus eingeweiht hat, sind Anne und Niklas erneut unterwegs. Sie begegnen den großen Heimsuchungen ihrer Zeit: Pest, Kriegsnot, Gewalt, doch sie erleben auch Augenblicke des Glücks, der Freundschaft, der Liebe, und sie werden staunende Zeugen der frühen Wunder der Technik, die Hoffnung auf eine bessere Zukunft verheißen.

Zum Autor

Der international erfolgreiche Autor Malcolm Bosse wurde 1933 in Detroit geboren. Nach längeren Aufenthalten im Fernen Osten lebt er heute mit seiner Familie in New York.

Malcolm Bosse

Im Banne der Zeit

Historischer Roman

Aus dem Englischen von
Charlotte Franke

Econ & List Taschenbuch Verlag

Veröffentlicht im Econ & List Taschenbuch Verlag
Der Econ & List Taschenbuch Verlag ist ein
Unternehmen der Econ & List Verlagsgesellschaft, München
Neuausgabe 1998
© 1988 für die deutsche Ausgabe by
Marion von Schröder Verlag GmbH, Düsseldorf
Titel des englischen Originals: Captives of Time
© 1987 by Malcolm Bosse
Umschlagrealisation: Theodor Bayer-Eynck, Coesfeld
Titelabbildung: Mauritius
Druck und Bindearbeiten: Elsnerdruck, Berlin
Printed in Germany
ISBN 3-612-27626-3

Mag kommen, was will,
auch in den schlimmsten Stunden
steht die Zeit niemals still.

Für Mary Heathcote
»Der ewigen Erde ist etwas beigegeben;
In meinen Gedanken ist jetzt ein leerer Platz.«

Und in Liebe für
Marie-Claude und Malcolm-Scott

Erster Teil

1

An jenem Morgen, als die Sonne über den Rand der Welt kam, sagte ich zu meinem Bruder: »Niklas, das ist der Frühling. Du kannst ihn fühlen.« Ich nahm seine kalte kleine Hand und beugte mich aus unserm Bett und hielt sie zusammen mit meiner in das Licht, das durch die Ritzen der Fensterläden fiel. Seine Finger begannen, wie Würmer zu zucken. »Das ist der Frühling«, sagte ich zu ihm. »Er wärmt dich nach dem langen Winter.« Ich war sechzehn, Niklas war vier Jahre jünger als ich. Ich hatte seine Hände in jedem Frühjahr immer ganz genauso ins warme Sonnenlicht gehalten, aber ich war mir nie sicher, ob er mich verstand, ob er wußte, was eine Jahreszeit ist.

Nachdem ich unser Gebet gesprochen hatte und wir uns angezogen und das Laken zum Lüften aufgehängt hatten, damit die Läuse herausfielen, gingen wir zu unserer Mutter in die Küche und aßen ein Stück Weizenkuchen und tranken eine Schale Milch dazu. Dann sammelten wir Brennholz im Wald. Als wir fertig waren, setzten wir uns an den Fluß und sahen zu, wie am Ufer das Eis abbrach und mit dem Wasser träge davortrieb. Durch die Sonnenstrahlen und die Wärme sah das Eis schwer aus, genauso schwer wie der Schnee in den Wäldern über dem Fluß. Aus dem schmelzenden Schnee machte die Sonne Spiegel, um sich darin anzuschauen. »Siehst du die grünen Grasflecken, Niklas? Die bringt der Frühling zurück.«

Wir saßen eine Weile da und lauschten dem Gesang der Vögel und dem Holpern und Knirschen des Wasserrads flußaufwärts. »Das ist von dem Rad, das sich dreht, Niklas. Es ist jetzt frei vom Eis. Und jetzt geht auch die Mühle wieder, nachdem der Fluß nicht mehr gefroren ist. Bald wird Vater wieder Papier machen. Oben über dem Rad — weißt du noch? Dann werden die Hämmer den ganzen Tag lang niedersausen auf die nassen Klumpen und sie zu Papier schlagen. Und dann werden es die Mönche von uns kaufen und ihre Gedichte draufschreiben. Weißt du noch, letztes Jahr, bevor der Winter kam? Wie wir jeden Morgen im Bett lagen und darauf warteten, daß Mutter uns rief, und wie wir dalagen und dem Hämmern über dem Rad zuhörten? Und wie ich dir erzählt habe, daß es der liebe Gott sei, der durch den Himmel geht? Weißt du das noch?«

Als könnte er solche Fragen beantworten. Aber ich glaubte, daß er mir gern zuhörte, auch wenn er meine Worte nicht verstand. Wir wußten nie, ob er etwas verstand, außer wenn er lächelte oder die Stirn runzelte oder tat, wozu wir ihn aufforderten, aber selbst dann waren wir uns nicht sicher, weil er vielleicht nur Gottes Stimme folgte und nicht unserer, wie Mutter sagte.

Eine Armlänge entfernt war der Schnee an der Sonne geschmolzen und bildete eine Wasserpfütze, ganz klein und unbeweglich, nicht größer als eine Untertasse. Über der einen Ecke der Pfütze hing die Sonne, und als ich mich über sie beugte wie über einen Spiegel, sah ich mein Gesicht im blauen Himmel. Würden diese breiten Backenknochen je hübsch aussehen? Ich zog meinen dicken Haarzopf über das Gesicht wie ein Büschel reifer Ähren. Aber es roch nicht wie das Korn auf den Feldern, es roch wie der Wald, in dem wir das Holz sammelten. Ich sah Niklas an, der seine Beine über dem Wasser baumeln ließ. In den schweren Stiefeln sahen seine Füße viel zu groß aus für seinen kleinen Körper. Seine Nase war größer als meine, seine Augen waren auch blau, aber heller als meine, fast so hell und klar wie der Fluß, der an uns vorbeiströmte. Mutter hatte seine Haare gestutzt, und ich konnte die winzigen Löcher sehen, aus denen sie wuchsen, weiß und weich. Haare so weiß wie Schnee, seit er vom Blitz getroffen war. Um seinen Mund tanzte eine Fliege. Die erste, die ich seit Monaten sah.

Wieder betrachtete ich mich in der Pfütze aus geschmolzenem Schnee, aber ihre Oberfläche zitterte, und die breiten Backenknochen und die dicke Haarflechte zerbrachen in lauter kleine Stücke wie das Eis im Fluß.

»Niklas«, sagte ich, ohne eigentlich zu wissen, was ich sagen wollte, als ich aus der Ferne einen seltsamen, schwachen Laut hörte, der mich verstummen ließ. Wir drehten uns beide zur Mühle um und lauschten. Über den Baumspitzen konnten wir das Strohdach sehen. Und dann hörten wir wieder diesen seltsamen Laut, der dunkel wie Rauch in den Himmel stieg. Wie ein Aufheulen, ein Schmerzensschrei.

Und dann liefen wir auch schon am Ufer entlang, sahen vor uns das Wasserrad. Wie ein schuppiges braunes Ungeheuer stand es im Wasser, gleich neben unserem alten Mühlenhaus. Um die Ecke der Mühle kamen jetzt ein — zwei — drei Männer gelaufen — ihre Harnische blinkten in der Sonne —, und ich ließ mich schnell zwischen die Büsche fallen und zog Niklas hinter mir her.

Wir drückten das Gesicht in den Boden, während wir sie schreien und brüllen und lachen hörten. Aber von drinnen aus der Mühle vernahmen wir Rasseln und Klirren wie von Säbeln, die aufeinanderschlugen. Ich hielt Niklas an der Hand fest und stand auf und führte ihn zwischen den Büschen hindurch, in einem großen Bogen um die Mühle herum, bis wir sie von vorn sahen. Wir kauerten uns hinter einen großen Busch und starrten über den schneebedeckten Hof auf die große Tür, die weit offenstand. Aus dem dunklen Innern stolperte ein Mann ins Sonnenlicht. Er blieb stehen und blinzelte.

Es war ein Soldat. Er hatte zerfetzte rote Hosen an und hohe Stiefel, die heruntergeklappt waren, und eine langärmelige Weste und eine wattierte Wolljacke, an der ein schmutziger Brustharnisch befestigt war.

All das würde ich nie vergessen.

In der einen Hand hielt er einen Hammer, in der anderen den Trinkkrug unseres Vaters. Ein zweiter Soldat erschien in der Tür und stieß in grob beiseite. Er trug einen Lederumhang und einen weichen Fellhut und an dem einen Bein eine Schiene vom Knöchel bis zum Knie. Er lachte, als er dem ersten Soldaten den Krug aus der Hand riß. Die drei anderen, die wir schon gesehen hatten, kamen jetzt um die Ecke der Mühle. Zwei trugen Piken und der dritte eine Streitaxt, und alle waren teilweise gepanzert.

Die fünf kauerten sich in den schmelzenden Schnee, als warteten sie, und dann stahl sich unsere Mutter aus der dunklen Tür, mit offenen Haaren und von der Hüfte abwärts nur mit einem zerfetzten Überrock bekleidet. Ein Halstuch hing über ihren Schultern, und ihr Leibchen war zerrissen, aber sie machte keine Anstalten, es um sich zu schlingen, um ihren nackten Körper zu bedecken. Sie schien nichts wahrzunehmen, sie keuchte, als würde sie auf einen steilen Berg steigen. Die Männer standen auf und grinsten. Der mit der Streitaxt war zuerst bei ihr. Er trug einen eisernen Helm und Fäustlinge aus Schaffell. Die würde ich nie vergessen, die Fäustlinge.

Als er ihr in den Weg trat, ging unsere Mutter um ihn herum, fast so, als wäre er gar kein Mann, sondern ein Baum, ein Felsblock. Er beobachtete sie, wie sie um ihn herumging, dann packte er sie mit der einen Hand in dem Fäustling und riß sie herum. Blitzschnell griff unsere Mutter nach der Axt, entriß sie ihm und schlug mit ungeheurer Kraft zu, daß die Schneide seinen blauen Ärmel durchtrennte und sein Blut herausspritzte.

Inzwischen waren die anderen näher gekommen. Sie sahen ihr zu, als sie die Axt fallen ließ und weiterging, langsam, beinahe schläfrig. Der Mann mit dem eisernen Helm und den Fäustlingen starrte fassungslos auf seinen blutigen Arm.

Dann ging ein anderer Soldat einen Schritt auf sie zu, verstellte unserer Mutter den Weg, und ich konnte die rasche, schreckliche Bewegung sehen, als er ausholte und seine lange Lanze mit einem gewaltigen Stoß in unsere Mutter bohrte, so daß die Spitze in ihr verschwand, *Herr, erbarme dich*, immer tiefer und tiefer und in sie hinein, *der Herr hat Erbarmen, wir vertrauen Seiner Gnade*, bis sie, als sich unsere Mutter drehte, rot und verklebt aus ihrem Rücken wieder herauskam.

Sie packte den Schaft mit beiden Händen und sank zu Boden. Und die Soldaten standen da und sahen ihr zu wie Hunde.

Ganz aus der Nähe drang ein leises Geräusch zu mir, wie aneinanderreibendes Holz. Ich drehte mich um und sah Niklas mit weit aufgerissenem Mund, als wollte er schreien.

Ich drückte meine Hand auf seine Lippen und flehte in Gedanken meine Mutter immer wieder und wieder an, den Schaft herauszuziehen, als könnte ihr das helfen. Von unserem Versteck aus sah ich ihre armen Hände, blutüberströmt, die den Schaft umspannten. Sie lag ganz still, und die Männer rieben sich das Kinn und drehten ihr den Rücken zu.

Ich ließ meinen Bruder los und wollte Gott um Gnade bitten, aber ich brachte es nicht über mich beim Anblick unserer Mutter, keine zwanzig Schritte entfernt.

Zwei Soldaten kamen aus der Mühle, der eine schwenkte fröhlich eine Schlagkeule. Der andere hatte einen Stoß Kleider über dem Arm. Ich erkannte das braune Hemd unseres Vaters aus weichem Samt, das er an den Festtagen der Heiligen trug, wenn wir in die Kathedrale gingen, und die Arbeitshosen von Erich, der an den stampfenden Hämmern arbeitete.

Und dann tauchte noch ein Soldat auf, der den jungen Erich am Genick gepackt hatte. Eine lange häßliche Wunde klaffte an Erichs bleicher Stirn, die sich quer über das Auge bis zur einen Wange erstreckte. Er schrie. Der Soldat stieß ihn in die Kniekehle, und die anderen sahen grinsend zu. Dann erzählte ihnen Erich, daß er wisse, wo der Müller sein Gold aufbewahre. Die Soldaten stießen ihn zu Boden und ritzten ihm mit einer Schwertspitze die Kehle auf. Erich war ganz still, als würde er lauschen.

Niklas, der neben mir kauerte, stieß einen heiseren Laut aus. Leise wie von einem kleinen Tier, das im Traum wimmert, aber vielleicht laut genug, daß die Soldaten es hören konnten.

Ich packte seine Hand und zog ihn hinter mir her durch den Wald, gebückt rannten wir durch Brombeersträucher und zwischen Bäumen hindurch und zertrampelten den Schnee, der im Schatten noch immer dick und fest war, und blieben kein einziges Mal stehen, um Atem zu schöpfen, *Gott sei ihren armen Seelen gnädig*, sondern liefen immer weiter, bis wir eine Bodensenke erreichten mit einem Teich in der Mitte, an dessen Ufer Riedgras wuchs. Ich ließ mich gegen einen mit Wasser vollgesogenen Baumstamm fallen, Niklas neben mir, und dann sahen wir, nach Luft ringend, hinauf in die noch kahlen Bäume des ersten Frühlingstags.

Es kam mir plötzlich so vor, als sei dies der Tag des Jüngsten Gerichts. Mir fielen die Worte eines Priesters ein, die er gepredigt hatte. Sterne aus Feuer würden vom Himmel fallen. Der Mond würde bluten. Engel würden auf der Posaune blasen, so laut, daß unsre Ohren springen würden wie Schalen. Heuschrecken mit den Stacheln von Skorpionen würden sich aus der nachtschwarzen Luft auf uns niedersenken. Auch die Sonne würde schwarz werden. Ich drehte den Kopf, um nachzusehen, ob sich ihre Farbe schon verändert hatte. Und die Erde würde erbeben, und die schrecklichen

Vier — Hunger und Krieg und Krankheit und Tod — würden auf feuerspeienden Pferden aus dem Himmel heranreiten. Ein Ungeheuer mit sieben Köpfen würde aus dem See auftauchen, erst am letzten Sabbat hatte uns der Priester davor gewarnt.

Das Ungeheuer mit den sieben Köpfen würde sich zusammen mit schleimüberzogenen Drachen durch das Land wälzen, und die Welt würde zu Ende gehen. Sie hatte bereits damit begonnen, zu Ende zu gehen. Unsere Mutter tot im schmelzenden Schnee. Und Erich. Und in der Mühle bestimmt auch unser Vater. Und Joanna, das Küchenmädchen, kaum ein Jahr älter als ich.

»Niklas«, wollte ich sagen. Aber ich mußte mich anstrengen, bis das Wort über meine Lippen kam. »Niklas.«

Niklas hatte die Beine bis zum Kinn gezogen und lehnte an einem Baumstamm. Er zitterte. Ich mußte an den schrecklichen Tag vor drei Jahren denken, als er unter einem Baum saß und ihn der Blitz traf und sich wie eine Schlange durch seinen Körper wand und sein Gesicht blau färbte, seine Haare weiß. Er hatte am ganzen Körper gezittert, genauso wie er jetzt zitterte, an einen Baumstamm gelehnt.

»Es ist Gottes Wille«, sagte ich zu ihm in dem Ton, in dem unsere Mutter uns immer Unglück zu erklären versuchte. »Du bleibst hier.« Als ich aufstehen wollte, ergriff er meine Hand und hielt sie fest umklammert. »Du bleibst hier, Bruder. Du wartest, bis ich zurückkomme. Bleib hier bei dem Baumstamm. Beweg dich keinen Schritt davon fort, bis ich zurückkomme. Hast du mich verstanden?« Ich machte mich von ihm los und stand auf.

Ich hob den Kopf, um zu lauschen, hörte aber nichts, nur den Wind. Vielleicht waren sie schon fort.

Ich ging langsam durch den Wald und blieb immer wieder stehen, um zu lauschen, hörte aber immer noch nichts. Dann raschelte etwas zwischen den toten Blättern. Ich bückte mich und sah eines unserer Hühner durch das Unterholz kommen, es gluckste und pickte am Boden. Noch ein Stückchen weiter entfernt grunzte ein Schwein zwischen den Büschen. Die Soldaten hatten also das Vieh freigelassen. Sie mußten am Morgen auf der Straße gekommen sein wie so viele Soldaten dieser Tage, eine hungrige Schar, verfroren

14

und müde vom Marsch und von der Schlacht, einige vielleicht verwundet, alle mit leeren Taschen. Sie mußten das Wasserrad gehört haben und dem Geräusch gefolgt sein zu einem Ort, den sie ausplündern konnten.

Ich blickte zum Himmel, um zu sehen, ob die Sonne schon schwarz geworden war, und ging weiter zur Mühle. Ich wartete darauf, daß die Welt zu Ende ging, jeden Augenblick.

2

Ich näherte mich dem Rand des Hofs und blieb stehen, um auf ihre Stimmen zu lauschen, hörte aber nichts außer dem langsamen Knacken des Mühlrads und dem Aufklatschen des Wassers, das von einer Schaufel zur nächsten fiel, während sich das Rad drehte. Für einen kurzen Augenblick verspürte ich Sicherheit bei diesem vertrauten Geräusch. Nichts war geschehen. Es war alles nur ein böser Traum, den mir der Satan eingegeben hatte.

Aber als ich dann ins Sonnenlicht trat, auf den Hof, da sah ich unsere Mutter am Boden liegen, der Schaft der Lanze ragte aus ihr heraus, als sei mitten durch ihren Körper ein Baum gewachsen, der keine Zweige hatte. Ich ging in einem großen Bogen um sie herum und murmelte ein Gebet für ihre Seele. In diesem Augenblick befahl ich mir, mich nicht auf den Hof zu setzen und zu weinen, denn es würde nichts ändern, alles würde so bleiben, wie es war, die Welt würde sich nicht weiterbewegen, die Toten würden liegenbleiben, wo sie lagen, und Niklas würde im Wald sitzen, an einen Baumstamm gelehnt, und darauf warten, daß ich zurückkam. Ich weinte nicht, sondern ging um unsere Mutter herum und suchte Erich. Er war nicht im Hof. Ob er noch lebte? Hatten sie ihn mitgenommen?

Vor mir war die dunkle Türöffnung der Mühle. Ich mußte hineingehen, auch wenn ich ahnte, welche Schrecken mich dort drinnen erwarteten.

Aber was ich dann wirklich sah, hätte ich mir nie vorstellen können.

Nichts war an seinem Platz, alles war verwüstet. Unser Vater lag neben dem umgestürzten Tisch, seine eine Hand hielt noch immer den eisernen Kerzenständer umklammert, mit dem er zwei Soldaten den Kopf zertrümmert hatte. Sie lagen da wie zwei Erntearbeiter, die sich nach einem langen Tag auf den Feldern am Boden schlafen gelegt hatten. Wenn es doch nur so gewesen wäre — außer dem Blut sah es auch wirklich so aus. Außer dem Blut — und außer der zweiten Hand unseres Vaters, die ein ganzes Stück von seinem Körper entfernt am Boden lag.

Weine nicht, sagte ich mir. Ich setzte mich nicht hin, obgleich sich meine Beine viel zu schwach anfühlten, um mich noch länger tragen zu können. Statt dessen nahm ich einen Schemel, der in einer Ecke lag, und stellte ihn an seinen Platz. Ich hob die Scherben einer zerbrochenen Schale auf, aber sie fielen mir wieder aus der Hand, als ich Joanna, das Küchenmädchen sah, das in der Tür zur Vorratskammer lag. Sie war nackt. Ich konnte es nicht ertragen, sie anzuschauen, zu sehen, was sie mit ihr getan hatten.

Trotzdem zwang ich mich, über ihren Körper zu steigen und in die Kammer zu gehen. Weine nicht, sagte ich mir, oder du fällst um wie tot und kannst dich nicht mehr bewegen, und dann wird weder hier noch im Wald, wo Niklas wartet, etwas geschehen.

Ich sah mich um. Was sie nicht mitgenommen hatten, lag zertrümmert am Boden verstreut. Säcke mit getrockneten Bohnen und Erbsen, Bier- und Weinfässer, die Roggenplätzchen, die unsere Mutter letzte Woche gemacht hatte, der geräucherte Speck, alles mußten sie auf den Wagen geladen haben, und dann hatten sie unseren Maulesel davorgespannt und waren weggefahren. Diese Dinge fielen mir auf. Ich zwang mich, sie wahrzunehmen. Ich zwang mich, über sie nachzudenken. Ich kniete mich auf den Boden und fand zwischen den umgekippten Körben ein paar Getreidekörner, ein Stückchen Brot, das schon zerkaut und dann ausgespuckt worden war, aber sonst kaum etwas. Ich merkte, wie ich alles mit unendlicher Gründlichkeit betrachtete, feststellte, was die Soldaten getan und was sie nicht getan hatten. So wurde ich ruhiger.

»Weine nicht«, sagte ich laut, während ich über Joannas Körper stieg und schnell ein Kreuz schlug, *die voller Gnade sind, werden*

Gnade erfahren, und aus der Mühle ging und über den schrecklichen Hof. Ich blieb am Schweinestall stehen, am Hühnerhof und am Schuppen, aber die Tiere waren alle fort, entweder hatten die Soldaten sie mitgenommen oder freigelassen.

Es ist Gottes Wille, sagte ich mir, alles geschieht nach Seinem Willen, und dann ging ich mit gemessenem Schritt, ruhig, so wie unser Vater es von mir erwartet hätte, bis ich wieder im Schatten der Bäume war.

Bald darauf traf ich eines unserer Hühner und jagte es ein ganzes Stück durchs modrige Unterholz. Aber es ließ sich nicht fangen. Niklas und ich würden uns mit dem wenigen begnügen müssen, das in der Vorratskammer übriggeblieben war. Und wir benötigten Kraft, um zu tun, was getan werden mußte, denn inzwischen war mir klar, daß unser Leben weitergehen und die Welt nicht zu Ende sein würde. Es waren keine Posaunen erschollen, und es war kein siebenköpfiges Ungeheuer erschienen und auch kein Reiter, und die Sonnenstrahlen fielen durch die Zweige der Bäume, als wäre es ein Tag wie jeder andere.

Als ich zum Teich kam, saß Niklas noch immer gegen den Baumstamm gelehnt da, genauso wie ich es ihm gesagt hatte, nur mit den Armen hielt er ein junges Kaninchen umklammert. Es mußte den Soldaten entwischt sein, als sie die Kästen aufgemacht hatten.

Als ich näher kam, zuckte das Kaninchen mit den Ohren, und Niklas verzog das Gesicht zu einem leisen Lächeln. Ich sah zu ihnen hinunter, sie atmeten beide hastig. Das Kaninchen hatte große braune Augen, es zitterte am ganzen Körper, sein Fell war dunkelbraun und aschgrau und der Bauch ganz weiß. Es war nicht gerade dick nach dem langen Winter, aber sein zartes Fleisch würde uns satt machen. Das Kaninchen war ein Zeichen von Gott. Damit wollte Er uns zeigen, daß wir leben sollten.

»Gut gemacht, Niklas«, sagte ich. »Wie hast du es gefangen? Ist es zu dir gekommen? Aus Angst vor den Soldaten? Nun gut. Wir werden hinter der Mühle ein Feuer machen und es kochen. Wir brauchen Kraft, wenn wir tun wollen, was wir tun müssen.«

Ich streckte den Arm nach dem Kaninchen aus, aber Niklas wich zurück, bedeckte es mit den Armen.

17

»Gib es mir, Niklas.«

Mein Bruder starrte mich mit seinen blauen Augen an.

»Gott hat uns dieses Kaninchen geschickt, damit wir es essen, Niklas. Damit wir Kraft haben, zu tun, was wir tun müssen.« Ich wartete, daß er es mir gab. »Niklas!« sagte ich.

Niklas' Brust und das Fell des Kaninchens hoben und senkten sich wie ein Blasebalg.

»Niklas!«

Ich würde ihm das Tier mit Gewalt wegnehmen müssen, das war sicher. Aber das konnte ich nicht, nicht jetzt. »Na, schön. Wir werden uns Körner kochen, und vielleicht sind auch noch ein paar Zwiebeln da. Aber dann mußt du mir helfen, zu tun, was getan werden muß. Allein kann ich es nicht. Komm mit, Bruder.« Als wir durch den Wald zur Mühle gingen, sagte ich zu ihm: »Der Herr hat auch unseren Vater zu sich genommen. Es ist der Wille Gottes. Wir müssen ein Grab schaufeln, das groß genug ist für unsere beiden Eltern und auch für Joanna, denn sie wird bei ihnen liegen. Und tief genug, damit die Hunde sie nicht ausgraben. Das muß getan werden, Bruder.«

Niklas hielt das Kaninchen fest in den Armen und watete neben mir durch den schmelzenden Schnee. Ich ging nicht gleich zur Mühle, sondern zuerst zu dem Schuppen, in dem unser Vater sein Werkzeug aufbewahrte. Es war fast alles weg, aber unter einem großen Stück Leinen fanden wir eine alte Schaufel, ein paar Nägel und einen Pickel mit abgebrochenem Griff.

Ich ging mit Niklas zum Fluß, weg vom Mühlenhof. Das war genau der richtige Platz. Von hier aus würden unsere Eltern und Joanna in ihrem Grab das Rauschen des Wassers hören, das über das Rad lief. Aber natürlich würden sie es nicht wirklich hören, denn sie würden bei Gott sein, dachte ich. »Hier machen wir das Grab, Niklas.«

Ich sagte ihm, er solle warten, weil ich noch nicht wollte, daß er mitkam, und dann ging ich zum Haus, ohne stehenzubleiben und ohne mich weiter umzusehen. Ich stieg über Joanna und sammelte die Körner und die angekauten Brotstücke vom Boden auf. Im Vorratsschrank suchte ich nach einem Krug Ziegenmilch, aber die

Krüge waren alle zerbrochen, und die Sahne war verschüttet. Alles andere — Löffel und Messer und die Säckchen mit dem Getreidesamen — war verschwunden.

Ich verließ das Haus, ohne zum Herd zu sehen, neben dem unser Vater lag, und ging über den Hof, ohne einen Blick auf den schrecklichen astlosen Baum zu werfen, der in unserer Mutter steckte. Vom Holzstoß nahm ich Reisig, um das Feuer zu entfachen, und dann ging ich wieder ins Haus, ohne nach rechts oder links zu sehen, um ein paar Zweige an der Glut anzuzünden, die noch unter der Asche im Herd war.

Für einen Augenblick glitt mein Blick, während ich in die Asche blies, zu dem toten Gesicht unseres Vaters. Ich starrte auf seinen gekräuselten Bart, seine dicken Augenbrauen, seine große Nase, seine zerzausten braunen Haare. Er lag da, als schliefe er. Jeden Augenblick konnte er aufstehen und zu singen anfangen, wie er es am Abend immer getan hatte, irgendeine fröhliche Melodie oder ein Lied zum Lobe des Herrn. Oder er würde lospoltern: »Anne! Kümmre dich um deinen Bruder!« Oder er würde mich amüsiert ansehen, während er gar nicht so sehr an mich dachte — dessen war ich mir immer ganz sicher —, sondern an unsere Mutter, der ich einmal, wenn ich groß war, sehr ähnlich sein würde, wie er sagte.

Dann blies ich stärker in die Asche, bis eine Flamme aufflackerte, an der ich die Zweige anzündete. Draußen, weit weg von der Mühle, dicht beim Fluß, machte ich ein Feuer und setzte den eisernen Topf auf das brennende Holz. Noch einmal ging ich ins Haus, ohne mich umzusehen, um Stroh zu holen und einen Klumpen altes Hammelfett, um daraus eine Kerze zu machen, falls wir beim Graben Licht brauchten. Es wurde schon spät, die Sonne hing tief über den Baumspitzen. Ihre letzten Strahlen fielen auf die Eisdecke des Flusses. In einer Vorratskammer fand ich ein Dutzend Zwiebeln, die meisten keimten schon, und rollte sie in meine Schürze.

Während im Topf die Körner kochten, sagte ich zu Niklas, daß er mit dem Graben anfangen solle. Zuerst starrte er mich nur an, dann setzte er zögernd das Kaninchen auf den Boden. Es blieb sitzen, wo er es hingesetzt hatte. Mein Bruder lockerte die Erde mit dem Pickel, und ich grub mit dem Spaten. Nachdem wir eine Weile gearbeitet hatten, sagte ich zu Niklas: »In einem ist Gott heute gut zu uns gewesen. Er hat uns den Frühling gebracht, daß sich der Boden graben läßt.«

Nachdem wir das Grab zur Hälfte ausgehoben hatten, machten wir eine Pause, um zu essen. Die Zeit des Abendgebets war schon vorbei, und über dem Fluß war es jetzt fast dunkel. Aber das Wasserrad drehte sich noch, wie es sich immer gedreht hatte, solange ich mich erinnern konnte und solange sich unser Vater hätte erinnern können, denn er war auch in dieser Mühle geboren, und seine Eltern lagen Seite an Seite in ihren Gräbern im Wald. Niklas und ich hatten nicht die Kraft, mehrere Gräber zu graben, so wie unsere Großeltern sie hatten, aber ich sagte zu ihm, während wir die Brotstücke und die Zwiebeln kauten und die dünne Brühe tranken: »Unsere Eltern werden es verstehen. Und sie werden auch nichts dagegen haben, daß Joanna bei ihnen ist. Sie war ein gutes Mädchen. Und sie können immer hören, wie sich das Rad dreht, Tag und Nacht. Und wenn der Schnee kommt, können sie in einen langen Schlaf fallen. Du darfst es behalten, Niklas.«

Er sah mich an.

»Das Kaninchen.« Fast hätte ich gefragt: Wie soll es denn heißen? Aber das hätte er mir doch nicht sagen können.

Wir gruben beim Schein der Kerze, bis das Grab tief genug war, so daß es über unsere Köpfe hinausreichte, und so lang war, daß der Kopf und die Füße unseres Vaters bequem Platz hatten und nirgends anstießen. Dann gingen wir völlig erschöpft in den Geräteschuppen; dort kauerten wir uns alle drei eng aneinander und fielen in einen tiefen Schlaf, obgleich uns der kalte Wind, der durch die Bretterritzen blies, daran erinnerte, daß der Winter noch nicht vorbei war.

3

Als ich am nächsten Morgen die Augen aufschlug, hatte der Tag schon begonnen, und die Sonne stand am Himmel. Neben mir im Stroh sah ich die weißen Haare von Niklas und den weißen Bauch des Kaninchens, das er fest an seine Brust drückte. Das gleiche Weiß. Sie schliefen beide so unschuldig wie das Lamm Gottes.

War gestern Wirklichkeit, oder hatte ich alles nur geträumt? Zuerst wußte ich nicht, wo ich war, aber dann sah ich, daß es der Geräteschuppen war und daß nur einen Steinwurf entfernt der Mühlenhof war, in dem ein astloser Baum aus unserer Mutter ragte, die sich immer so gut hatte daran erinnern können, was die Priester sagten, und die mir deren Worte immer am Feuer wiederholt hatte, damit ich sie nicht vergaß. Ich erinnerte mich plötzlich, wovor die Priester uns gewarnt hatten. *Und ich sah einen neuen Himmel und eine neue Erde; denn der erste Himmel und die erste Erde verging, und das Meer ist nicht mehr.* Aber das konnte nicht wahr sein. Denn wir lagen ja mit einem Kaninchen hier im Geräteschuppen, und um uns herum war der Tod, so viel Tod, und die alte Welt, unsere Welt, war noch immer da, und wir mußten leben in ihr.

Ich stand auf, um mit dem Topf Wasser aus dem Fluß zu holen, und als ich wieder im Schuppen war, weckte ich Niklas auf. Er wollte die Zwiebel, die ich ihm gab, nicht essen; zuerst mußte das Kaninchen eine Brotrinde knabbern.

»Niklas«, sagte ich, »jetzt kommt das Schwerste, das wir tun müssen. Ich kann sie nicht allein zum Grab schaffen. Du mußt mir helfen. Komm.«

Als ich die Schuppentür aufmachte, hüllte kalter Nebel unsere Füße ein und begleitete uns auf dem ganzen Weg. Ich blieb stehen. »Laß es los, Niklas.«

Er setzte das Kaninchen auf den Boden, und es blieb genau an der Stelle, wo er es hingesetzt hatte.

»Zuerst gehen wir zu unserer Mutter. Dann gehen wir zur Mühle. Du darfst nicht weinen. Du mußt kräftig ziehen, wenn ich es dir sage.«

Der Nebel war so dick, daß wir den Körper erst sahen, als wir fast darüber gestolpert wären. Mein Bruder stieß einen wimmernden Laut aus, aber ich drehte mich nicht nach ihm um. Sieh nicht hin, denk nicht soviel, sagte ich mir und griff nach dem Bein unserer Mutter. Ich packte es am Knöchel. Ich zog. Sie bewegte sich, und der Baum, der aus ihr herausragte, wippte hin und her. Niklas gab wieder diesen Laut von sich. Ich drehte mich um und sagte zu ihm: »Tu, was ich tu.«

Er bückte sich und packte das andere Bein am Knöchel, und zusammen zerrten wir unsere Mutter um die Mühle herum bis zum Grab. Ich sah, wie Niklas das baumartige Ding, das aus ihr herauswuchs, anstarrte.

Dann gingen wir zurück zur Mühle. Vater war ein großer Mann und ließ sich nur schwer um den umgestürzten Tisch herum und durch die Tür nach draußen und hinüber zum Grab ziehen. Als wir ihn dort hatten, schwitzten wir und mußten uns eine Weile ans Ufer setzen.

»Niklas«, sagte ich zu meinem Bruder. »Das sind nicht unsere Eltern. Die Seelen unserer Eltern sind jetzt schon im Himmel, und wenn sie vor dem weißen Thron des Herrn stehen, wird Er sagen, daß sie gute Menschen sind, und sie werden die Engel hören. Das hier sind nicht unsere Eltern. Aber wenn sie es wären, dann wäre es schön für sie, zu hören, wie sich das Wasserrad dreht. Komm. Jetzt noch Joanna.«

Ich ließ ihn draußen warten, während ich in die Mühle ging. An einem Haken hinter der Tür — die Soldaten hatten offenbar vergessen, dort nachzusehen — fand ich den schönen gestickten Umhang, den Mutter immer an Festtagen getragen hatte, wenn wir in die Stadt fuhren. Ich wickelte das nackte Mädchen darin ein, dann rief ich Niklas. Joanna war die leichteste von den dreien, und als wir sie zum Grab gebracht hatten, lichtete sich der Nebel, und die Sonnenstrahlen fielen wie durch einen Schleier durch ihn hindurch. »Geh und hol das Kaninchen«, sagte ich zu Niklas, dann ging ich wieder ins Haus.

In der Mühle waren große Stöße Leinensäcke und Lumpen und Fischnetze und alte Seile. Sie sollten zerstampft werden und in Wasserbäder gelegt und flachgewalzt werden, bis sich aus den Fasern Papier machen ließ. Ich suchte nach der Axt, die Erich immer aufgehoben hatte. Ich fand sie. Ich ging damit zurück zum Grab, wo Niklas schon mit dem Kaninchen im Arm wartete.

Es würde nicht leicht sein, dachte ich. Aber es war besser, als die Lanze herauszuziehen. Ich rollte unsere Mutter auf die Seite, und nach ein paar unbeholfenen Schlägen gelang es mir, den Schaft so abzuhacken, daß er ins Grab paßte. Ich spürte Tränen in den Augen, aber ich wischte sie nicht fort, weil ich Angst hatte, Niklas würde es sehen und wieder zu wimmern anfangen.

Ich hatte aus der Mühle ein Stück Seil mitgebracht und knüpfte ein paar Stränge auf. Mit dem Garn band ich mehrere Zweige aneinander, so daß sie drei Kreuze bildeten. Aber die toten Hände waren zu steif, um sie festhalten zu können.

»Macht nichts«, sagte ich und sah Niklas an. »Hilf mir, sie hineinzulegen.« Aber die Körper waren viel zu schwer für uns, und am Ende ließen wir sie einfach ins Grab fallen. Ich kletterte hinein, paßte auf, wo ich hintrat, und legte sie nebeneinander hin – Vater, Mutter, Joanna –, und dann legte ich jedem ein Kreuz auf die Brust. Ich kletterte wieder hinaus und sprach ein Gebet. Ich konnte hören, wie meine Stimme über das Flußufer hallte. Ich bat unseren Herrn, ihre Seelen aufzunehmen und ihnen ewige Gnade zu geben.

Dann fiel mir etwas ein. Ich lief zurück zur Mühle und holte ein Stück Leinensack und wickelte die Hand unseres Vaters darin ein. Es war ein schreckliches Gefühl: Als ich sie in den Hof trug, war es, als würde sie durch das Tuch hindurchbrennen. Mein ganzes Leben lang hatte ich dieser Hand bei der Arbeit zugesehen, die mich am Leben erhielt, und diese Hand gespürt, wenn sie mich liebevoll berührte. Jetzt trug ich sie, kalt und steif, mit geronnenem Blut an den gekrümmten Fingern, vor mir her – als würde ich Brot zu Markte tragen. Als ich wieder am Grab war, zitterten meine Hände. Ich beugte mich über das Loch im Boden und ließ das Ding in dem Leinentuch hineinfallen. Ich richtete mich wieder auf und sagte mit lauter, fester Stimme: »Jetzt schaufeln wir Erde drauf.«

Niklas und ich arbeiteten schweigend, bis das Grab zugedeckt war. Dann fiel ich auf die Knie und weinte, weinte, weinte, bis jeder Gedanke und jedes Gefühl aus mir herausgeflossen waren, bis ich auf meinem Rücken die Wärme von Niklas' Hand spürte.

»Lieber Bruder«, sagte ich und wischte mir die Augen mit der Schürze aus. Seine Hand war warm und lebendig und liebevoll, aber seine Augen blickten so leer wie der Himmel. Ich stand auf. »Das Schlimmste liegt hinter uns.«

Ich machte mich auf den Weg zum Haus, drehte mich dann aber um und wartete auf Niklas und sein Kaninchen. »Niklas, ich hoffe, du verstehst, was ich jetzt sage. Ich habe nur geweint, weil wir sie vermissen werden und weil wir sie so geliebt haben, aber glaub mir, sie sind jetzt mit dem Herrn, sie sind in seinen Händen und in Sicherheit.«

Ich sagte diese Worte, aber zum erstenmal in meinem Leben waren Worte, die in Liebe zu Gott gesprochen waren, nur Worte. Ein Gift sickerte durch meine Adern und breitete sich in meinem Körper aus, drang bis tief in mein Herz. Wegen Niklas mußte ich so tun, als glaubte ich an die Gnade Gottes, so dachte ich damals, aber in Wahrheit — das wußte ich so sicher, wie der Blitz meinen Bruder stumm und taub gemacht hatte — konnte ich nicht länger an die Gnade Gottes glauben.

Doch diese schreckliche Erkenntnis lähmte mich nicht. Im Gegenteil — noch nie zuvor hatte ich so klar gesehen, was getan werden mußte.

Als erstes fiel mir ein, was Erich gesagt hatte, als ihn die Soldaten in den Hof gezerrt hatten. Er hatte um sein Leben gebettelt und ihnen dafür die Schätze des Müllers versprochen. Das hätte ich fast vergessen. Einmal, vor ungefähr einem Jahr, war ich mit unserem Vater hinter die Mühle gegangen, und er hatte ein kleines Kästchen aus einem Loch am Flußufer geholt. Ich hatte zugesehen, wie er den Deckel hochhob und drei Münzen zu den anderen legte, die er gespart hatte, lange bevor ich geboren war.

Erich mußte ihn auch dabei beobachtet haben, denn als ich zum Ufer hinunterkletterte zu dem Versteck, war das Kästchen mit den Münzen fort.

Aber der Verlust des Geldes durfte uns nicht davon abhalten fortzugehen. Nichts durfte uns davon abhalten, von hier fortzugehen, hinaus in die Welt, denn sonst würden wir das gleiche schreckliche Schicksal erleiden wie unsere Eltern und vielleicht genauso schnell. Ich wußte, was mit uns geschehen würde, allein, viel zu jung, um die Mühle in Gang zu halten. Mein Bruder konnte nicht sprechen und war schwerfällig. Ich war schon fast eine Frau und somit nicht nur Freiwild für herumziehende Soldaten, sondern auch für die Männer in der Umgebung. Gott würde kein Erbarmen haben, dachte ich, von Ihm war keine Gnade zu erwarten. Aus diesem Grund waren Gott und der Teufel vielleicht ein und derselbe. Aber wie war das möglich? Der Gedanke durchfuhr mich so plötzlich, daß ich auf dem Rückweg vom Fluß stehenblieb. Weil weder Gott noch der Teufel Erbarmen hatten, weil auf keinen von beiden Verlaß war — weil sie sich gleich waren. Und deshalb mußten wir uns selbst um uns kümmern.

Aber das war Gotteslästerung — so entsetzlich, daß ich in diesem Augenblick froh war, daß unsere Eltern nicht mehr am Leben waren. Daß sie nicht erfahren mußten, was für böse Gedanken ihr Kind hatte.

Als ich wieder zur Mühle kam, war ich erstaunt, Niklas mit dem Kaninchen im Arm neben den beiden Soldaten am Boden sitzen zu sehen.

Wie er da saß und um sie trauerte, machte mich so zornig, daß ich ihn scharf anfuhr: »Niklas!«

Aber er blieb dort sitzen. Ich ging wieder in die Vorratskammer. Es war leichter ohne die arme Joanna vor der Tür. Nachdem ich alles genau durchsucht hatte, hatte ich über ein Dutzend Zwiebeln, einen halben Laib Gerstenbrot, ein Stück alten Käse und ein Stück gesalzenes Schweinefleisch gefunden, das die Soldaten übersehen hatten. Den großen Topf mit dem gedünsteten Fleisch hatten sie mitgenommen.

Als ich wieder in den großen Raum kam, saß Niklas noch immer neben dem Herd und starrte die toten Männer an.

»Niklas!« sagte ich scharf, aber er bewegte sich nicht, und so ging ich in die Mühle, vorbei an den Hämmern und Zahnrädern und Fässern in den Lagerraum, wo unser Vater das fertige Papier aufbewahrte. Das meiste hatte er während des Winters verkauft, aber ich fand noch ein paar Blätter, die die Soldaten sicherlich nur zurückgelassen hatten, weil sie nicht wußten, was sie wert waren. Ich faltete sie sorgfältig zusammen und rollte sie in ein Leinentuch. Zusammen mit dem Essen steckte ich sie in einen Rucksack.

»Niklas«, sagte ich, als ich in den großen Raum zurückkam. Er bewegte sich nicht, er hielt das Kaninchen und starrte auf die

25

eingeschlagenen Schädel der Soldaten. Erschöpft setzte ich mich auf den Schemel.

»Nein, Bruder«, sagte ich. »Dann müßten wir ja noch einmal graben. Willst du das? Diese Männer haben unsere Eltern getötet. Sollen wir ihnen Achtung erweisen?«

Lange Zeit saßen wir da und schwiegen. Die Schnurrbarthaare des Kaninchens zuckten, aber Niklas bewegte sich nicht. Schließlich stand ich auf.

»Aber nicht am Fluß. Ich will nicht, daß sie unsere Eltern stören. Vielleicht im Wald. Aber nicht tief. Es ist mir egal, ob die Hunde sie kriegen.«

Ich ging hinaus, und Niklas folgte mir. Am Rand des Waldes gruben wir ein Loch, bis die Sonne hoch am Himmel stand, dann setzten wir uns in den Schatten. Das Loch ging mir nur bis zur Hüfte, als ich darin stand, aber ich wollte nicht tiefer graben. Wir zerrten die Soldaten aus der Mühle und warfen sie hinein.

»Keine Gebete«, sagte ich zu Niklas, der dastand, das Kaninchen festhielt und auf das bedeckte Grab starrte. »Gott, sei diesen Sündern gnädig«, murmelte ich schnell und bekreuzigte mich. »Komm jetzt.«

Wir gingen zurück zum Haus, in dem nun keine Toten mehr lagen, und kletterten über die alte Leiter in den Raum, in dem wir geschlafen hatten. Er hatte nur ein kleines Fenster, am Boden lag eine Strohmatratze, und dann gab es noch einen Schemel und einen Schrank, in dem wir unsere Kleider aufbewahrten. Der Schrank war durchwühlt, und die Sachen lagen am Boden verstreut. Aber es fehlte fast nichts, denn die Soldaten hatten damit nichts anfangen können. Ich forderte Niklas auf, alle Kleidungsstücke, die er besaß, anzuziehen, und ich zog meine auch an: drei Röcke, vier Leibchen, zwei Jacken, zwei Mäntel, einen zerbeulten Hut aus räudigem Biberfell, den ich an kalten Wintertagen trug, eine schwere schwarze Kappe.

Ich kam mir riesig vor und muß auch so ausgesehen haben, denn Niklas lächelte. Niklas selbst sah rund und unbeholfen aus, ein zerlumpter kleiner Bär mit einer Strumpfmütze, die seinen weißen Kopf verhüllte. Wir lächelten uns an.

»Wir gehen jetzt«, sagte ich, ohne zu wissen, wohin wir gehen sollten. Dann erinnerte ich mich an das Messer, das unsere Mutter in ihrem Zimmer aufbewahrte. Ich ging hin und fand es unter der Matratze, auf der sie jeden Abend gelegen hatte, solange ich denken konnte, und auf der sie ihre braunen Haare ausgebreitet hatte wie einen Fächer, und ihre breite Stirn, weiß und blaß im Kerzenlicht, und ihre scharfen blauen Augen hatten mich angesehen, wenn ich an der Tür stand, und ihr Mund hatte mich angelächelt. Aber ich hatte schon genug geweint. Ich würde nicht noch mehr weinen.

In einer Ecke fand ich ein Brusttuch aus Spitze und stopfte es in den Rucksack, den Niklas tragen würde. Und unter die Matratze geschoben fanden wir das beste Paar Schuhe unserer Mutter, vorne spitz und aus Leder. Auch sie kamen in den Rucksack. Überall im Zimmer verstreut waren die zerrissenen Seiten eines Gebetbuches; die Deckel, mit denen es eingebunden war, und die Kupferbeschläge und das Leder waren in tausend Stücke zerbrochen und lagen überall auf dem Boden. Die Soldaten hatten das alte Buch aus Pergamentpapier nicht für wertvoll gehalten. Aber es war der höchste Besitz unserer Mutter gewesen, den sie als Braut mit in die Mühle gebracht hatte. Sie hatte mich gelehrt, in diesem Buch zu lesen. An kühlen Vormittagen, während sich das Mühlrad unter uns drehte, hatte sie auf die Buchstaben gezeigt, und ich mußte sie benennen, und später mußte ich die Wörter laut lesen. Das waren unsere schönsten gemeinsamen Stunden gewesen.

An der Tür sah ich noch einmal auf das leere Bett, dann gingen wir nach unten.

Draußen blieben wir beim Wasserrad stehen, das sich in der Sonne drehte. »Siehst du die Schaufel, Niklas, wie sie am Rad hinaufgeht? Die jetzt nach oben geht — das waren wir gestern. Und siehst du jetzt, wie sie den höchsten Punkt erreicht und wieder hinunter ins Wasser geht? Das sind wir heute, in diesem Augenblick. Aber jetzt steigt sie wieder in die Höhe. Das wird morgen sein. Vater hat mir einmal gesagt, daß das Leben wie ein Rad ist. Wir standen genau hier, an dieser Stelle, und er zeigte auf das Rad, so wie ich jetzt, und sagte: ›Anne, das Leben ist ein Rad‹, und ich glaube, es ist wahr. So wird das Leben auch für uns sein, denn es ist Gottes Plan. Und jetzt komm.«

Wir knieten am Grab unserer Eltern, und ich betete für sie und für uns. Aber in meinem Herzen war eine große Kälte wie ein Stück Eis, das nicht schmilzt. Ich sprach die Worte für meine Eltern und für meinen Bruder, aber für mich waren es nur Worte.

Gott hörte nicht zu. Das wußte ich genau, auch nicht, als ich um Seine Gnade bat.

Ich war von meinen ketzerischen Gedanken noch ganz aufgewühlt, als ich Niklas seinen Rucksack gab. »Jetzt gehen wir.«

Ich sah mich nicht um, als wir die Mühle verließen, und auch Niklas, der das Kaninchen in der Armbeuge trug, schaute nicht mehr zurück. Wir gingen über den Pfad, der zur Straße führte. Am Waldrand blühten zwei, drei, vier Kuhblumen. Es war Frühling, und wir gingen in ihn hinein.

Aber wohin gingen wir?

»Niklas«, sagte ich. »Die Menschen sind in den Garten Eden gegangen, wo Adam und Eva gelebt haben. Er liegt weit entfernt von hier, im Osten, hinter den Bergen. Dort hören die Blumen nie auf zu blühen, und sie duften und machen gesund. Die Steine im Wasser sind mit Juwelen besetzt. Dort gibt es keinen Wind und keinen Regen und keine Kälte und keine Schmerzen und keinen Tod. Neben einem großen blauen See steht ein herrlicher Palast, der wie die Sonne glüht, und dahinter ist ein Berg, dessen Gipfel bis in den Mond ragt. Es heißt, daß die Menschen all dies gesehen haben. Und vielleicht kommen wir eines Tages selbst dorthin. Aber jetzt gehen wir –«

Während wir das Grab für die Soldaten aushoben, hatte ich nachgedacht, wohin wir gehen könnten, und in diesem Augenblick traf ich meine Entscheidung. »Wir gehen zu Onkel Albrecht. Er lebt in einem Dorf im Norden, vielleicht ein oder zwei Wochen von hier. Ich glaube, er ist ein Schmied. Er wird gut zu uns sein.«

Ich sagte Niklas nicht, was unser Vater immer von seinem Bruder gesagt hatte: »Albrecht ist der seltsamste Mensch auf Gottes Erden«, und auch nicht, daß ich unseren Onkel noch nie gesehen hatte und daß ich nicht einmal den Namen des Dorfs kannte, in dem er lebte.

»Komm«, sagte ich zu Niklas und bückte mich, um mir die Blumen anzusehen, »wir haben einen langen Weg vor uns — bis zum Abendgebet.«

4

Ich wachte auf und dachte, daß alles nicht wahr sei. Gleich würde ich mich zu Niklas umdrehen und ihn wachrütteln, und wir würden zusammen in der Mühle die Leiter hinuntersteigen und Mutter unten in der Küche sehen, die heißen Haferschleim für uns kochte, und später, nach dem Frühstück, würden wir nach draußen gehen, um zuzusehen, wie sich das große Rad drehte, während Vater mit einem Bündel Reisig aus dem Wald kam.

Aber als ich mich zu Niklas umdrehte, hatte ich die Wahrheit vor Augen. Das Rad drehte sich, aber es drehte sich neben einem Grab. Ich konnte ihn nicht wachrütteln, bevor ich nicht zu zittern aufgehört hatte.

Wir hatten in der vergangenen Nacht in einem Heuschober Unterschlupf gefunden. Wenn ich mich bewegte, knisterte das Stroh unter mir. Es war kalt. Mein Atem war ganz weiß, als ich Niklas' Namen flüsterte.

»Wir müssen weiter«, sagte ich. »Bevor der Bauer kommt. Sonst jagt er uns fort.«

Wir nahmen die Rucksäcke und stolperten hinaus in den eiskalten Morgenwind. Über uns türmten sich die Wolken und jagten über den Himmel. Die weißen Haare meines Bruders stellten sich wie Wolkenstückchen auf, als er sich gegen den Wind lehnte und das Kaninchen fest an die Brust drückte.

»Bis jetzt hat uns Gott gut beschützt, Niklas«, sagte ich, »wir sind auf dem richtigen Weg.« Ich war entschlossen, meinen Bruder nicht traurig zu machen und ihm zu sagen, daß wir Gott gleichgültig seien, und ich wollte ihn auch nicht mit meiner ketzerischen Furcht ängstigen — daß sowohl Gott wie auch der Teufel uns etwas antun könnten. Er durfte von meinen Ängsten und bösen Gedanken nichts erfahren.

Schnell überquerten wir die Wiese, die zwischen der Straße und der Scheune lag und auf der ein Schwein an einem Pfahl angebunden war. Es grunzte böse, als wir an ihm vorbeikamen. In der offenen Tür des Bauernhauses stand ein Mann und deutete mit einer Mistgabel in unsere Richtung. Als er sah, wer wir waren, ging er wieder ins Haus. Da er uns keine zornigen Worte nachschrie, hätte ich beinahe Mut gefaßt und wäre umgekehrt, um ihn zu bitten, uns am Feuer ein wenig aufwärmen zu dürfen und etwas zu essen. Aber dann beschloß ich, es doch nicht zu tun.

Wir rasteten bei einem Gebüsch und aßen Gerstenbrot mit kleinen Stückchen Käse. Ich hörte Wasser rauschen und entdeckte einen Fluß, aus dem wir eiskaltes Wasser tranken. Wir schöpften es mit den Händen, bis unsere Finger vor Kälte brannten und ganz rot waren. Aber jetzt waren wir wenigstens richtig wach.

Bevor wir weitergingen, setzte sich Niklas auf den Boden und lehnte sich gegen einen Baum, während ich seinen Kopf nach Läusen untersuchte. Er hatte oft welche, öfter als ich. Vielleicht wurden sie von seiner weißen Haarfarbe angezogen. Das Kaninchen beobachtete mich, während ich die weichen Strähnen untersuchte. Ich zerknackte ihre harten, glänzenden Körper zwischen den Daumen, wie unsere Mutter es mir gezeigt hatte.

»Niklas«, sagte ich, »mach dir keine Sorgen. Es ist gar nicht mehr weit, bis wir bei Onkel Albrecht sind. Nur noch ein paar Tage, dann werden wir dort sein. Und wenn es uns nicht gefällt bei ihm, können wir immer noch woanders hingehen. Es gibt genug andere Orte.« Weil ich nicht sicher war, ob unser Onkel uns aufnehmen würde, mußte ich meinen Bruder schon jetzt vorbereiten. Schließlich waren wir Fremde. Onkel Albrecht und Vater hatten sich zum letztenmal gesehen, bevor ich geboren wurde — Mutter hatte es mir erzählt und auch, daß sich die beiden Brüder im Zorn getrennt hatten.

Natürlich konnte ich Niklas nicht sagen, daß wir sonst nirgendwohin konnten außer zu unserem Onkel — falls wir ihn fanden. Ob es uns nun gefiel oder nicht, er war unsere einzige Hoffnung. Mutter war die einzige aus ihrer Familie, die den Schwarzen Tod überlebt hatte, als er noch vor meiner Geburt über das Land gefegt war, und von Vaters Familie waren nur er und Onkel Albrecht davongekommen. Jetzt waren unsere Eltern tot. Und es war gut möglich, daß auch Onkel Albrecht inzwischen gestorben war.

Aber als wir unsere Rucksäcke aufsetzten und gegen den heftigen Wind ankämpften, sagte ich zu Niklas: »Wir werden es schaffen, Bruder.«

Hatte er Tränen in den Augen? Vielleicht von dem beißenden Wind. Aber natürlich wußte ich, wovon. Deshalb sagte ich mit beherzter Stimme, als wären wir zu unserem Vergnügen unterwegs: »Wir werden ein ordentliches Stück von der Welt sehen, Niklas. Das würde unseren Eltern bestimmt gefallen.«

Und wir hatten Glück. Es war noch keine Stunde vergangen, da nahm uns ein Bauer, der vom Markt zurückkam, auf der Straße auf seinem Wagen mit. Wir saßen zwischen Säcken mit Getreidesaat, Zwiebeln und Salz. In einem Korb lag ein halbes Dutzend eingelegter Aale, ihr Duft machte mich hungrig. Ich sah, wie auch Niklas die Luft einzog, während der Bauer vor uns redete und redete, ohne auf eine Antwort zu warten, als hätte er sonst nie Gelegenheit, etwas zu sagen. Er erzählte von irgendeinem Erzbischof, der zuerst die Münzen entwertet, dann die Steuer auf das Vieh erhöht hatte und damit Aufruhr und Plünderungen hervorgerufen hatte, die nicht aufhören wollten, obgleich er schon die ganze Stadt exkommuniziert hatte. Und dann erzählte er uns noch von einem heiligen Schrein, aus dem — aus drei geweihten Hostien — im vergangenen Sommer Blut getropft war.

»Aber das ist alles gar nichts«, sagte er und schlug mit der Peitsche auf den Rücken seines Maulesels. »Ich hab' mal jemanden gekannt, der einem Mann begegnet ist, der mit der Heiligen Jungfrau gesprochen hat.« Er warf uns über die Schulter einen Blick zu. »Ihr beide seht verfroren aus. Wie könnt ihr frieren, wenn ihr soviel Fett am Leibe habt?«

Er hielt unsere Kleider für Fett.

»Vor Jahren noch, bevor ihr geboren wart, hatten wir mal einen furchtbar kalten Frühling. Alle Flüsse waren zugefroren. Die Fische gefroren zu Stein. Wenn man sie aus dem Eis hackte und in einen Topf warf, tauten sie auf und schwammen darin herum.« Wieder warf er uns einen Blick zu. »Glaubt ihr mir nicht? Fragt eure Eltern, die werden es euch bestätigen. Was ist los mit ihm?« Er deutete auf Niklas.

»Nichts«, sagte ich. »Er spricht nur nicht viel.«

»Wenn er krank ist, will ich ihn nämlich nicht auf meinem Wagen haben.«

»Er ist genauso gesund wie du und ich.«

Zufrieden hieb der Bauer mit dem Zügel auf seinen Maulesel ein. Wie viele der Reisenden auf den Straßen trug er einen Umhang aus Schaffell. Trotz des kalten Wetters und der tiefhängenden Wolken, die Schnee bringen konnten, waren viele Menschen unterwegs, richtige Menschenmengen, und alle kamen sie von Osten und gingen nach Westen – Kaufleute zu Pferde, Händler mit vollgepackten Mauleseln, Bauern mit zweirädrigen Karren, die sie hinter sich herzogen, und Mönche, in braune Kutten gehüllt, neben ihren Trägern, die Bündel mit Essen und große, in Sackleinen gewickelte Kreuze trugen. Sogar Holzfäller waren dabei, die ihre Axt auf den Rücken geschnallt hatten. Und fast alle waren von Osten nach Westen unterwegs.

Der Bauer redete immer weiter, aber ich unterbrach ihn und fragte, warum so viele Menschen unterwegs seien und warum sie alle nach Westen gingen.

»Weil sie glauben, sie könnten davonlaufen.« Der Bauer lachte. Er hatte ein verwittertes Gesicht, eine dicke Nase, und unter seiner schmutzigen Fellmütze ragte eine Haarsträhne hervor. »Die glauben, sie könnten der Pest entkommen, aber das können sie nicht.«

Das Wort »Pest« erschreckte mich. Obgleich sie, solange ich lebte, noch nicht aufgetreten war, lauerte sie beständig in allen Ecken und Winkeln – wie ein Meuchelmörder mit seinem Dolch, wie mein Vater immer gesagt hatte.

»Diese Menschen laufen vor der Pest davon?«

Aber er hörte mich nicht. Er zog die Zügel straff und hielt seinen Maulesel an. Vor uns sprangen die Menschen in den Graben, um einen großen vierrädrigen Wagen vorbeizulassen. Er hatte ein Dach aus Leinentuch und wurde von drei hintereinandergespannten Pferden gezogen. Als er näher kam, beugte ich mich vor, um besser sehen zu können, und als er an uns vorbeifuhr, sah ich durch das Fenster eine blasse, sehr schöne Frau, bestimmt eine Dame von hohem Rang, mit einem Brusttuch aus Spitze und einem Pelzumhang und gezupften Augenbrauen.

Dahinter kamen noch andere, flache Wagen, die mit blankpolierten Möbelstücken beladen waren, mit Töpfen und Pfannen und Körben und Kisten mit Silberbeschlägen, die zum Teil an den Seiten überstanden, weil sie offenbar in Eile gepackt worden waren. Es waren ein halbes Dutzend solcher Wagen und eine große Schar Diener, die in ihrer Überheblichkeit ihrer Herrin auf dem gepolsterten Sitz in nichts nachstanden.

»Seht sie euch an«, sagte der Bauer voller Verachtung und sah ihnen nach, während er den Maulesel wieder mit der Peitsche antrieb. »Man kann vor der Pest nicht davonlaufen. Sie macht Bauern und Könige gleich.«

»Ist denn die Pest zurückgekommen?«

»Ich habe vergangene Woche davon gehört, nur ein Gerücht, aber nach dem, was ich heute sehe, könnte es wahr sein. All diese Menschen kommen wahrscheinlich aus den Städten im Osten. Die Menschen brauchen doch nur von der Pest zu hören, und schon laufen sie los wie toll gewordene Hunde. Wenn ihr mir nicht glaubt, fragt doch eure Eltern. Sie werden es wissen.«

Ein paar Schneeflocken fielen auf Niklas' Haare, Weiß auf Weiß, und auf den Bauch des Kaninchens, Weiß auf Weiß, das in den Armen meines Bruders schlief.

Am späten Vormittag bog der Bauer in einen tiefzerfurchten Weg ein und hielt an, damit wir abspringen konnten. Er starrte Niklas noch einmal prüfend an und sagte: »Bist du auch wirklich sicher, daß mit ihm alles in Ordnung ist?«

Als er keine Antwort erhielt, schnalzte er seinem Maulesel zu und fuhr auf dem holprigen Weg davon.

Wir blieben auf der großen Straße, liefen den ganzen Tag lang und hielten nur an, um uns etwas auszuruhen und unter den Bäumen abseits der Straße ein Stück von dem gesalzenen Schweinefleisch zu essen. Kurz vor der Dämmerung teilte sich die Straße, und wir wählten die, die nach Norden führte. Auf dieser Straße trugen nur wenige Reisende ihr Hab und Gut mit sich.

Ich fragte einen Mann nach dem Grund. Er zwinkerte mir zu und sagte, die nördliche Straße sei nicht interessant für Menschen, die um ihr Leben liefen. »Sie sterben lieber in den großen Städten«, sagte er. »Im Norden und im Süden gibt es gute Arbeitsplätze, aber in den Städten im Westen gibt es mehr Vergnügungen. Deshalb zieht es die meisten Menschen nach Westen. Um Spaß zu haben beim Sterben.«

Ich muß ihn etwas zweifelnd angesehen haben, denn er fügte noch hinzu: »Du hast das letzte Mal noch nicht gelebt, mein Kind. So ist es nun einmal mit dem Schwarzen Tod. Wenn die Pest herangaloppiert kommt, wollen die Leute nur noch ein bißchen Spaß haben. Die Ritter und ihre Damen. Die Kaufleute. Sogar die Bauern packen das bißchen zusammen, was sie haben, und gehen auf und davon, um sich in Abenteuer zu stürzen. Sogar die Mönche. Wo können wir hin, wo es gut zu essen, gut zu trinken, Spiele und andere Freuden gibt? Die Pest treibt sie alle zusammen für eine kurze Frist, um sie dann leichter zu ihrer Beute zu machen.«

Er starrte mich lange an und sagte: »Ein Mädchen wie du sollte auch nach Westen gehen.«

»Warum?«

»Weil es dort Arbeit gibt für ein Mädchen, weil die Menschen dort auf ihr Vergnügen aus sind.«

Als ich mit Niklas weiterging, rief er mir nach: »Denk drüber nach! Was sonst könnte ein Mädchen tun?«

Während wir weitergingen, sagte ich zu Niklas: »Die Pest wird uns nicht kriegen. Wir gehen nach Norden, wo sie nicht ist.«

5

Wir verbrachten die Nacht im Gästehaus eines Klosters. Ein Mönch am Haupttor zeigte uns den Weg. Wir gingen um die Klostermauer herum, an einem Bottich vorbei, in dem die Trauben zerstampft wurden, und an mehreren Fässern und einem Schuppen für Hanf und einem Schafstall, bis wir zu dem Gästehaus kamen. Eigentlich war es ein Holzschuppen, kaum groß genug für die zehn Reisenden, die sich dort für die Nacht zusammendrängten.

Später kam ein Mönch, um zu fragen, was wir im Namen des Herrn übrig hätten, aber nur ein Hausierer gab ihm eine kleine Münze. Dann blies der Mönch die Kerze aus, nahm sie mit und ließ uns im Dunkeln zurück. Mir gefiel es dort nicht, aber es war zu kalt, um im Wald zu übernachten. und noch einmal in einen Heuschober zu gehen, traute ich mich nicht. Aber niemand sprach mit uns oder faßte uns an. Die anderen Reisenden redeten miteinander und machten laute Geräusche, wenn sie sich bemühten, auf dem kalten, mit Holzspänen bestreuten Boden bequem zu liegen. Ununterbrochen hustete jemand.

Ganz besonders ein Mann, der sich über den Edelmann beklagte, von dem er Land gepachtet hatte. Er sagte, er habe ihm befohlen, seine Kuh auf einem großen Umweg auf die Weide zu bringen und wieder von dort zu holen, damit sie über die Felder des Lehnsherrn käme und das Getreide düngte. Dadurch bekam er seinen Dünger von seinen Pächtern umsonst. Und nicht nur das, sagte der Bauer: Außerdem hatte man ihn gezwungen, eine Frau zu heiraten, die zum Besitz des Lehnsherrn gehörte. Und diese Frau hatte ihm keine Kinder geboren, so daß er keine Erben hatte, nicht einmal ein Mädchen. Folglich würde alles, was er besaß, wenn er tot war, dem Gesetz nach dem Lehnsherrn gehören — das Haus, das er gebaut hatte, die Werkzeuge, die er gekauft hatte, die Kleider, in denen er nicht beerdigt würde, alles würde an den Edelmann gehen, der ihn schon sein ganzes Leben lang ausgeplündert hatte. Er sagte, er schulde ihm Geld, weil er sein Korn mit der Mühle des Herrn gemahlen hatte und weil er sein Brot im Ofen des Herrn gebacken hatte und weil er seine Äpfel in der Saftpresse des Herrn gepreßt hatte.

Während er redete und redete, bekam er immer wieder schlimme Hustenanfälle, aber er hörte einfach nicht auf. »Und wenn wir unserem Lehnsherrn nicht gehorchen, werden wir ewig in der Hölle schmoren.«

»Wer hat das gesagt?« fragte jemand in dem dunklen Raum.

»Unser Bischof. Er hat einen Kirchenbrief an die Kirchentür geschlagen.«

Darauf erhob sich zorniges Gemurmel. aber das konnte den

Bauern nicht aufhalten. Mit jammernder Stimme fügte er hinzu: »Aber das ist noch nicht alles! Wohin wir uns wenden, werden wir zugrunde gerichtet! Von allen Seiten. Wir zahlen dem Bischof sogar noch höhere Steuern, als wir unserem Lehnsherrn zahlen!«

Im Schuppen war es jetzt sehr unruhig; scharrende und schabende Geräusche und noch mehr Husten und Stöhnen, daß ich gar nicht schlafen konnte. Aber mein Bruder hatte das Kaninchen unter seine Jacke gesteckt und schlief fest. Ich nahm meine Hand die ganze Nacht kein einziges Mal von seiner Schulter, damit ihm niemand etwas tun konnte, denn es war so laut und unruhig in der Dunkelheit, daß man gar nicht wissen konnte, was vor sich ging.

Den Geräuschen, die aus der einen Ecke kamen, konnte man entnehmen, daß sich der Mann und die Frau, die dort lagen, liebten. Ich bemühte mich, nicht darauf zu achten, aber die Versuchung war zu groß. Immer wieder lauschte ich und malte mir alle möglichen Dinge aus. Ich stellte mir vor, ich selbst läge unter einem gesichtslosen Mann, der sanft meine Brüste rieb und dann mit mir tat, was noch kein Mann mit mir getan hatte. Ich hatte es mir bis jetzt immer als etwas vorgestellt, das durch meinen Körper hindurchgeht wie ein Schatten, der über den Weg fällt: ganz still und weich, aber auch beängstigend und so stark wie die kräftigen Flanken eines Pferdes. Als es in der Ecke still wurde, dachte ich nicht mehr daran.

Mehrmals schlief ich ein, wurde aber immer wieder von dem schrecklichen Husten aufgeweckt. »Ich verbrenne«, hörte ich jemanden flüstern und später dieselbe keuchende Stimme einer Frau: »Ich erfriere, ich verbrenne. Oh, ich verbrenne . . .«

Gegen Morgen fuhr ich steil in die Höhe, als plötzlich laute Schläge zu hören waren. Dann sah ich Schatten, die durch den Holzschuppen huschten. »Haltet sie, haltet sie fest!« schrie jemand.

Als es heller wurde, betrachtete ich die ausgestreckten Körper der Schlafenden, um zu sehen, wer eine so schreckliche Nacht verbracht haben konnte. Die Schläge waren von links gekommen. Dort lag eine Bäuerin, die ihren Kopf gegen einen Holzstoß lehnte. Nachdem ein paar Reisende aufgestanden und weggegangen waren, konnte ich sie deutlich erkennen: Sie hatte grellrote Beulen im Gesicht, ihr Mund war auf der einen Seite nach unten gezogen.

Ich rüttelte Niklas und stand auf. Ich bemühte mich, an ihr vorbeizugehen, aber ich brachte es nicht über mich. Ich bückte mich, weil ich jetzt etwas sah, das mir so vertraut war wie die Gesichter unserer Eltern. Ich sah den Tod vor mir. Die Frau war tot. Auf ihrer Kleidung war Erbrochenes, das sie in der Nacht herausgehustet haben mußte.

»Geh schon hinaus, Niklas«, sagte ich, und er ging.

»Konnte nichts für sie tun«, flüsterte ein alter Mann, als ich mich neben die tote Frau kniete. »Muß am Antoniusfeuer gestorben sein. In dieser Jahreszeit kommt es oft vor. Aber vor ein paar Jahren war es noch viel schlimmer. Einer meiner Söhne ist daran gestorben.« Er lächelte mich an. »Hatte zuerst Kopfschmerzen. Sagte, er fühle sich schwach. Ich dachte, er will sich nur vor der Arbeit drücken. Fauler Kerl, sagte ich zu ihm. Aber er hatte ein starkes Jucken, und dann schlief er im Stehen und die Arme verkrampften sich. Dann wurden seine Finger taub und faulig, und das Fleisch fing an zu stinken. Ihm war heiß und kalt. Armer Junge, er war kein bißchen faul. Und dann kam das Brechen und der Auswurf, genauso wie bei ihr vergangene Nacht.« Der alte Mann legte seine Hand auf meinen Arm. »Ich kümmere mich um sie. Sie hatte Glück, hier zu sterben. Die Mönche werden für ihre arme Seele beten.«

Ich ließ ihn also mit der toten Frau im Schuppen zurück. Niklas wartete draußen. Es wehte ein kräftiger Wind, und er kniff die Augen zusammen. Oben ragten die braunen Ohren des Kaninchens aus der Jacke meines Bruders.

Mutter hatte mir vom Antoniusfeuer erzählt. Die Krankheit war nach einem Höllenfeuer benannt, das den heiligen Antonius in seiner Jugend dazu gebracht hatte, sich vom Bösen zu befreien. Es sei für uns alle eine Lehre, hatte Mutter gesagt.

War die Frau im Schuppen denn so böse gewesen, daß sie ein solches Leiden verdiente? Waren unsere Eltern böse gewesen?

Nein. Ganz gewiß nicht. Sie waren nicht böse.

Den ganzen Morgen dachte ich, während wir gegen den kalten Wind ankämpften, darüber nach, was wohl mit dem Feuer geschah, wenn es ausging? Wohin ging es dann? Woher wollten wir wissen, was mit den Seelen geschah?

Als es zu schneien begann, zog ich Niklas die Mütze über die Ohren und wünschte, ich könnte ihm ein paar Fragen stellen. Auch wenn er sie nicht hätte beantworten können, wäre es schön gewesen, ihn sagen zu hören: »Ach, Schwester, ich weiß es nicht.«

Am Tag wurde es etwas wärmer, so daß wir in der folgenden Nacht im Wald blieben. Ich zog die Zweige eines Gebüschs zusammen und legte zum Schutz eine Decke darüber. Unter der anderen Decke, die ich in meinem Rucksack hatte, kuschelten wir uns eng aneinander. Das Kaninchen lag warm und geborgen zwischen uns.

Der nächste Tag war warm, plötzlich ein richtig warmer Frühlingstag. In den Furchen glitzerte geschmolzener Schnee wie kleine Seen, und darin spiegelte sich der wolkenlose Himmel, zum erstenmal auf unserer Reise.

Auf einem Feld, an dem wir vorbeikamen, hob eine Frau ihren Rock hoch und befestigte ihn an ihrem Gürtel. Aus dem Korb, den ihr Rock nun bildete, nahm sie eine Handvoll Samen nach der anderen und streute ihn in die Ackerfurche, die zwei Männer mit einem Pflug in den nassen Boden gezogen hatten – der eine schob den Pflug, der andere zog ihn.

»Was für ein wunderbarer Tag«, sagte ich zu Niklas. »Unser Glück hält an. Es ist jetzt wirklich Frühling geworden. Es ist ein schöner Tag zum Reisen.«

Aber auch für eine Reise, die so schlecht geplant war? Wir gingen nur nach Norden, weil unser Onkel früher einmal dort gelebt hatte. Und der Norden war groß, groß genug, um darin verlorenzugehen.

Das warme Frühlingswetter hielt zwei Tage an. Und unsere Stimmung begann, sich dem Wetter anzupassen. Wir lächelten uns an, und die Erinnerung verblaßte an der süßen klaren Luft.

Am dritten Tag hörten wir Stimmen, bevor wir jemanden sahen. Vor uns hörten wir ein Rauschen wie von dem Fluß, der an unserer Mühle vorbeiströmte, dann plötzlich einen lauten Schmerzensschrei wie von einem Schlachtfeld, auf dem Verwundete lagen.

Schließlich sahen wir sie – eine lange Menschenreihe, die die Straße entlangging. Ich wollte ihnen ausweichen, um ihre Schreie nicht hören zu müssen. »Komm«, sagte ich zu Niklas und wollte schnell zurück in den Wald.

Aber mein Bruder ging einfach weiter, auf die Menschenkette zu.

Ich folgte ihm. Niklas übernahm nur selten die Führung, aber wenn er es tat, mußte ich ihm folgen.

Es war eine Prozession, und als wir sie erreicht hatten, blieben wir stehen, um sie vorbeiziehen zu sehen — wie es auch die Bauern taten, die mit Brennholz aus dem Wald kamen. Wir standen neben der Straße, und es waren ein paar hundert Menschen, die an uns vorbeizogen.

Ein Bauer nahm seinen zerbeulten Hut ab und sagte: »Das Volk Gottes.«

Die meisten von ihnen waren barfuß, hatten nur unförmige Hosen und Blusen aus Pferdehaaren an, die schrecklich kratzen mußten. Die meisten Männer aus den ersten Reihen waren bis zur Hüfte nackt und schlugen sich selbst mit Lederpeitschen. Sie hinterließen eine Blutspur. Manche Frauen trugen Seile um den Hals; andere waren vom Kopf bis zu den Zehen mit nasser Asche bedeckt. Sie stöhnten und schluchzten und beteten und sangen Klagelieder.

Ein Bauer, der mit uns am Straßenrand wartete, bückte sich, um die Finger in das Blut zu tauchen; er preßte die Finger gegen seine Augen und murmelte ein Gebet.

Wir folgten den Geißelbrüdern bis ins nächste Dorf. Sie blieben an einem Platz stehen, der sonst zum Dreschen verwendet wurde und leergefegt war, und peitschten sich aus, während ihr Anführer das Wort an die Dorfbewohner richtete, die zusammengelaufen waren.

Diese gottesfürchtigen Andächtigen, erklärte er, würden 33 Tage lang ihre Leiden weitertragen, einen Tag für jedes Jahr, das unser Herr gelebt hatte. Sie konnten sich nicht waschen und auch nicht ihre Wunden versorgen. Sie konnten nicht in Betten schlafen und während dieser ganzen Zeit keinen anderen Menschen berühren. Sie waren Erlöser. Sie brachten ihr Blut zum Fließen und sühnten so die Geißelung unseres Herrn. Sie büßten wie Er für die Sünden der Menschen.

Ich sah Niklas an. Er hatte seine Mütze abgenommen, und im

Sonnenlicht waren seine Haare so weiß wie der Bauch des Kaninchens. Inmitten der Büßenden und der neugierigen Dorfbewohner sahen sie weich und zart aus.

»Die Welt wird älter«, sagte der Anführer. »Bei Matthäus heißt es, die Sonne wird verdunkelt werden, und der Mond wird nicht scheinen, und die Sterne werden vom Himmel fallen, und alle Völker der Erde werden trauern.«

Ich sah Niklas an und versuchte, in seinen blauen Augen zu lesen, ob er die Worte verstanden hatte. Ich wußte es nicht.

»Wir müssen uns gegen den Teufel wappnen, der unter uns ist. Er ist mit seinen Dämonen gekommen — halb Reptil, halb Frau. Sie verwüsten das Land, bringen Feuer und Hungersnot, säen Krankheiten. Betet für uns, schließt euch uns an, helft uns im Namen des Herrn.«

Die Frauen führten kranke Dorfbewohner durch die Menge, um sie segnen zu lassen. Der Boden war von Blut durchtränkt.

Ich nahm Niklas am Arm und führte ihn weg. »Bruder«, sagte ich, »wir haben so viele Schmerzen gesehen, die niemand gewollt hat. Aber diese Menschen hier wollen den Schmerz. Sie suchen ihn. Komm.«

Er sah an mir vorbei zu den Männern mit ihren Geißelruten.

»Nein«, sagte ich. »Das bringt unsere Eltern nicht zurück. Es hilft ihnen auch nicht im Himmel. Komm, Niklas.«

Langsam drehte er sich um und sah mich an.

»Es würde ihnen nichts helfen, wenn du dein Blut hergibst. Gott würde es nicht wollen — nicht von einem Kind. Komm.«

Dann folgte er mir.

Als wir auf der Straße weitergingen, hörten wir hinter uns noch lange den Chor aus Wehklagen, Angst und Schmerzen, und er brandete wie ein ferner Sturm gegen unsere Ohren.

Und als wieder Stille einkehrte und nur noch unsere schlurfenden Schritte auf der staubigen Straße zu hören waren, sagte ich mir: Wenn Gott will, daß wir Onkel Albrecht nicht finden, dann gehe ich nach Westen in die großen Städte. Ich werde tun, was alle Mädchen dort tun, wenn ich damit meinen Bruder retten kann. Er wollte sein Blut für unsere Eltern geben. Und ich werde mein Blut für ihn geben, wenn Gott es so will.

40

6

Drei Tage später zogen wir noch immer durch den Frühling in Richtung Norden. Obgleich mir in den vielen Kleidern warm war, behielt ich sie alle an. Als ich mich in einem klaren Bach im Wald, wo wir geschlafen hatten, betrachtete, sah ich ein unförmiges, plumpes Wesen vor mir. Dick verpackt, wie ich war, wirkte ich wie ein zu groß geratenes, häßliches Kind. Und der zerbeulte Hut aus Biberfell verbarg meine dicken hellblonden Haarflechten. Selbst für einen Mann, der Böses im Schilde führte, war ich wahrscheinlich nicht der Mühe wert. Ich war schon seit einiger Zeit in dem Alter, in dem Vorsicht geboten ist, so daß ich von Anfang an Angst gehabt hatte, als wir auf unsere Reise gingen; aber auf der Straße hatte ich das Gefühl, eine Frau zu sein, mehr als je zuvor und auch ein Gefühl für die Gefahr, die damit verbunden war.

Aber für Niklas bestand kein Anlaß, die dicken Sachen zu tragen. Er zog seinen dicken Umhang und zwei der drei Hosen und ein Lederwams aus. Wir packten alles in seinen Rucksack, aber später, als er es nicht sah, stopfte ich die Sachen in meinen. Mich hatte die lange Reise zwar auch angestrengt, aber an dem schleppenden Gang meines Bruders und an seinem eingefallenen Gesicht sah ich, daß er völlig erschöpft war. Und wir hatten nur noch Zwiebeln zu essen.

Unser Glück hielt nicht an, trotzdem sagte ich zu ihm: »Gutes Wetter bringt Glück.«

In jedem Dorf fragte ich nach Albrecht Valens, dem Waffenschmied — daran glaubte ich mich zu erinnern: daß er Waffen herstellte. Niemand hatte je von ihm gehört.

Eine Woche, nachdem wir von zu Hause weggegangen waren, kamen wir in die Nähe eines Dorfs. Auf einem Feld neben der Straße waren sechs Jungen, ungefähr so alt wie ich. Sie warfen Steine nach einem spindeldürren Hund, der sie umkreiste. Warum lief er nicht weg? Einer der Jungen hielt etwas in die Höhe — eine junge Katze. Mit ihr lockten sie den Hund immer wieder näher zu sich, und dann bewarfen sie ihn mit Steinen.

Als sie uns sahen, ließen sie von dem Hund ab und drehten sich geschlossen zu uns um und beobachteten, wie wir näher kamen. Ich konnte sie fühlen. Ohne ihrem Blick zu begegnen, spürte ich, wie sie uns aufmerksam betrachteten, und ich bekam ganz weiche Knie.

»Weiter«, sagte ich zu Niklas. »Weitergehen.«

Aus den Augenwinkeln sah ich, wie sie das Feld überquerten, so daß sie vor uns auf die Straße kommen würden. Ich spürte, wie mir der Schweiß über die Stirn und in die Augen lief, aber nicht, weil mir heiß war: Ich hatte Angst. Nicht einmal die Soldaten bei der Mühle hatten mir soviel Angst gemacht. Ich sah Niklas an. Ich hatte genausoviel Angst um ihn wie um mich selbst. Er war klein, hielt ein Kaninchen im Arm, und wir konnten nicht weglaufen. Wohin auch?

Sie standen auf der Straße und versperrten uns den Weg.

Der eine sagte: »Wer seid ihr?«

»Wir wollen in den Norden«, sagte ich, so ruhig ich konnte.

Ein anderer sah Niklas an. »Warum hast du weiße Haare?«

»Er wurde vom Blitz getroffen«, erklärte ich dem Jungen, der der größte von ihnen war. Er hatte zerrissene Hosen an und Holzschuhe, sein Wams hatte nur einen Ärmel. Er bekam schon einen Bart, der die untere Hälfte seines breiten Gesichts dunkler machte. Er sah Niklas scharf an.

»Warum hast du weiße Haare?« fragte er meinen Bruder noch einmal.

»Er wurde vom Blitz getroffen«, wiederholte ich.

»Ihr solltet das Kaninchen nicht essen«, sagte er zu Niklas, ohne auf mich zu achten. »Deine Schwester ist sowieso schon zu fett. Gib es mir.« Aber er machte keine Anstalten, es sich zu holen.

»Wir sind auf dem Weg nach Hause«, sagte ich mit bittender Stimme.

»Ist er dein Bruder?«

»Ich weiß, was mit ihm los ist«, sagte einer der anderen Jungen und lachte. »Er kann nicht sprechen. Kein einziges Wort. Er ist verrückt.«

Der große Junge trat vor Niklas und musterte ihn. »Bei uns ritzen wir den Verrückten ein Kreuz auf die Stirn.«

»Wir sind auf dem Weg nach Hause«, sagte ich noch einmal.

»Dann geh doch nach Hause, du fette Sau. Wir wollen nur das Kaninchen.«

»Und dann machen wir deinem Bruder ein Kreuz auf die Stirn, das zu den weißen Haaren paßt«, sagte ein anderer.

Der größte Junge griff nach dem Kaninchen, aber im selben Augenblick, als er die Hand ausstreckte, warf sich mein Bruder auf den Boden. Er hielt den weichen kleinen Körper des Kaninchens mit beiden Händen umklammert und umschloß es wie eine Muschel.

Ein Junge trat mit dem Fuß nach Niklas, streifte aber nur den Kopf meines Bruders. Bevor er noch einmal zutreten konnte, warf ich mich über Niklas und breitete meine Arme über seinen Körper aus. Sofort spürte ich scharfe Schläge, immer wieder und wieder, an Armen und Beinen und auf dem Rücken, als die Jungen von allen Seiten nach mir traten und mich schließlich am Boden herumdrehten.

Ich machte die Augen auf und sah den größten Jungen dicht über mir, er hatte die Hand zur Faust geballt und holte gerade zum Schlag aus. Ich hob die Arme, um ihn abzuwehren, aber im selben Augenblick bekam ich einen Schlag in den Magen, daß mir die Luft wegblieb. Trotzdem gelang es mir, wieder über Niklas zu kriechen, seinen Körper zu bedecken und meine Hände über seine und das Kaninchen zu legen. Wir gruben uns fest in das Fell ein, so daß die Jungen es uns nicht wegreißen konnten. Ich war mehr damit beschäftigt, aufzupassen, daß ich das Kaninchen nicht totdrückte, als auf die Schläge der Jungen zu achten, die auf mich einprasselten.

Überall spürte ich Schmerzen außer auf den Händen, die das weiche Fell bedeckten. Es kam mir vor, als bestünde ich nur aus Händen, die das Kaninchen beschützten, und als würde alles andere mit jemand anderem geschehen. Ich fühlte die Schmerzen überall an meinem Körper, aber sie schienen nicht zu mir zu gehören. In Wirklichkeit bestand ich nur noch aus Händen, die zusammen mit Niklas' Händen über dem weichen Fell lagen. Nichts konnte uns vom Kaninchen trennen. Ich wußte, daß es so war, ohne es richtig zu denken, und auch dann noch, als die Jungen gemeinsam über uns herfielen und schrien und schlugen und traten und stießen.

Und dann war plötzlich alles vorbei.

Ich hörte eine Stimme, die eine Frage stellte, einen zornigen Aufschrei, einen Befehl, dem Schweigen folgte.

Ich machte die Augen auf und sah einen großen Mann in einem Kittel, der von einem Gürtel zusammengehalten war. Er hatte einen dicken Knüppel in der erhobenen Hand. Seine breite Nase leuchtete unter dem Rand seines Hutes. Seine dicken Augenbrauen zogen sich dicht zusammen, als er auf uns herunterstarrte. Er sah aus wie aus Holz geschnitzt.

Mühsam stand ich auf, mein ganzer Körper tat mir weh, aber die Jungen waren nicht mehr zu sehen. Der Mann mußte sie mit seinem Knüppel vertrieben haben. Ich hob Niklas auf, der noch immer das Kaninchen umklammerte. Auf dem zerzausten braunen Fell und dem weißen Bauch war Blut, das Blut meines Bruders und mein eigenes. Aber dem Kaninchen war nichts geschehen.

Ich unterdrückte die Tränen und bedankte mich für unsere Rettung. Der Mann sah über die Felder, über die die Jungen davongelaufen sein mußten. »Gottlos«, sagte er. »Eine gottlose Welt ist das.«

Mit dem Lappen, mit dem ich mich sonst in den Flüssen wusch, wischte ich Niklas das Blut aus dem Gesicht. Ich war stolz auf ihn, weil er nicht weinte. Dann wischte ich mir auch das Blut ab und merkte, daß meine Unterlippe dick geschwollen und mein rechtes Auge fast geschlossen war. Im Nacken spürte ich einen stechenden Schmerz, und wenn ich mich umdrehte, taten mir alle Rippen weh. Trotzdem – die vielen Kleider, die ich anhatte, hatten mich vor noch schwereren Verletzungen bewahrt. Wir vergossen keine einzige Träne. Wir würden nicht weinen, nicht einmal vor dem Mann, der uns gerettet hatte. Ich war überrascht, daß er nicht einfach weitergegangen war, und bedankte mich noch einmal bei ihm. Er stand neben einem zweirädrigen Karren, der mit Reisig beladen war, das er wahrscheinlich aus dem Wald geholt hatte. Er bewegte sich langsam, fast schwerfällig, und ich faßte sofort Vertrauen zu ihm.

Ich war durch unsere Reise schon mutiger geworden und fragte ihn, ob er uns etwas zu essen geben könne.

Er nickte, und wir gingen hinter ihm her, als er den Wagen über die Straße zog. Ich fragte mich immer wieder und wieder: Wenn Gott uns wirklich liebte, würde er uns dann soviel Leid antun?

Der Hof des Bauern lag auf einem Feld hinter dem Dorf. Das Haus, mehr eine Hütte, war aus Holz und hatte ein Strohdach. Auf dem Hof lag sein Werkzeug: ein Spaten, eine Sense, ein paar Hacken, ein Pflug. Einen Stall hatte er nicht, auch kein einziges Arbeitstier oder Hühner. Ein junges Mädchen, das ein kleines Kind auf dem Arm hatte, sah uns entgegen, als wir ankamen. Eine Frau und ein anderes Mädchen, ungefähr so alt wie ich, starden in der offenen Tür der Hütte.

Kurz davor blieb der Mann stehen und wischte sich die Stirn ab. »Gottlose Zeiten sind das«, rief er und sah die Frau an.

Und der Blick, mit dem sie uns musterte, zeigte mir, daß wir auch über Nacht bleiben durften.

Wir blieben länger als eine Nacht. Obgleich in ihrer Hütte wenig Platz war, nahm uns die Familie auf. Sie besaßen einen Tisch auf Böcken mit einer Bank, eine einzige Truhe, ein paar Eisentöpfe und Schüsseln aus Ton und einen Waschtrog. Außerdem waren in der Hütte noch zwei Gestelle aus ineinander verkeilten Brettern. Blaise (so hieß der Bauer) und seine Frau schliefen auf dem einen, seine drei Töchter auf dem anderen. Das Baby schlief auf Stroh im Waschtrog. Niklas und ich legten uns in der Nacht vor den Herd.

Zum erstenmal, seit wir von zu Hause fort waren, hatte ich dünne, lose Kleider an. Die Schmerzen verschwanden allmählich, und die Wunden verheilten. Ich wusch mir die Haare in einem Bach. Als sich die Wellen an der Oberfläche wieder geglättet hatten, sah ich mich an — die breiten Backenknochen, die weit auseinanderliegenden Augen: Das unförmige, plumpe Etwas war zur Frau geworden, zu einer Frau mit schärferen Gesichtszügen als die des jungen Mädchens, das vor wenigen Wochen auf die Reise gegangen war. Auch Niklas erholte sich schnell von seinen Wunden, und es war schön, ihn wieder wie ein Kind über die Felder laufen zu sehen.

Wir waren also in Sicherheit — in einer Familie. Niemand erwähnte die Haare meines Bruders, obgleich das Baby manchmal den Arm nach ihnen ausstreckte, um sie anzufassen. Niemand fragte mich, warum Niklas nicht sprechen konnte. Sie teilten mit uns ihr dunkles Gerstenbrot, ihren Haferbrei und Stücke von Salzheringen. Sie forderten nichts dafür.

Blaise sah mich oft an und murmelte: »Was für gottlose Zeiten!« Als sei das Grund genug für soviel Freundlichkeit.

Ich half seiner Frau am Herd, zeigte ihr, so wie meine Mutter es mir gezeigt hatte, wie man aus Essig und Gewürzen Mostrich macht. Mit meinem Mostrich schmeckte ihnen der Hering besser, was mich mit Stolz erfüllte.

Wir waren erst eine Woche bei Blaise und seiner Familie, aber mir kam es schon jetzt so vor, als würden wir zu ihnen gehören.

Eines Nachts, als ich auf die gleichmäßigen Atemzüge in dem kleinen Raum lauschte, stellte ich mir zum erstenmal seit dem Tod unserer Eltern unsere Zukunft vor.

Niklas, sagte ich in Gedanken, hier werden wir bleiben. Das sind gute Menschen. Wir werden für sie arbeiten. Ich bin kräftiger als seine Älteste (sie war blaß, hustete viel, und einmal sah ich, wie das arme Mädchen Blut spuckte und sich schnell die Lippen abwischte, damit es niemand sah). Bald wirst auch du groß genug sein, Bruder, um auf den Feldern zu arbeiten. Wir werden beide Seite an Seite mit Blaise arbeiten. Und ich werde Essen kochen, wie ich es von unserer Mutter gelernt habe. Hast du gemerkt, wie ihnen der Mostrich geschmeckt hat?

Natürlich war das Leben nicht so, wie wir es zu Haus gekannt hatten. Unsere Mutter sagte immer, wie gut es uns ginge, aber bis wir hierherkamen, hatte ich nicht gewußt, wie gut: die große Mühle, das abwechslungsreiche Essen, die warmen Kleider.

Einmal, als ich mich glücklich fühlte, sagte ich zu der Frau von Blaise: »Meine Mutter hat mich lesen gelehrt, und ich kann es anderen beibringen.« Sie sah mich erschrocken an, und ich sprach nicht mehr davon. Mutter hatte mich gewarnt, anderen Menschen zu erzählen, daß wir lesen konnten. Sie könnten es für Teufelei halten — bei einem Mädchen. Unser Vater war weit und breit als Müller bekannt, aber niemand wußte, daß es in der Familie meiner Mutter Priester gegeben hatte, die die lateinische Schrift lesen konnten, und einen Tuchhändler, der die arabische Sprache beherrschte.

Ich überlegte mir, wie ich diesen Vorteil für Blaise und seine Familie nutzen konnte. Ich wollte ihnen gefallen, ich wollte, daß sie sagten: »Wir haben recht daran getan, Niklas und Anne bei uns aufzunehmen.«

In Gedanken sagte ich zu Niklas: Wir werden hierbleiben, Bruder. Die Atemzüge der Schlafenden in dem kleinen Raum erinnerten mich an das weiche, anhaltende Summen der Insekten auf einer Wiese. Ich sagte zu Niklas: Vielleicht finden wir unseren Onkel nicht, oder vielleicht behandelt er uns nicht gut oder jagt uns fort. Ich werde schmackhafte Speisen kochen, wie ich es von unserer Mutter gelernt habe. Aber das werde ich erst tun, nachdem wir Blaise mit dem Hof geholfen haben, damit er all die Zutaten kaufen kann. Wir werden für unsere Arbeit nichts verlangen. Denn wir werden immer in seiner Schuld stehen, weil er uns das Leben gerettet hat. Wir werden ihm beim Pflügen helfen und beim Pflanzen und Ernten, denn seine Töchter sind zu schwach für die schwere Arbeit, Niklas. Und wenn der Hof dann etwas einbringt, werde ich ihnen Wildbretpasteten und Schweinefleisch im Teig machen und dazu ein Gebräu, so wie Mutter es immer getan hat, und dann werden sie sagen, daß sie in ihrem ganzen Leben noch nie etwas so Gutes gegessen haben. Jede Nacht lag ich wach auf meinem Lager und stellte mir all diese Dinge vor, diesen herrlichen Traum.

Ich hatte auch ein Geheimnis – das ich nicht einmal mit Niklas teilte. Ich würde der ältesten Tochter von Blaise das Lesen beibringen.

Eines Nachmittags fand ich sie hinter der Hütte, als sie sich gerade abmühte, lange Grasruten zusammenzubinden. »Möchtest du etwas lernen, was andere Mädchen nicht können?« fragte ich.

Sie verzog das Gesicht. »Tut es weh?«

»Nein. Sieh her.« Ich malte mit einem Stock einen Buchstaben in den Staub. »Weißt du, was das ist?«

»Schreiben?«

»Ja, das ist Schreiben. Möchtest du es lernen? Soll ich es dir beibringen?«

Als sie nickte, malte ich einen anderen Buchstaben in den Staub.

»Aber du darfst es niemandem erzählen«, sagte ich. »Das ist unser Geheimnis.« Als sie nickte, malte ich immer mehr Buchstaben in den Sand und sagte ihr den Namen für jeden einzelnen. Sie wiederholte sie bedächtig. Während sie die Augen zusammenkniff und auf die Buchstaben starrte, sagte ich in Gedanken zu Blaise: Und ich bringe deiner Ältesten das Lesen bei. Bevor du zornig wirst, mein lieber Blaise, hör mir zu. Wenn sie lesen kann, kann sie in die Stadt gehen und mit den Kaufleuten verhandeln, die dein Getreide kaufen. Sie wird zu klug sein, um sich betrügen zu lassen. Sie wird wissen, wie man den Ertrag aus deinem Bauernhof verdoppeln oder verdreifachen kann, weil sie lesen kann.

Als mir diese Gedanken gerade durch den Kopf gingen, kam die Frau von Blaise um die Ecke der Hütte und rief meinen Namen.

Ich folgte ihr in die Hütte.

Sie war eine zarte Frau mit einem freundlichen Gesicht, sie lächelte mich an. »Du bist ein gutes Mädchen, Anne.«

»Das möchte ich auch sein.«

»Was hast du ihr gerade gezeigt?«

Es war nicht der richtige Augenblick, um mein Geheimnis zu enthüllen. »Ach, nichts«, sagte ich.

Sie seufzte und wischte sich die Hände an der schmutzigen Schürze ab, dann beugte sie sich über das Feuer, um die Kohlestückchen anzufachen. »Anne«, sagte sie, während sie ins Feuer starrte, »ich glaube, ihr werdet gehen müssen.« Sie sah mich nicht an.

»Gehen? Du meinst fort von hier? Du willst, daß wir fortgehen?«

Sie sah mich immer noch nicht an, als sie sagte: »Wir haben nicht genug zu essen. Deshalb.«

Ich hockte mich neben sie, während sie weiter im Feuer stocherte, ganz ohne Sinn. »Das weiß ich. Ihr könnt uns nicht durchfüttern, ohne etwas dafür zu bekommen. Ich will ja arbeiten — mit Blaise, auf den Feldern. Und Niklas auch. Bald ist er groß genug, um mitzuhelfen.«

Sie drehte sich zu mir um. »Das wird Niklas nie können«, sagte sie.

»Aber ich kann es. Ich kann den Pflug schieben oder ziehen. Alles, was Blaise will. Ich kann den ganzen Tag lang arbeiten.« Ich streckte die Arme aus und zeigte ihr meine Hände. »Siehst du? Ich bin jung und stark. Ich habe viel Kraft.«

Einen Augenblick lang spürte ich Hoffnung im Herzen, weil sie

48

mich nachdenklich ansah und dabei lächelte. Aber dann sagte sie: »Nein.«

Es klang endgültig, und ich erkannte an dem Ton ihrer Stimme, daß sie ihre Meinung genausowenig ändern würde, wie sich die Bewegung der Sonne ändern ließ.

Als wir am nächsten Morgen zusammenpackten, schenkte ich ihr die spitzen Lederschuhe unserer Mutter. Sie weinte und wollte sie nicht annehmen, aber ich bestand darauf, daß sie sie behielt. Dann weinte ich, und auch die Mädchen weinten, und Niklas stand an der Tür und schniefte mit der Nase.

Nachdem ich unseren Freunden Lebewohl gesagt hatte und wir wieder auf der Straße waren, rief ich mir das letzte Bild von ihnen ins Gedächtnis zurück — wie sie alle vor der Hütte standen, Blaise etwas abseits mit versteinertem Gesicht und herunterhängenden Armen.

Und da wußte ich es plötzlich. Man hatte uns seinetwegen weggeschickt. Seine Frau hatte Angst gehabt — vor mir.

7

Ein paar Tage später erfuhren wir, wo sich Onkel Albrecht aufhielt, oder zumindest, wo er sein könnte.

Seit wir Blaise und seine Familie verlassen hatten, waren wir nach Norden gewandert, immer weiter nach Norden, ohne einen Plan. Seine Frau hatte uns einen Laib Gerstenbrot mitgegeben, von dem sie selbst kaum genug hatten, und als wir es aufgegessen hatten, verkaufte ich das Spitzenbrusttuch unserer Mutter an einen Hausierer, um etwas Geld für Essen zu bekommen. Das Brusttuch war unser letzter wertvoller Besitz gewesen.

Dann fühlte ich mich plötzlich krank, mir war abwechselnd heiß und kalt, so daß ich mit dem Geld in der Hand in einem Wirtshaus am Weg um Unterkunft bat.

Ein Mann stand in der Tür zur Küche und wollte unser Geld sehen. Als ich den Arm ausstreckte und es ihm hinhielt, nahm er nur eine ganz kleine Münze. Er sah gesund aus, war dick und hatte freundliche Augen. »Besser, ihr bleibt in der Vorratskammer, nicht oben in einem Zimmer. Ihr könnt euch in einer Ecke zusammenrollen. In der Nähe der Vorratskammer ist immer jemand, da seid ihr in Sicherheit. Zeigt aber niemandem euer Geld. Was ist los mit dem Jungen?«

»Nichts. Er ist nur müde.«

»Paß auf, daß ihn niemand sieht. Wenn die da drinnen zu trinken anfangen«, er deutete auf die Tür, die in den Schankraum führte, »könnten sie auf die Idee kommen, sich mit ihm und seinen weißen Haaren einen Spaß zu machen.«

Wir verkrochen uns also in einer Ecke der Vorratskammer zwischen Fässern und Säcken, und über uns baumelten an Haken gerupfte Hühner von der Decke. Der dicke Koch und sein Gehilfe und zwei kräftige Serviermädchen kamen und gingen, sie nickten uns zu, lächelten.

Mir war heiß und kalt zugleich, alles an mir klebte, und ich fühlte mich noch schwächer und kränker als vorher, bevor wir eingekehrt waren. Trotzdem ließ es mir keine Ruhe — ich wollte unbedingt wissen, was in dem Wirtsraum, aus dem nach Einbruch der Nacht lautes Stimmengewirr kam, vor sich ging. Ich sagte Niklas, daß er sich nicht vom Fleck rühren solle. Dann schlüpfte ich aus der Vorratskammer, lief durch die Küche und versteckte mich unter der Treppe. Zwischen den Stufen sah ich lange Eßtische, auf denen neben Trinkkrügen aufgeschnittenes Brot lag. Auf den Bänken saßen Männer und aßen Fleisch und Soße aus einem großen Topf, in den sie ihre Brotstücke tunkten. Die Luft war mit Schmatzen und Schlürfen und lautem Gelächter erfüllt.

Trotz des Fiebers bekam ich Hunger, als ich zusah, wie sie Störe, Aalpastete, Fleischstückchen hinunterschlangen. Die meisten von ihnen sahen wie Kaufleute und Fuhrmänner aus — Männer der Straße. Und es waren auch Ritter dabei, die an einem Tisch für sich saßen. Sie trugen Brustharnische, gepanzerte Beinkleider und Eisenhelme. Sie hielten sich von den anderen fern.

Plötzlich erhoben zwei der Ritter ihre Stimmen im Streit. Sie schoben die Bänke zurück und standen sich gegenüber. Der eine schrie: »Niemand beschuldigt mich, auf einer Stute in die Schlacht geritten zu sein!«

»Dein Pferd war kein Hengst. Du bist auf einer Stute geritten, einer netten zahmen Stute, damit sie dich nicht in den Dreck wirft.«

»Du wagst es nicht, so mit mir zu reden.«

»Es war eine Stute, auf der du geritten bist. Damit du nicht abgeworfen wirst. Damit du keinen Speer zwischen die Rippen kriegst.«

»Du wagst es nicht, so mit mir zu reden.«

»Weil du noch nie ein guter Reiter warst. Eine nette zahme Stute ist genau das richtige für dich.«

Die Hand des anderen Ritters fuhr zum Schwert. »Du wagst es nicht.«

»Und du kannst mir nicht drohen.«

Gefolgt von ihren Kameraden und anderen Leuten, die in der Schänke saßen, verließen sie den Raum. Jemand rief nach Fackeln. Durch die offene Tür konnte ich sehen, wie sie sich in einem Kreis aufstellten, und die beiden Edelleute standen sich gegenüber.

Ich war von den schrecklichen Dingen, die gleich passieren würden, so gefangen, daß ich es zuerst gar nicht bemerkte, als sich ein kleiner Mann tief zu mir herunterbeugte, um mich besser sehen zu können.

»Was machst du denn da drinnen, mein Kind?« fragte er freundlich und steckte den Kopf unter die Stufen. Sein eines Auge sah mich an, das andere richtete sich auf etwas hinter meinem Kopf. In der einen Hand hielt er einen Trinkbecher, in der anderen eine Tonpfeife.

»He! Macht es dir vielleicht Spaß zuzusehen, wie andere sich gegenseitig beleidigen?« Er richtete sich wieder auf und lachte. »Ich finde nicht, daß es ein Vergnügen ist.« Dann bückte er sich und kam ebenfalls unter die Treppe gekrochen. Ich rückte etwas auf die Seite. »Willst du einen Schluck Wein?«

Als ich den Kopf schüttelte, lehnte er sich dichter an mich. Ich roch den würzigen Wein und seine Körperausdünstungen. Er war sehr schmutzig, um den dünnen Hals hatte er ein graues Tuch geschlungen, und auf seiner linken Wange war eine große

Geschwulst. Trotzdem hatte ich nichts dagegen, daß jemand neben mir saß, während die Menschenmenge auf dem Hof nach Blut lechzte.

»Sie werden kämpfen«, sagte er und nahm einen Schluck aus seinem Becher.

»Mit dem Schwert?«

»Natürlich mit dem Schwert.«

»Und werden sie sich töten?«

Er zuckte mit den Schultern und lehnte sich noch dichter an mich, daß ich selbst im fahlen Schein der Fackeln die roten Äderchen auf seiner Nase sehen konnte und seine trüben Augen, deren starrer Blick an mir vorbeiging. »Ich habe es satt, immer zuzusehen, wie sie sich schlagen. In jedem Wirtshaus, in dem ich einkehre, gehen diese Männer mit ihren Waffen aufeinander los. Sie müssen immer kämpfen, um zufrieden zu sein. Was machst du eigentlich hier unten, mein Kind?«

Ich wußte, daß es sonderbar aussehen mußte, wie ich mich unter der Treppe versteckte. Daher sagte ich nichts.

Aber er beantwortete sich seine Frage selbst. »Wahrscheinlich findest du es lohnend, dem Gemetzel zuzusehen. Vielleicht ist es sogar ganz amüsant, wenn man die Beteiligten nicht weiter kennt. Du arbeitest wohl nicht hier im Wirtshaus? Sonst würdest du sie kennen. Bist du auf der Durchreise?«

»Ich bin auf dem Weg nach Norden.«

»Wir gehen alle irgendwohin, nicht? Wir gehen alle dem Tod entgegen.« Er zwinkerte mir zu, dann spitzte er die feuchten Lippen. »Besser nach Norden dieser Tage als nach Osten. Im Osten ist wieder der Schwarze Tod. Die Leute erzählen, daß ganze Dörfer verschwinden. Sie sagen, die Pest tanze durchs ganze Land.« Er lächelte, als hätte er mir gerade etwas Schönes erzählt. »Ich gehe auch nach Norden. Ich verkaufe heilige Figuren auf den Jahrmärkten.« Er kramte in seiner Jackentasche und brachte ein kleines geschnitztes und bemaltes Stück Holz zum Vorschein. Es war die Figur einer Frau in einem langen Gewand mit einem Lämmchen im Arm. »Die heilige Agnes«, sagte er. »Ich verkaufe eine Menge davon. Kennst du die Geschichte von der heiligen Agnes?«

Er wartete meine Antwort nicht ab.

»Die heilige Agnes weigerte sich, einen Mann zu heiraten, den ihr Vater ihr ausgesucht hatte, daher war er zornig und schickte sie an einen schlimmen Ort. Weißt du, was ich meine?«

»Ich glaube, ja.«

»Natürlich weißt du es. Du bist ja kein Kind mehr. Du bist eine hübsche junge Frau. Du weißt, was Spaß macht. Bestimmt haben dir die Burschen auf den Feldern das eine oder andere beigebracht. Ja, ich kann mir gut vorstellen . . . Wovon habe ich gerade gesprochen?«

»Von der heiligen Agnes.«

»Ach ja, die kleine reine Agnes. Sie betete, um von den Sünden gerettet zu werden, und ihr Haar wurde so lang, daß es ihren ganzen Körper bedeckte. Man wollte sie verbrennen, aber sie stand mitten in den Flammen, und sie konnten ihr nichts anhaben. Darauf haben sie ihr den Kopf abgeschlagen. Sie ist den Menschen erschienen in einem Gewand von himmlischer Pracht mit einem Lamm an der Seite. Verkauft sich sehr gut.« Er steckte sie wieder in seine Jackentasche.

Dann sah er mich lange an, daß mir ganz unbehaglich wurde. »Du bist zu jung, um zu verstehen, was ich gesehen habe. Ich habe die Lanzenspitze gesehen, die unseres Herrn Seite geritzt hat. Ich habe einen Nagel aus dem wahrhaftigen Kreuz gesehen. Ich habe die Hälfte der Dornenkrone gesehen. Ich habe in meinen Händen einen Fingerknochen von der Hand des heiligen Bartholomäus gehalten.« Er stieß einen Seufzer aus und legte seine Hand auf meinen Arm, betrachtete nachdenklich den Ärmel. »Nach Norden, sagst du. Ich kenne mich dort gut aus. Du mußt vorsichtig sein, meine hübsche Kleine. Mußt wissen, mit wem du sprichst. Das ist mein Rat.« Er trank einen Schluck, dann fuhr er sich mit der Zunge über die Oberlippe. »Bist du allein?«

Ich sagte nichts.

»Laß dich nicht mit jedem Mann ein. Sei wählerisch, Mädchen, zum Beispiel könntest du mit mir gehen.«

»Ich reise mit meinem Bruder.«

»Ist er auch so jung wie du?«

»O nein«, sagte ich schnell. »Er ist älter.«

Der Mann runzelte die Stirn.

»Früher war er ein großer Krieger.«

»Wo ist er denn?«

»Draußen irgendwo.«

Der Mann sah sich um, seufzte wieder und stand auf. »Was wollt ihr denn im Norden?«

»Unseren Onkel suchen.«

»Und wo lebt er?«

»Im Norden.«

Der Mann zog an seiner Pfeife und lächelte. »Ihr wißt also nicht, wo er ist.«

Er bückte sich und sah mich prüfend an. »Sag mir den Namen von deinem Onkel. Wenn er in dieser Gegend bekannt ist, dann kenne ich ihn.«

»Er heißt Albrecht Valens. Er ist Waffenschmied.«

»Albrecht Valens? Der ist mehr als ein Schmied«, sagte der Mann und warf einen Blick zu der offenen Tür, durch die plötzlich das Klirren von Metall zu hören war. »Will dein Bruder für ihn arbeiten?«

»Ja, das will er.«

»Dann wünsche ich deinem Bruder Glück.« Der Mann trank seinen Krug aus, die Geschwulst auf seiner Wange bewegte sich bei jedem Schluck auf und ab. Der kleine Mann musterte mich nachdenklich, dann ging er zur Tür.

»Ihr kennt meinen Onkel?« rief ich ihm nach.

Aber er ging weiter, ohne stehenzubleiben. Ich glaubte schon, er hätte mich vergessen, als er sich an der Tür umdrehte. »Wenn es der Albrecht Valens ist, den ich kenne, dann ist er mehr als ein Waffenschmied«, sagte er, bevor er in den von Fackeln erhellten Hof ging.

»Wo lebt er denn? Wo?« Ich war unter der Treppe hervorgekommen und zitterte am ganzen Körper, die Hände zu Fäusten geballt.

Noch einmal drehte er sich um und nannte mir den Namen einer Stadt. Dann ging er hinaus in die Nacht, wo der Kampf stattfand.

Am nächsten Morgen, noch bevor es hell war, weckte ich Niklas, weil ich dem Hausierer mit den Heiligen und den anderen Männern aus dem Weg gehen wollte, die sich bis spät in die Nacht vergnügt hatten, während einer der beiden Ritter tot am Boden lag (ich hatte gehört, wie sie den Sieger gefeiert hatten). Wir stolperten in die Dunkelheit. Vom Fieber und vom Frost geschüttelt, taumelte ich weiter. Wenn wir Onkel Albrecht erst gefunden hatten, würden wir Zeit haben, uns auszuruhen. Aber ich hatte das Gefühl, durch Sümpfe zu waten. In meiner Brust war ein ständiges Pochen und Hämmern, vor meinen Augen war alles verschwommen. Immer wieder mußten wir neben der Straße anhalten, damit ich mich ausruhen konnte. Fuhrleute überholten uns und starrten uns neugierig an.

»Kannst du mich verstehen, Bruder?« sagte ich zu Niklas. »Mir ist nicht gut. Vielleicht muß ich eine Weile rasten. Aber mach dir keine Sorgen.«

Seine Augen waren so blau und leer wie ein wolkenloser Himmel. Das Kaninchen schlief in seinen Armen, es hatte die grauen Augen zu schmalen Schlitzen zusammengezogen, nur seine rosafarbene Nase zuckte, um die Luft zu schnuppern.

»Warte, bis es mir ein bißchen bessergeht«, sagte ich. »Nur ein Weilchen.«

Ich versuchte zu überlegen, was geschehen würde, wenn mich das Fieber überwältigte. Es wäre gefährlich, krank in einem Wirtshaus anzukommen, vielleicht sogar noch schlimmer, als auf dem Land zu bleiben und abzuwarten, bis es vorüber war.

Aber dann hatte ich gar keine Gelegenheit, mich zu entscheiden. Kurz nachdem die Sonne aufgegangen war, konnte ich nicht weitergehen. Wir schafften es gerade noch bis zu einem Waldstück neben der Straße; dort brach ich unter einem Baum zusammen.

Niemand weiß, wie lange ich dort lag. Wenn ich die Augen aufmachte, sah ich über mir Tannenzapfen an einem Zweig, die sich in Wasser verwandelten, das an der Mühle vorbeifloß. Unsichtbare Wesen tobten lärmend durchs Unterholz. Manchmal sah ich Niklas, der sich mit unserem Trinkbecher über mich beugte. Ich erinnere mich noch an das eisige Frühlingswasser und auch, wie klein und dick seine Finger aussahen, die den Becher an meine Lippen hielten. Ich erinnere mich, wie ich sagen wollte: »Du verstehst es also«, aber ob ich es gesagt habe oder nicht, weiß ich nicht.

Gesichter tauchten aus dem Nebel auf, beugten sich über mich und platzten wie Seifenblasen. Ich wollte jemandem, den ich nur undeutlich sah, den ich zu kennen glaubte, etwas zurufen, aber er verschwand immer wieder und ging weg, bis ich schließlich wußte, daß es Niklas war, der sich über mich beugte.

Als ich die Augen aufmachte, schwankten die Tannenzapfen noch immer über mir, aber sie blieben an den Zweigen über meinem Kopf hängen. Und dann war noch jemand neben mir. Aber es war nicht Niklas, es war das schmale, zerfurchte Gesicht eines alten Mannes, der mich so wild anstarrte, daß ich aufschrie und wieder von der Dunkelheit verschluckt wurde.

Als ich das nächste Mal in die Welt zurückkehrte, saß Niklas neben mir. Und auch der scheußliche alte Mann, der vor Freude kicherte, als er sah, daß ich die Augen aufmachte.

8

Er beugte sich tief zu mir herunter, daß sein Gesicht ganz dicht vor meinem war. »Ich bin der Tod. Das Böse. Die Pest. Was sagst du nun?«

Ich versuchte, ihn zu erkennen. Er hatte die Reste einer Ritterkleidung an — ein zerfetztes rotes Wams, eine zerrissene grüne Jacke, ausgebeulte Sandalen, eine leere Dolchscheide an dem abgewetzten Ledergürtel, und um die Schultern trug er einen schmutzigen weißen Umhang, der seinen dürren Körper einhüllte. Vorn war ein Wappen eingenäht — ein Tempel mit einem Kreuz. Es kam mir sehr groß vor.

Zuerst dachte ich, es sei nur ein Fiebertraum — von einem alten Edelmann, der von weit her gekommen war, um sich hier im Wald über mich lustig zu machen. Aber er war Wirklichkeit. Seine langen weißen Haare — so weiß wie die Haare von Niklas — fielen ihm bis über die Schultern.

Ich stützte mich auf die Ellbogen und richtete mich mühsam auf, um mich gegen den Baumstamm hinter mir zu lehnen.

Er hüpfte auf und ab, verzog das Gesicht zu scheußlichen Grimassen und schien mit sich selbst zu reden. Hin und wieder blieb er stehen und sah mich an.

»Ich hätte mich auf dein Gesicht setzen können. Ich hätte dich töten können. Dich und den Jungen.«

Ich bemühte mich, ihn deutlicher zu sehen.

»Weißt du, wer ich bin?«

»Nein, mein Herr.«

»Das große Sterben. Der Schwarze Tod.«

»Wie bitte?«

»Ich bin der Schwarze Tod«, erklärte er ziemlich mürrisch. »Ich selbst. Verstehst du?«

»Nein.«

»Ich hätte dir die Kehle zudrücken können, als du geschlafen hast. Aber es gibt anderes zu tun. Ich bin auf dem Weg nach Norden, um Zerstörung zu bringen. Ich tanze den Tanz des Todes.« Er breitete die Arme aus, um sich im Kreis zu drehen, stolperte aber und wäre fast hingefallen. Seine Beine, die in roten Strümpfen steckten, sahen krumm und verbogen aus — wie nach einem schrecklichen Unfall.

»Ich bin noch nicht wieder ganz auf der Höhe nach dem langen Winter«, sagte er mit höllischem Grinsen und blieb dicht vor mir stehen. »Hörst du mich?«

Ich nickte.

»Aber ab jetzt tanze ich Tag und Nacht, jeden Tag, den ganzen Frühling lang. Sprich mit mir. Sag etwas. Ich mag nicht, wenn du schweigst«, brummte er. Als er sich bückte, um sich am Knie zu kratzen, sah ich, daß er ein Loch im Bein hatte, als wäre der Knochen gebrochen. Als er sich wieder aufrichtete, verlangte er wieder, daß ich etwas sagte.

Um ihn zu beruhigen, sagte ich: »Ich bin krank.«

Er lachte schallend, als hätte ich einen Witz gemacht. »*Tod*krank. Ja, ich weiß, ich weiß. Ich kenne den Tod sehr genau. Ich kenne ihn, ich war Tempelritter. Du siehst mich blöd an. Du verstehst nicht, was ich sage.«

Dann war Stille, nur ein Vogel raschelte in den Zweigen. Der alte Mann sah mich nicht an. Sein Blick schweifte an mir vorbei, als wären im Wald noch mehr Menschen, die darauf warteten, ihm zuzuhören. »Wir Tempelritter waren das Schwert der Kirche. Gottes Krieger. Aber in den Kreuzzügen haben wir Reichtümer angehäuft. Das ist wahr. Wir haben Besitztümer gesammelt, während wir dem Heiligen Stuhl dienten, und das hat man uns geneidet. Hörst du zu? Hörst du mir zu?«

Als er es zweimal gefragt hatte, sagte ich: »Ja, mein Herr, ich höre zu.«

»Könige und Bischöfe haben uns zugrunde gerichtet. Ich kenne den Tod, ich kenne ihn gut.« Er legte sich in seinem schmutzigen Mantel zwischen die Tannenzapfen. Er starrte auf seine dürren Hände, während er sprach; an der einen Hand fehlten zwei Finger. *»Quand sera ce? Tost ou tard vienne.«* Er starrte mich wieder eindringlich an. »Sag was. Ich habe dein ewiges Schweigen satt.«

»Mein Herr«, sagte ich, »wann wird was stattfinden?«

Aber noch bevor ich die Frage ausgesprochen hatte, hatte er mich wieder vergessen. »In einer einzigen Nacht also«, sagte er mit nachdenklicher Stimme, »haben sie unseren heiligen Orden zerbrochen. In einer einzigen, verräterischen Nacht — so verräterisch, verräterisch! — haben sie diese tapferen Krieger Jesu erledigt. Haben sie der Ketzerei beschuldigt. Haben uns auf die Folterbank gebunden, uns Zähne und Fingernägel rausgezogen, unsere Füße über Feuer gehalten, uns in Ketten gelegt. Mit einem Keil haben sie uns die Knochen gespalten.« Er stieß ein kurzes Lachen aus und schlug sich auf das verkrüppelte Bein. »Im Namen Gottes, für den wir in Tripolis und Akka gegen die Ungläubigen gekämpft haben, haben sie Keile und Folterbänke und Feuer benutzt.«

Er bekam einen Lachanfall, stand auf und taumelte über die Lichtung. Als sein Lachen erstarb, standen auch seine verkrüppelten Beine still. »Das war davor. Aber jetzt ist danach.«

Er warf sich zu Boden, legte die Beine übereinander und starrte mich trübsinnig an. »Jetzt ist all das vorbei, und ich bin das große Sterben. Ich bin das Böse. Ich bin die Geißel. Verstehst du? Sieh mich an, Mädchen. Ich hab' darauf gewartet, daß du die Augen aufschlägst und etwas sagst. Du hast nicht zugehört. Du glaubst nichts von dem, was ich sage. Sprich. Sprich.«

Er stand wieder auf und beugte sich mit gerunzelter Stirn über mich, während ich nach Worten suchte.

»Habt Erbarmen, Herr«, flüsterte ich.

»Ha! Ha! Ha!« Er klatschte in die Hände und warf sich neben mich auf den Boden.

Noch nie hatte ich ein derart verrunzeltes Gesicht gesehen. Aber vielleicht kam es mir in meinem Fieber auch nur so vor.

»Wenn ich will, daß jemand stirbt, mache ich ihm schwarze Beulen«, sagte er, »unter den Achseln und zwischen den Beinen — so groß wie Äpfel. Diese Beulen sind das Zeichen für Gottes Mißfallen. Weißt du, wieviel ich bei der letzten großen Plage getötet habe?«

Ich schüttelte den Kopf.

»Frag mich.«

»Wieviel?«

Wieder klatschte er in die Hände und lachte meckernd. »Tausende! Tausende und Tausende und Abertausende! Sie lagen überall in den Straßen. Seit Beginn aller Zeiten hat es noch nie einen solchen Gestank gegeben. Und ich habe es getan, um den Orden zu rächen. Ich hab' es aus Rache getan! Ich habe es getan! Ich! Jetzt werden sie keine Tempelritter mehr foltern. Sie werden uns nicht mehr ausplündern und auf Folterbänke legen und unsere Beine brechen.«

Er schwieg und hing seinen Gedanken nach.

Ich hörte in den Bäumen die Vögel zwitschern und dann ein raschelndes Geräusch — vielleicht von dem Bach, aus dem Niklas das Wasser geholt hatte. Niklas. Ich drehte mich um. Hatte er Angst vor dem alten Tempelritter? Vor der Pest? Aber mein Bruder saß ganz ruhig da mit seinem Kaninchen im Schoß und strich ihm über die langen Ohren.

Plötzlich schoß der Arm des alten Mannes nach vorn und packte meine Schulter. Seine knochige Hand glitt über meinen Arm. »Hast du zugehört? Verstehst du es — das Geheimnis? Glaubst du mir, daß ich die Pest bin?«

»Ja.«

»Ich bringe die Welt zu einem Ende. Der Satan ist frei, und ich bin sein Diener.«

»Ja, Herr.«

»Jetzt hörst du plötzlich zu.«

Er hob den Kopf und schien zu lauschen. »Du mußt vorsichtig sein. Du mußt auf alles achtgeben. Nur so kannst du das Geheimnis verstehen, so wie ich es verstehe. Bis dahin sieh dich um in der Welt. Beobachte alles genau. Sage nichts, sondern hör mir zu.«

Wieder schien er zu lauschen. Wir saßen eine Weile schweigend da, dann begann er erneut, mit seiner langsamen tiefen Stimme zu sprechen. Die einzelnen Worte, die aus seinem Mund kamen, waren wie aus Stein gehauen. »Die Priester sind habgierig«, sagte er. »Die Adligen suhlen sich in Sünde. Die Kaufleute betrügen, wo sie nur können. Die Ritter und Könige huldigen der Gewalt. Hör zu. Hörst du zu? Aber sag nichts. Schweig. Würmer kriechen durch die Toten, und auf den Augen der toten Männer sitzen Kröten. All diese Dinge habe ich mit eigenen Augen gesehen.«

Er schwieg, vielleicht um darüber nachzudenken, was er alles gesehen hatte. Über uns zwitscherten die Vögel. Ich sah den alten Mann unverwandt an, der seinen Körper wiegte, immer vor und zurück, mit geschlossenen Augen.

»Ich habe an den Gräbern Engel und Dämonen gesehen. Sie warten, bis sich die Seelen in die Lüfte erheben. Sie kämpfen um jede Seele«, sagte er. »Hörst du zu? Du mußt mir zuhören. Ich habe gesehen, wie Sterne vom Himmel gefallen sind. Ich habe gesehen, wie die Klauen von schrecklichen Ungeheuern ganze Berge ins Meer geschaufelt haben.« Seine knochigen Hände fuhren durch die Luft. Seine Augen starrten über meine rechte Schulter, und sein Mund verzog sich zu einem Lächeln.

»All das habe ich vollbracht«, sagte er. »Verstehst du? Nun? Was sagst du? Sprich.«

»Ja, Herr.«

»Sag's.«

»Das habt Ihr vollbracht. Es ist Eure Tat.«

Er nickte zufrieden. »Und jetzt wird der Tanz von vorn beginnen, genauso wie beim letztenmal. Der Tod tanzt über das Land. Sag nichts, Mädchen, hör genau zu. Hörst du zu?«

»Ja, Herr.«

»All das habe ich vollbracht. Es ist meine Tat. Glaubst du mir?«

Ich bemühte mich, schwach und fiebrig, wie ich war, ihn fest anzusehen, und da kam es mir plötzlich so vor, als sei der alte Mann tatsächlich genau das, was er zu sein behauptete.

»Ja«, murmelte ich.

Er war die Pest. Er tanzte durch Dörfer und Städte und verbreitete Schrecken, wo er auch hinkam.

»Ja«, sagte ich zu ihm, »ich glaube Euch.«

Als er wieder auf die Beine sprang und laut johlte und über die Lichtung hüpfte, wäre ich am liebsten weggelaufen. Aber ich konnte nicht weglaufen.

Ich muß das Bewußtsein verloren haben, denn als ich aufwachte, war es dunkle Nacht. Und wieder schlief ich ein und wachte bei strahlendem Sonnenschein auf, der wie Feuer auf meinem Gesicht brannte.

Neben mir lag Niklas mit seinem Kaninchen im Arm. Und die Pest war auch da. Der alte Mann saß mit gekreuzten Beinen am Boden und grinste, seine Hände lagen flach auf den Knien.

»Siehst du? Du wirst nicht sterben. Ich hätte mich auf dein Gesicht setzen können. Ich hätte euch beide umbringen können. Aber ich lasse ein paar von euch am Leben, damit ihr euch an mich erinnert.«

Wie lange wir dortblieben auf der Lichtung, weiß ich nicht. Am Ende begann ich zu schwitzen; der Schweiß strömte aus meinem Körper wie das Wasser zu einem Fluß. Und dann sah ich den alten Mann ganz klar vor mir. Er starrte zu Boden, als würde er durch uns hindurchsehen. Ich verspürte plötzlich Hunger und Durst, wagte aber nicht, das Schweigen zu brechen.

Dann hörte ich das Knacken eines Zweiges in der Stille. Ich drehte mich um und sah zu meinem Entsetzen vier Männer in zerfetzter Kleidung und Resten einer Rüstung — herumziehende Soldaten.

Aber es waren nicht nur diese vier. Unter den Bäumen trat noch ein weiterer hervor.

Es war Erich. Unser Erich, der Vaters Gehilfe gewesen war und der sein Leben mit dem ersparten Geld unseres Vaters erkauft hatte. Der mit den Mördern und Plünderern gegangen war.

Jetzt war er einer von ihnen. Er war wie die anderen gekleidet und hatte einen Helm auf dem Kopf. Sein Gesicht sah darunter jung und blaß und auch erschrocken aus, als er mich erblickte.

Sie kamen langsam auf die kleine Lichtung, als wären sie nicht in Eile. Weglaufen konnten wir sowieso nicht. Der alte Mann hatte sie auch gehört. Er drehte sich um und brach in wieherndes Gelächter aus, worüber sie so erstaunt waren, daß sie stehenblieben.

»Wie könnt ihr es wagen, hierherzukommen!« schrie er.

Einer der Soldaten hob seine Axt, um damit auszuholen.

»Ha! Ha! Ha! Was glaubt ihr denn wohl, was ihr da tut? Wollt ihr die Pest bekämpfen? Wollt ihr euch mit der großen Plage anlegen? Wollt ihr etwa dem großen Sterben Einhalt gebieten? Dem Tod? Wollt ihr mit dem Bösen kämpfen? Ihr Narren! Wollt ihr das? Sprecht, sagt etwas!« Er war aufgesprungen und fuchtelte mit den Armen.

Alle außer dem Soldaten mit der Axt wichen zurück. Die laute wilde Stimme des alten Mannes hatte die Vögel in den Bäumen aufgescheucht, und sie flogen geräuschvoll davon.

Die Pest zog mit einer großen Geste den Umhang um den dünnen Körper, so daß die zerfetzten Kleider darunter nicht zu sehen waren. »Hört zu, ihr nichtswürdigen Narren«, schrie er die erschrockenen Soldaten an. »Mit diesem Arm habe ich schon bessere als euch niedergestreckt – viele tausendmal.« Er hob seinen knochigen Arm hoch.

»Und dasselbe tu ich mit meinem Atem. Ja, mit meinem *Atem*. Du«, sagte die Pest und zeigte auf den Soldaten mit der Axt, »komm her, schlag zu, wenn du willst. Aber paß nur auf, wie ich meinen Atem auf dich lenke, auf euch alle, und damit du's weißt – er ist vergiftet.« Er drehte sich einmal um sich selbst und sah sie der Reihe nach an, einen nach dem anderen.

»Ihr werdet sterben davon, alle. Sagt nichts, hört mir zu, hört zu. Denn ich bringe den Schwarzen Tod. Ich bringe das Gift. Hört zu, was der Böse euch sagt. Das Gift breitet sich in euch aus, in euren

Eingeweiden, überall, und ihr werdet vor Angst zittern. Dann werdet ihr schwitzen – wie Fäule. Ja, ja, ja. Das ist so sicher, wie die Sonne aufgeht. Die Luft um euch herum wird zu Fäule, glaubt mir, wenn eure Haut die Seuche in sich aufgenommen hat. Euer Auswurf, euer Wasser, alles wird schwarz. Große Beulen werden sich auf eurem Körper ausbreiten, die zu eiternden Wunden aufbrechen und brennen, brennen, brennen. Es gibt kein Entkommen. HÖRT MIR ZU! Ihr spuckt euer Blut aus. Ihr brennt wie Holz. Ihr kreischt in größter Pein. Das ist so sicher, wie die Sonne aufgeht. Ihr sterbt, weil ich euch mit meinem Atemhauch getroffen habe.«

Nach diesen Worten brach er wieder in kreischendes Gelächter aus, das von den Bäumen widerhallte und noch mehr Vögel aufscheuchte, die wie schwarze Wolken in den Himmel aufstiegen. Das Gelächter quoll aus ihm heraus wie etwas Lebendiges, wie geflügelte Wesen aus einer Höhle, bis die Erde zu erzittern schien.

Die Soldaten stießen entsetzte Schreie aus und flüchteten Hals über Kopf in den Wald – außer einem, der die Axt schon einmal erhoben hatte. Er sprang nach vorn und schwang die Axt mit aller Macht gegen die Pest, so kräftig, daß er ihm leicht hätte die Hand abtrennen können. Er stand über dem alten Mann, der von dem Schlag niedergefallen war, und schwang die Axt hoch über dem Kopf.

Der alte Mann heulte auf wie ein Wolf, aber es klang eher wie ein Schlachtruf und nicht wie von Schmerzen, und dann brach er wieder in schrilles Gelächter aus, wild und unbeherrscht, als ob er sich unbändig freute.

Der Soldat ließ die Axt sinken, seine Augen waren weit aufgerissen, ratlos. Das Gelächter schien ihn Schritt für Schritt zurückzustoßen. Dann drehte er sich um und rannte hinter seinen Kameraden her.

Der alte Mann fiel nach vorn. Er wickelte sein blutendes Handgelenk in die Falten seines Umhangs. Das Blut färbte das schmutzige weiße Tuch rot.

Ich wollte aufstehen, fiel aber immer wieder gegen den Baum.

»Nein, du kannst mir nicht helfen«, sagte er ganz ruhig. Nur seine Lippen zitterten. »Macht, daß ihr wegkommt von hier. Lauft, so schnell ihr könnt.«

Seine Stimme klang plötzlich scharf und klar, als wäre er aus einem tiefen, schrecklichen Traum erwacht. »Vielleicht kommen sie zurück. Nimm den Jungen und versteckt euch. Schnell!«

Es klang wie ein Befehl, und vielleicht verschaffte es mir die Kraft, aufzustehen. Ich zog mich an dem Baumstamm hoch, bis ich aufrecht stand und mich keuchend dagegenlehnte.

»Niklas«, sagte ich.

Niklas, der das Kaninchen mit beiden Armen umklammerte und am Boden hockte, stand auf.

»Versteckt euch«, sagte der alte Mann. »Schnell.« Aus dem Tuch an seinem Handgelenk tropfte Blut. Sein Gesicht war fahl.

Ich wollte zu ihm gehen, aber er befahl mir — in dem neuen strengen Ton — wegzulaufen. Und dann schrie er wieder wie vorher: »Ha! Diese Männer sind tot. So sicher, wie die Sonne aufgeht. Ja, tote Männer. Nichts kann sie retten.« Er kicherte. »Ich habe ihr Blut vergiftet.«

Ich nahm meinen Rucksack und rief Niklas, und dann stolperte ich durch das Unterholz in den Wald. Und in meinem Rücken hörte ich noch die letzten Worte des alten Mannes: »Glaubt mir, ich bin die Pest! Die Pest! Und hütet euch, mir je wieder zu begegnen.«

9

Als ich aufwachte, blickte ich in Zweige mit Tannenzapfen — aber es waren andere Tannenzapfen als die in meinen Fieberträumen. Sie hingen an den Zweigen der Bäume tiefer im Wald. Dorthin hatte ich mich mit Niklas geflüchtet. Wir waren, so weit wir konnten, durch das Unterholz gelaufen, bis ich das Bewußtsein verlor und ohnmächtig zu Boden stürzte.

Als ich wieder zu mir kam, war es früh am Morgen, und die Vögel sangen. Mein Bruder lehnte an einem Baumstamm, sein Blick war auf eine Stelle über meinem Kopf gerichtet. Als er sah, daß ich wach war, kam er mit dem Becher zu mir. Er war mit kaltem Wasser gefüllt, das ich gierig trank.

»Jetzt ist wieder alles in Ordnung mit mir, Bruder. Siehst du, das Fieber ist weg.« So hungrig war ich noch nie gewesen. Ich griff nach meinem Rucksack in der Hoffnung, noch ein Stück von dem Fleisch zu finden, das ich in dem Wirtshaus mitgenommen hatte — wie viele Tage war das her? Zwei, drei? Vielleicht sogar vier?

Und dann war ich erschrocken und traurig, als noch das ganze Fleisch da war, nicht ein einziges Stück fehlte. »Niklas«, sagte ich, »warum hast du nicht wenigstens *ein kleines Stück* davon gegessen?« Ich teilte das Fleisch und gab ihm die eine Hälfte. Aber anstatt sie zu essen, sah er mich nur an und wartete. »Nein, ich brauche sie nicht. Ich habe genug. Iß sie selbst. mein lieber Bruder.«

Als wir fertig gegessen hatten, stand ich auf und ging ein paar Schritte hin und her, um zu sehen, ob ich schon kräftig genug war. »Siehst du, es geht mir wieder gut. Ich bin nur noch ein bißchen schwach.« Als ich weiter durch das Unterholz stolperte, kam Niklas zu mir gelaufen und hielt meinen Arm fest. Er zog mich in die andere Richtung.

Seine Augen waren weit aufgerissen, seine Lippen zitterten. »Was hast du, Niklas?«

Er starrte angestrengt in das niedrige Gestrüpp.

»Ist das der Weg zur Lichtung, Bruder?« Ich konnte mich nicht mehr daran erinnern, wie wir hierhergekommen waren. War gestern Wirklichkeit gewesen? War der alte Mann tatsächlich dort gewesen? War er dort hinten auf der Lichtung? Ich hatte, seit ich aufgewacht war, nicht mehr an ihn gedacht, nur ganz verschwommen, wie an einen Schatten. Aber jetzt sah ich ihn vor mir, wie er auf dem Boden saß, den Arm in einen blutigen Stoffetzen gebunden.

Er hatte mich gezwungen, aufzustehen und wegzulaufen, und vielleicht unser Leben gerettet, denn Erich und die Soldaten waren vielleicht zurückgekommen. Die Lichtung konnte nicht weit entfernt sein; ich war noch viel zu schwach, um weit zu laufen. War er noch dort? Und wenn ja, war er verblutet und tot?

Oder schlimmer noch — ja, viel schlimmer —, hatte er die schreckliche Verwundung überlebt? Hatte er das Blut gestillt, indem er einfach irgendwelche Zauberworte gesprochen hatte, und war dann davongetanzt?

Wenn er tot auf der Lichtung lag, dann war das der Beweis, daß er nur ein Mensch gewesen war. Aber wenn er weg war, wenn er nirgends auf dem blutigen Boden zu sehen sein würde, dann war der alte Tempelritter vielleicht tatsächlich die Pest, wie er behauptet und wie ich im Fieber geglaubt hatte.

»Nein, Niklas, wir gehen nicht dorthin zurück«, sagte ich.

Es war besser, nicht zu wissen, ob er das eine oder das andere war. Ich wollte weder einen alten Mann tot auf der Lichtung finden, noch wollte ich es mit einem verschwundenen Dämonen zu tun haben.

Ich hob meinen Rucksack auf, und Niklas nahm sein Kaninchen, und dann machten wir uns auf den Weg durch den Wald, um wieder eine Straße zu finden, die nach Norden führte.

Gegen Mittag, als wir neben der Straße Rast machten, konnte ich in der Ferne einen Wald aus Türmen sehen, die in der Sonne glitzerten.

»Jetzt ist es nicht mehr weit«, sagte ich zu meinem Bruder. »Vielleicht sind wir schon vor Einbruch der Nacht im Haus unseres Onkels.«

Meine Zuversicht war nicht gespielt, denn schon den ganzen Morgen war der Verkehr in Richtung Stadt immer stärker geworden, und ich hatte das sichere Gefühl, daß sich unser Glück jetzt wandeln würde. Die Welt schien zu hell und klar und lebendig, um uns noch mehr Unglück zu bringen. Wer waren wir schon — doch nur ein Mädchen und ein kleiner Junge, die Geborgenheit suchten! Wenn Gott beschlossen hatte, uns seine Hilfe zu versagen, dann hieß das noch lange nicht, daß er derart schwache Kreaturen wie uns auswählte, um sie grundlos zu bestrafen. Das war meine Hoffnung. Und meine Hoffnung wuchs, denn ich sah es als ein günstiges Zeichen an, daß uns auf der Straße niemand belästigte, denn die Kaufleute auf ihren Eseln und die Fuhrleute mit ihren Karren und all die anderen Reisenden kümmerten sich nicht um uns und ließen uns in Ruhe. Wir sahen vornehme Damen, die in Sänften getragen wurden, und Edelmänner hoch zu Pferde — und alle waren in derselben Richtung unterwegs wie wir.

Ein alter Edelmann erinnerte mich an den alten Tempelritter: Er saß auf einem weißen Hengst, groß und hager, sein Schwert schlug scheppernd gegen seine Rüstung, das Visier seines Helms war hochgeklappt, so daß die Sonne auf sein verwittertes Gesicht schien.

Auf der Straße wirbelte Staub auf. Und rechts und links von ihr waren Weiden, auf denen Schafe grasten, oder grüne Felder, auf denen die Bauern Unkraut äteten. Aus den Hecken erhoben sich Amseln und flogen hoch in die Luft, bis sie nur noch schwarze Punkte am wolkenlosen Himmel waren. Wir kamen an den niedrigen Steinhütten von Klöstern vorbei, und die Mönche in ihren braunen Kutten, die den Boden hackten, sahen auf und lächelten uns zu. Einige winkten sogar mit der Hand — bestimmt winkten sie Niklas.

Nein, Gott würde seine Zeit nicht damit vergeuden, einem kleinen Jungen und seiner Schwester Schaden zuzufügen. Sicher hatte Er uns vergessen, und so gesehen, war Seine Vergeßlichkeit Barmherzigkeit.

Wir mußten häufig rasten, weil ich doch noch sehr schwach war. Dann setzten wir uns neben die Straße und betrachteten die hochbepackten Tragetiere, die vorbeitrotteten: die runden Flanken der Maulesel, an denen Körbe mit Gänsen und Getreide baumelten, Wein- und Fischfässer, Kleiderbündel und Lederwaren. Die Kolonne der Tiere und Menschen riß nicht ab, so weit wir sehen konnten.

»Niklas«, sagte ich und nahm seine kleine Hand, »bald sind wir in der Stadt. Ist das nicht wunderbar?«

Ich war früher schon mal in einer Stadt gewesen — von unserer Mühle aus —, manchmal fuhren wir drei- oder viermal im Jahr hin, aber sie war klein im Vergleich zu der Stadt, in die wir jetzt kamen. Wir gingen Seite an Seite mit den anderen Reisenden auf einer Zugbrücke, die über einen trockenen Graben führte. An dem großen Eisentor in der Stadtmauer standen zwei Wachen, aber sie hielten niemanden auf.

Auf jeder Seite des Tores waren Wachtürme mit einer Brücke dazwischen. »Schau mal, Niklas«, sagte ich, aber er war viel zu sehr damit beschäftigt, Kaninchen vor den vielen Menschen zu beschützen, die uns von allen Seiten anrempelten. Die Türme, Kamine und

Kirchturmspitzen ragten hoch über unseren Köpfen auf, daß mir ganz schwindlig wurde.

Als wir durch eine Straße gingen, die mit Steinen gepflastert war, waren wir plötzlich von lauten Geräuschen umgeben. Der Lärm kam von einem großen Platz, auf dem überall Zelte standen. Händler boten laut ihre Waren an — Stiefel und Töpfe und Messer und Gürtel und Rosenkränze. Schnatternde Gänse liefen zwischen den Füßen der Menschen umher. Tauben erhoben sich in die Luft und fielen in wilden blauen Klumpen zwischen die Stände, in denen Frauen in Kapuzenmänteln mit den Kaufleuten feilschten. Ich blieb einen Augenblick stehen, um zuzusehen, wie ein Messerschleifer seinen Schleifstein drehte, daß die Funken stoben. Alle schrien und kreischten und priesen ihre Ware an, aber die lautesten Stimmen hatten die Männer, die Geld wechselten; sie saßen am Boden und riefen Münzen und Geldstücke aus, von denen ich noch nie etwas gehört hatte.

Das war bestimmt der betriebsamste Ort auf der Welt. Ich drehte mich zu Niklas um, aber als ich sah, wie er Kaninchen fest an seine Brust drückte und die Lippen zusammenkniff, sagte ich ihm nicht, wie aufregend ich alles fand.

Der Lärm ging immer weiter und wurde immer lauter, als wir durch ein Gewirr von Gassen und Straßen gingen. Zimmerleute hämmerten, und Fuhrmänner luden Wagen mit Gewürzen und Säcken und Stoffballen ab. Vor den Ständen hingen bunte Fahnen an Eisenstangen und verdeckten den Weg. Es war, als hätte man sich in einem unbekannten Wald verlaufen.

»Du und Kaninchen, ihr braucht euch keine Sorgen zu machen«, sagte ich zu Niklas. »Wir werden den Onkel bald finden.« Wie zum Beweis hielt ich einen Mann an, um ihn nach dem Haus von Albrecht Valens, dem Waffenschmied, zu fragen. Er hielt sich wegen des Lärms die Hand hinters Ohr und schüttelte den Kopf, als ich den Namen wiederholte. Ich fragte noch zwei andere Männer, aber ebenfalls ohne Erfolg.

Wir dürfen nicht die Hoffnung verlieren, sagte ich mir in Gedanken. Gott hat uns vergessen, und wir müssen noch ein bißchen auf unser Glück warten.

Der nächste Handwerker, den ich fragte, machte mir neue Hoffnung. »Albrecht Valens? Von dem habe ich schon gehört.« Über den Schultern trug er ein dickes Seil, an dem Töpfe und Pfannen hingen. Er war ein Kesselflicker.

»Und wo finde ich ihn, mein Herr?«

Der Kesselflicker lächelte über die respektvolle Anrede, dann kratzte er sich am Kopf. »Das weiß ich auch nicht.«

Wir gingen weiter durch die engen Gassen, bis wir zu einem Platz kamen, der von Schlamm aufgewühlt und mit Wagen vollgestopft war. Dahinter lagen geduckte graue Gebäude aus Stein — ein Kloster. Auf einem Gerüst an der Mauer standen Steinmetzen. Als ich ihnen Onkel Albrechts Namen hinaufrief, antwortete einer von ihnen: »Ich hab' von dem Mann gehört.« Und ein anderer fügte hinzu: »Ich auch.« Aber keiner wußte, wo unser Onkel wohnte.

»Ich weiß, wo ihr ihn finden könnt.«

Ich drehte mich um und stand einem Klosterbruder gegenüber, der die schwarze Kutte eines Dominikanerpriesters trug. Er war klein und hatte eine schlimme Beule auf der Nase.

»Ja, ich weiß, wo Albrecht Valens wohnt«, sagte er. Wir standen mitten auf der Straße, und der Mönch gab uns genaue Anweisungen. Als er sich vergewissert hatte, daß ich sie alle behalten hatte, neigte er neugierig den Kopf »Was willst du denn von Meister Albrecht, mein Kind?«

»Ich bin seine Nichte.«

Der Klosterbruder warf den Kopf in den Nacken und lachte. »Albrecht? Eine Nichte?« Er tätschelte mir den Arm. »Dann geh mit Gottes Segen, mein Kind. Du wirst ihn nötig haben.«

Als wir endlich die Straße fanden, die er mir beschrieben hatte, war es fast Nacht. Neben einem mit Müll gefüllten Graben an der einen Seite der schmalen Straße duckten sich die Häuser eng aneinander. Wie der Klosterbruder es mir beschrieben hatte, stand auf halbem Weg ein Haus, das mit roten und blauen Kacheln verkleidet war. Nicht weit entfernt läutete eine Glocke, und es kam mir so vor, als würde sie verkünden, daß wir endlich heimgefunden hatten. Gegenüber dem Haus mit den bunten Kacheln stand das Haus, das der Mönch mir beschrieben hatte — aus Holz und

Steinen, schmal und vier Stockwerke hoch, wobei jedes Stockwerk ein wenig über das darunterliegende hinausragte.

»Niklas«, sagte ich streng, aber meine Stimme zitterte, »das ist das Haus unseres Onkels.«

Ich ging zur Tür und hob den eisernen Türklopfer hoch. Dann ließ ich ihn kräftig gegen den dicken Holzrahmen fallen, mehrmals hintereinander, immer wieder und wieder.

Nach einer Weile öffnete sich die Tür einen Spalt, und ich sah eine kleine Frau, die uns mit großen runden Augen anstarrte.

»Was, um Gottes willen, soll der Lärm?« fragte sie.

»Ich bin . . .« Ich sammelte meinen ganzen Mut und begann noch einmal von vorn. »Ich bin die Nichte von Albrecht Valens, und das ist sein Neffe.«

»Was?«

»Wir sind gekommen, um unseren Onkel zu besuchen.«

Die Tür ging ein wenig weiter auf, und jetzt konnte ich die runzlige kleine Frau genauer sehen. Sie starrte uns mit offenem Mund an. Aber gleich darauf breitete sich ein Lächeln auf ihrem Gesicht aus. »Nichte und Neffe?«

Jetzt lächelte ich auch.

»Nun, dann kommt herein, kommt herein. Es ist fast Nacht. Ihr könnt nicht auf der Straße bleiben. Hört ihr nicht die Vesperglokken? In der Nacht beherrscht das Gesindel die Stadt. Uns gehört sie erst wieder, wenn die Sonne aufgeht. So ist das in dieser Stadt, mein Mädchen. Kommt schnell herein.«

Zweiter Teil

10

Wir kamen nicht sofort zu unserem Onkel, sondern wurden zuerst durch die vorderen Zimmer und einen Innenhof in den hinteren Teil des Hauses gebracht. In einem kleinen Raum, in dem überall Eisenstücke herumlagen, stellte die Haushälterin — denn das war sie — eine Kerze auf ein Faß und sah uns genau an. Dann brachte sie eine Schüssel mit Wasser. Ich wusch mein Gesicht, dann das Gesicht von Niklas, dann wischte ich mit einem Lappen, den sie mir gab, die Kleider ab, in denen wir seit Wochen gesteckt hatten.

Margaret, so hieß sie, hatte die kleinen Hände über dem Bauch gefaltet und wartete geduldig, während sie uns zusah. Sie trug ein Tuch um den Kopf. Ihr Gesicht hatte kleine braune Flecken. Sie hatte nur noch wenige Zähne, aber das hinderte sie nicht daran, zu lächeln, als ich Niklas' Jacke und Hose, so gut es ging, abrieb.

»Jetzt riecht ihr wenigstens ein bißchen besser«, sagte sie. »Ich habe Rosmarin ins Wasser gegeben. Aber die Kleider gehören gewaschen. Ihr müßt eine large Reise hinter euch haben.«

Hier war eine Frau, die uns gut behandelte. Während ich unsere Schuhe abrieb, erzählte ich ihr, was in der Mühle geschehen war.

»Gott im Himmel«, sagte sie. »Armes Kind.« Dann warf sie einen Blick zu Niklas, der Kaninchens Ohren streichelte, und sagte: »Arme Kinder.«

Dann erzählte ich ihr, wie lange wir schon unterwegs wären und wie schwer es gewesen sei, unseren Onkel zu finden.

Sie schüttelte verwundert den Kopf. »Schwer genug für dich selbst, aber mit ihm . . .«

Als sie zögerte weiterzusprechen, sah ich von Niklas' Holzschuhen hoch, die ich gerade putzte. »Als er geboren wurde, war er gesund. Aber vor ein paar Jahren saß er unter einem Baum«, erzählte ich, »und wurde vom Blitz getroffen. Er war ganz blau und hatte die Augen verdreht. Vater schüttelte ihn und beatmete ihn durch den Mund, bis sich seine Brust wieder hob und senkte. Als wir ihn nach Hause gebracht hatten, legte Mutter ihn ins Bett. Dort lag er viele Tage so. Wir konnten ihn nur mit Brei füttern. Aber dann wachte er wieder auf. Niklas ist von Gott auserwählt, haben wir immer gesagt. Der Blitz war ein Zeichen Gottes. Aber die Sprache hat er nie wiedergefunden, und er wußte auch nicht alles, was er vorher wußte, aber er kann sich ohne Hilfe anziehen und essen, und er hat mich lieb.«

»Dann ist er ein guter Junge«, erklärte Margaret. »Ich gehe jetzt und sage eurem Onkel, daß ihr hier seid.«

An der Tür drehte sie sich um. »Das Kaninchen. Ist das ein Geschenk für euren Onkel? Er mag gebratenes Kaninchen gern.«

»Nein, nein«, sagte ich erschrocken. »Das Kaninchen ist nicht zum Essen. Es ist unser Freund.«

Sie nickte ernst. »Gut so. Wartet hier auf mich.«

Es kam mir lange vor, bis Margaret zurückkehrte.

»Komm, Kind«, sagte sie zu mir und sah Niklas einen Augenblick lang an. »Wird er auch still sein?«

»Niklas ist immer still.«

»Gut so.«

Sie brachte uns durch den Innenhof in die vorderen Räume. In einem brannte ein Feuer, obgleich es nicht kalt war. An einem großen Tisch saß ein großer Mann vor einem Laib Brot und einer dampfenden Schüssel mit Fleisch. Ich wußte sofort, wer er war, denn in seiner fleischigen Nase und den dicken Augenbrauen und den geschwungenen breiten Lippen erkannte ich seinen Bruder, unseren Vater, wieder. Er war viel älter als unser Vater und sah in seiner gesteppten Jacke viel wuchtiger aus, aber als er uns aus seinen tiefliegenden Augen ansah, hätte ich fast geweint, so groß war die Ähnlichkeit.

»Sag dem Koch, daß ich morgen Karpfen essen will«, sagte unser Onkel zu Margaret. »Falls er es noch nicht bemerkt hat — wir haben Karpfenzeit. Du«, sagte er zu mir und tunkte ein Stück Brot in die Fleischbrühe, »du sagst, du seist meine Nichte?«

»Ja. Ich *bin* Eure Nichte, Onkel.«

Er aß mit großem Appetit, während uns seine Augen, die mich so schmerzhaft an unseren Vater erinnerten, musterten. »Du sagst, eure Eltern seien tot?«

»Sie *sind* tot, Onkel.« Und dann erzählte ich ihm alles, was ich schon Margaret erzählt hatte.

Zuerst aß er weiter, während ich sprach, aber dann schob er das Brett mit dem Brot und dem Fleisch weg und stemmte beide Ellbogen auf den Tisch und lehnte sein großes rotes Gesicht gegen die geballten Hände. Als ich ihm alles erzählt hatte, fragte er mit ruhiger Stimme: »Hat deine Mutter sehr gelitten?«

»Ja, das hat sie«, sagte ich unter Tränen.

»Und mein Bruder hat gekämpft?«

»Ja. Er hat zwei von ihnen getötet.«

»Du siehst ihr ähnlich«, sagte er nachdenklich. Zwischen den großen Händen sah Onkel Albrechts Gesicht plötzlich jünger aus, aber sehr traurig, fast wie das Gesicht eines kleinen Jungen, dem man etwas weggenommen hat.

»Ja«, sagte er und holte tief Luft. »Ich glaube dir.« Er ließ beide Hände auf den Tisch fallen. »Ich sehe sie in dir. Du bist meine Nichte.« Er starrte Niklas an. »Margaret hat mir von dem Jungen erzählt.« Er sagte es brummig, fast ärgerlich. Dann brach er ein Stück Brot ab und aß es laut schmatzend. »Du kannst heute nacht hierbleiben mit dem Jungen«, sagte er zu mir, und zu Margaret sagte er: »Sprich mit dem Koch wegen des Karpfens. Und er soll keinen mit gelben Schuppen aussuchen. Die kommen aus dem moorigen Wasser. Karpfen aus reinem Wasser haben weiße Schuppen. Das weiß er auch, aber er gibt sich keine Mühe mit Fischen.«

Und als Margaret uns aus dem Zimmer führte, rief er ihrem schmalen Rücken nach: »Und er soll ihn mit dem Bauch nach oben in feuchtes Heu legen, wenn er ihn vom Markt heimbringt. Mit dem Bauch nach oben! Hörst du? Mit dem Bauch nach oben, sonst bleibt er nicht frisch! Wenn du ihm nicht traust, wenn du glaubst, er vergißt es, dann geh selber mit!«

In der Halle drehte ich mich zu der alten Frau um. Mit Panik in der Stimme, die ich nicht unterdrücken konnte, fragte ich: »Was hat der Onkel gemeint, als er sagte ›heute nacht‹? Können wir nur heute nacht hierbleiben? Können wir nicht länger bleiben?«

Sie reichte mir nicht einmal bis ganz an die Schulter, trotzdem wirkte Margaret wie eine große Frau, als sie mein Handgelenk fest umklammerte. »Hör zu, mein Kind. Kümmere dich nicht um ihn. Heute nacht *und* alle folgenden Nächte. Ihr werdet bleiben, ist das klar? Es ist also klar. Gut so.«

Sie ließ mich los und ging weiter. »Und jetzt kommt in die Küche und eßt gesalzenen Aal, wenn ihr wollt, oder von dem Fleisch, das euer Onkel verschlungen hat, während ihr armen Kinder vor seinen Augen fast verhungert seid.«

Als wir durch den Hof gingen, blieb Margaret stehen, um ihren Worten Nachdruck zu verleihen. »Euer Onkel ist nicht böse«, sagte sie. »Er ist nur gedankenlos. Er denkt an nichts anderes als an seinen Bauch und an seine Uhr.«

Das erste, was ich über Onkel Albrecht erfuhr, war, daß Margarets Behauptung, daß er nicht böse, sondern nur gedankenlos war, der Wahrheit entsprach. Tatsächlich bestand vom nächsten Morgen an gar kein Zweifel daran, daß wir hierblieben. Am ersten Abend hatte er uns einfach noch nichts von seiner Entscheidung gesagt, uns bei sich aufzunehmen. Er hatte Karpfen im Kopf gehabt. Obgleich ihm leid tat, was seinem Bruder und seiner Schwägerin widerfahren war und was mit ihren Kindern geschehen könnte, wenn er sie nicht aufnahm, hatte Albrecht Valens an seinen Bauch gedacht, genauso wie Margaret es gesagt hatte.

Wir erfuhren von der Uhr durch den Lärm, den sie machte, als wir am nächsten Morgen aufwachten. Durch die Tür unseres kleinen Zimmers drangen schrecklich laute Schläge.

Ich sagte zu Niklas: »Ich weiß, was eine Uhr ist. Ich habe gehört, daß der Sand, der durch eine Flasche rinnt, und der Schatten, den die Sonne macht, irgendwie dasselbe sagen, was einem die Glocken vom Kirchturm sagen: die Stunden fürs Gebet, die Abendandacht, die Morgenandacht und alle anderen. Ich habe von diesem Ding gehört, von der Uhr, die einem die Zeit sagt, ohne daß die Priester ihr sagen, wann sie es tun soll. Das ist nicht wie der Glöckner in der Kirche. Das ist kein Mann. Das ist irgendein Ding, das von alleine geht, glaube ich. Diese Schläge müssen die Uhr sein, Niklas.«

Ich war nicht gerade zufrieden über das, was ich meinem Bruder erzählte, denn es kam mir vor, als wüßte ich gar nicht, wovon ich sprach. Ich hoffte, die Uhr sehen zu können.

Später, als wir in die Küche gingen, um eine Schüssel Brei zu essen, kam unser Onkel an uns vorbei und ging in die Richtung, aus der die Schläge gekommen waren. Er bemerkte uns kaum, und er hatte einen langen schwarzen Eisenstock bei sich. Ich glaubte, daß es besser sei, ihn jetzt nicht nach Uhren zu fragen, denn vielleicht machte er sich gerade Sorgen wegen seiner eigenen Uhr. Er sah ziemlich mürrisch aus − wie ein Mönch beim Gebet. Jedenfalls hatte das unser Vater immer gesagt, wenn er einen mürrischen Menschen beschreiben wollte.

In den folgenden Tagen sahen wir wenig von unserem Onkel außer wenn er von einem Raum zum anderen eilte, gefolgt von Kaufleuten in pelzbesetzten Umhängen oder von Arbeitern in großen Schürzen. Wie ich bald herausfand, war das große Haus fast eine Stadt für sich − und sie wurde von ihm beherrscht.

Im oberen Stockwerk war ein großer Saal, in dem er Besucher bewirtete, die andere Sprachen sprachen und deren Kleider an weit entfernte Länder erinnerten. Manchmal blieben solche Männer mehrere Tage wie in einem Gasthaus, und nachts konnten wir sie von unserem Zimmer aus dort oben lachen und reden hören.

Andere kamen jeden Tag mit Säcken und Ballen und gingen auch wieder mit Säcken und Ballen.

»Niklas«, sagte ich, während wir auf die Seite gingen und zusahen, »unser Onkel ist ein sehr geschäftiger Mann.« Ich zog die heiße ölige Luft des Hauses ein und sagte: »Und er hat nicht nur Uhren.«

Was er noch hatte, war, wie ich bald erfuhr, eine Eisengießerei und eine Waffenwerkstatt. Das Hämmern, das wir am ersten Morgen gehört hatten, hatte nichts mit Uhren zu tun. Es kam aus der Schmiede, in der das rohe Eisen zu langen Barren geformt wurde, und aus diesen langen Barren wurden dann die Waffen geformt.

Große Teile des Hauses waren Lagerräume, und wenn die Arbeiter sie aufmachten, sahen wir stapelweise Piken und Helme und Brustplatten.

Zuerst spähten wir nur durch die Tür der Eisengießerei, die sich im hinteren Teil des großen Hauses befand. Die Arbeiter schlugen mit dem Hammer auf heißes Metall, das auf einem Amboß lag. Sie winkten uns und riefen uns zu sich, und dann konnten wir selbst die trockene Hitze erleben, die in der Schmiede herrschte, durch die glühende Funken stoben. Der Schmelzer, der eine Lederschürze anhatte und ein nasses Tuch über dem Gesicht trug, hielt die Zangen, in denen das Metall steckte. Das Eisen glühte im Feuer und entfaltete sich wie die Blumen im Frühling. Es war ein schöner Anblick, auch die Hände der Arbeiter, die mit ihren Schmiedehämmern auf die heißen Blüten einschlugen. Ihre dicken, knorrigen Finger erinnerten mich an unseren Vater bei der Arbeit in der Mühle.

Ich sah gern zu, wenn das Metall seine Form veränderte, es erinnerte mich daran, wie die Hämmer in der Mühle alte Lumpen in Papier verwandelt hatten. Allerdings hatte es anders geklungen als hier. Hier schlug Metall auf Metall und nicht Holz auf Holz. Es war ein höherer und kälterer Ton als von den Holzhämmern, die auf Holz und Tuch niedersausten. Aber auch hier in der Schmiede wurde aus einer Sache eine andere gemacht. Es war wie ein Wunder.

In der Waffenschmiede hörte sich das Schlagen der Hämmer sogar noch schriller an. Die Männer schmolzen Eisenplatten ineinander und machten daraus Eisenstäbe. Das dauerte eine lange Zeit. Aber Zeit hatte hier keine Bedeutung. Das Metall hatte so lange in der Erde gelegen, daß es zeitlos war und kein Erbarmen mit den Männern hatte, die es tagelang mit ihren Hämmern bearbeiteten. Immer wieder und wieder wurden die Eisenstäbe erhitzt und geformt, und sie wurden dabei so geschlagen, wie es die Teufel mit den armen Sündern in der Hölle tun. Es war ein unaufhörliches Getöse, und die heiße Luft und die Funken, die aus dem Schmiedeofen flogen, waren so rot wie ein Sonnenuntergang. Es war, als würden die Kräfte, die die Mauern erzittern ließen, jeden Augenblick ausbrechen und das Haus in tausend Stücke reißen. Aber ich habe mich nie wirklich vor irgend etwas gefürchtet, das dort in der Schmiede geschah. Mich interessierte nur die Veränderung von Dingen. Ich konnte gar nicht genug davon bekommen zu sehen, wie ein erhitzter Stab weich genug war, um sich biegen und formen zu lassen — wie der Teig, den unsere Mutter zu Brot knetete. Ich stand mit Niklas, der sich meistens die Ohren zuhielt, gegen eine Mauer gelehnt, während dicke Eisenstäbe die Form einer Kriegsaxt oder eines Schwertes annahmen.

Ich lernte nicht nur die Namen all der Dinge, die Männer auf dem Schlachtfeld tragen, sondern auch, wie sie hergestellt wurden. Die Kesselhelme mit dem Rand, die Panzerhemden aus Leinen mit eingenieteten Eisenplatten und der Beinharnisch, die Beinschiene und die Kniekappe, die Eisen zum Schutz der Zügel und der Arme eines kämpfenden Ritters zu Pferde, die Lanzenstützen, die an den Brustplatten befestigt werden; Panzerhandschuhe, Kappen für Füße und Ellenbogen, alles erhitzt und mit Hämmern geformt und gekühlt und gehärtet — im Hause unseres Onkels. An den Wänden der Schmiede hingen Stahldauben, Armbruste, Beilblätter, Hammerköpfe und Eisenspitzen, die auf langen Stangen angebracht waren, die größer waren als ich. Lange nachdem ich die Waffenwerkstatt verlassen hatte, dröhnten mir noch die Ohren von dem Lärm, so laut und schrecklich wie Schlachtgetümmel.

In einem solchen Haus waren mein Bruder und ich ohne Bedeutung, und wenn wir kleiner gewesen wären, hätten die Lastenträger und Fuhrleute und Schmiede und Waffenhändler uns vielleicht unter ihren Füßen zertreten. Es war fast so, als lebten wir im Gewimmel der großen Städte, in Paris, Mailand oder London, von denen meine Mutter mir erzählt hatte. In diesem Haus befanden wir uns im Zentrum eines Wirbelsturms und waren doch in Sicherheit.

Niklas verbrachte mit Kaninchen viel Zeit im Hof. Die beiden saßen auf den Fliesen in der Sonne. Als ihm ein freundlicher Arbeiter ein Messer schenkte, schnitzte Niklas so lange an einem Zweig, bis er so dünn war wie eine Rute, die er zischend durch die Luft sausen ließ und beiseite legte, um sofort mit einer neuen zu beginnen.

Er war in Sicherheit und sein Kaninchen auch, so daß ich die Gelegenheit wahrnahm und das Haus meines Onkels zu erforschen begann.

Ich folgte hartnäckig Margarets Spuren, die mich bei ihren Runden durchs Haus mitnahm. Sie brachte mir Dinge bei, wie unsere Mutter es getan hatte. Ich lernte, ein großes Bett zu machen, wie Onkel Albrecht es benutzte, indem ich mit Hilfe eines langen Hakens die Überdecke umdrehte. Sie lehrte mich, Schmutzflecken von Kleidern zu entfernen, indem man sie in heißen Wein einlegt. Und wenn der Wein trüb wird, erklärte mir Margaret, muß man gekochte Eier in den Weinkorb hängen, dann wird er wieder klar. Sie zeigte mir, wie man Klebstoff herstellt, indem man Stechpalmenrinde kocht und vierzehn Tage lang in alte Blätter wickelt, sie dann wie einen Brotlaib klopft und in einem zugedeckten Topf aufhebt.

Margaret nahm mich auch mit, wenn sie mit dem Koch auf den Markt ging. Sie zeigte mir, wie man frische Schollen erkennt – die Haut muß weich sein, wenn man sie berührt, sagte Margaret und flüsterte mir zu, daß der Koch bei der Auswahl der Fische manchmal sehr nachlässig sei. Ein guter Aal sollte einen kleinen Kopf haben, sein Maul sollte weich sein, seine Haut glänzen. Und sie wußte über Fleisch Bescheid, wie man erkennt, ob es noch gut ist. Auf dem Markt blieb sie oft stehen und erzählte mir all diese Dinge. Sie erzählte mir, daß bei einer guten Stockente die Federn fest im Fleisch sitzen; zerzauste Federn, die sich leicht rupfen lassen, bedeuten, daß der Vogel schon längere Zeit tot ist.

Der Koch, ein dürrer kleiner Mann, ließ mich zusehen, wenn er besondere Gerichte zubereitete. Das geschah auf Margarets Drängen hin, denn sonst hätte er mich mit seinen Schaumkellen und Zangen und Spießen und Kesseln, die über Holzstämmen kochten, die so lang waren wie Niklas, aus der Küche gejagt. An diesem Ort, der nicht weniger heiß und geräuschvoll war wie die Schmiede, bemühte sich der Koch, den Magen unseres Onkels zufriedenzustellen. Er war oft viele Tage mit der Zubereitung von Speisen beschäftigt, die die meisten Menschen ihr ganzes Leben lang nicht zu schmecken bekommen: Milchsuppe, Mandelpudding, gewürzter Reis und Bärenschwanz in scharfer Soße, Hasenpfeffer, gesalzene Gans und Lendenstücke.

All diese Speisen aß unser Onkel mit großem Appetit wie von vier Männern, spülte die riesigen Mengen, die er aß, mit ganzen Krügen roten Weins hinunter, denn — wie er mir eines Abends sagte, als wir uns zufällig im Hof trafen und er in der Stimmung war, mit mir zu reden — ein Mann mit guter Gesundheit trinkt niemals gewürzten Wein und ißt niemals ungekochtes Obst oder Zwiebelsoße und schläft niemals auf dem Bauch.

Einmal, als ich mich im Gang dicht an die Wand drückte, damit er vorbei konnte, sah Onkel Albrecht plötzlich zu mir herunter und sagte: »Wie alt bist du? Schon Zeit, an eine Hochzeit zu denken?« Aber solche Fragen murmelte er nur so vor sich hin, und noch bevor er drei Schritte weitergegangen war, hatte er sie schon wieder vergessen.

Natürlich aßen wir nie mit ihm zusammen, aber Margaret zeigte mir, wie man das wohlriechende Wasser zubereitete, in das er seine Hände tauchte, wenn er mit dem Essen fertig war. Auf diese Weise konnte ich ihm zeigen, daß ich zum Haushalt gehörte. Ich legte Salbei und Rosmarin mit gekochter Orangenschale in das warme Wasser.

Eines Abends brachte ich es ihm ins Eßzimmer, wo er tief in Gedanken versunken aß und aufstieß. Ich stellte die Schale neben sein Brot. Vielleicht wurde er dadurch auf mich aufmerksam, denn er richtete seine tiefliegenden Augen auf mich.

Er sprach wie in Trance, ganz langsam und auf Lateinisch: »*Ruat coelum, fiat voluntas tua.*«

Eigentlich hatte er die Worte nicht an mich gerichtet, aber ich lächelte und nickte.

»Worüber lächelst du, Mädchen?« fragte er und runzelte plötzlich die Stirn.

»Über Eure Worte, Onkel. Es sind schöne, mutige Worte.«

Er steckte seine von Soße triefende Hand in die Wasserschale und sah mich an. »Ach so, tatsächlich? Und was sollen sie bedeuten, Mädchen?«

»Dein Wille geschehe, auch wenn der Himmel einstürzt.«

Onkel Albrecht sah mich verdutzt an. Seine nasse Hand, die er wieder aus der Schüssel gezogen hatte, blieb mitten in der Bewegung stehen. »Woher weißt du das?«

»Ich habe es gelernt.«

»Du?« Dann breitete sich auf seinem großen roten Gesicht ein Lächeln aus. »Aber natürlich. Sie hat es dir beigebracht.«

»Ja, das hat sie. Ich habe es von meiner Mutter gelernt.«

»Sie hat es dir beigebracht«, murmelte er und starrte mich einen Augenblick lang mit einem unsagbar weichen Ausdruck an, daß ich das Gefühl hatte, diesmal nicht so schnell von ihm vergessen zu werden.

11

Aber am nächsten Tag ging er im Hof an mir vorbei, ohne mich auch nur eines Blickes zu würdigen.

Er wurde von einem kleinen dicken Mann mit schwarzem Bart und weitem buntem Überwurf begleitet. Auf der Brust war das Wappen eines Edelmannes aufgenäht: ein roter Drache, der einen angeketteten weißen Hirsch verschlang. Der Mann trug spitze Schuhe aus rotem Leder, einen mit Silber beschlagenen Dolch in einer Silberscheide, einen Gürtel, an dem Bronzeglöckchen hingen, und einen grünen Samthut. Er war sehr vornehm.

Sie gingen zur Gießerei.

Durch die offene Tür konnte ich später am selben Nachmittag beobachten, wie der kleine dicke Mann in voller Rüstung dastand und rasselte und klirrte, während Onkel Albrecht mit einem Helfer das Vernieten jeder einzelnen Platte an jedem Teil der Rüstung überwachte.

Als ich an diesem Abend lange nach dem Abendessen in den Hof schlenderte, um frische Luft zu schnappen — denn es war sehr warm —, da hörte ich oben aus dem zweiten Stock, in dem Onkel Albrecht und der Edelmann, der zu Besuch war, aßen, den Lärm eines wilden Gelages.

Margaret lehnte an der Hofmauer, ihr Gesicht war im Kerzenschein, der aus dem Fenster von oben fiel, nur undeutlich zu erkennen. Wie gewöhnlich rauchte sie zur Entspannung eine lange Tonpfeife.

Sie forderte Niklas und mich auf, uns neben sie zu setzen. Eine Weile lauschten wir dem Gelächter, das von oben kam.

Dann sagte sie: »Er hat heute ein gutes Geschäft gemacht. Das ist ein berühmter Krieger, der bei ihm ist, und noch dazu sehr reich.«

Ich sagte nichts.

»Dein Onkel macht sehr gute Waffen«, fuhr sie fort. »Ich habe von diesen Dingen nichts verstanden, bis er dieses Haus kaufte und ich als Haushälterin dazugehörte. Jetzt weiß ich über Waffen so gut Bescheid wie die meisten Männer, die sie verwenden, schätze ich. Genug, um zu wissen, was seine Waffen wert sind.«

Ich sagte nichts.

»Aber nur um reich zu werden, tut er es nicht.«

Ich sagte nichts.

Vielleicht forderte mein Schweigen sie heraus, mehr zu sagen. Denn sie fuhr fort: »Glaub ja nicht, daß du ihn kennst. Dein Onkel ist nicht leicht zu verstehen. Nein, er ist nicht wie andere.«

»Wie ist er dann?«

Margaret antwortete nicht sofort, sondern zog an der Pfeife, bis sie ausging. Sie legte sie auf die Fliesen am Boden, während oben die Männer ihr Gelage fortsetzten. Und dann erzählte mir die alte Haushälterin die Geschichte von Albrecht Valens.

Er war eine Zeitlang ein ganz gewöhnlicher Schmied gewesen, der dieses Handwerk zusammen mit seinem Bruder von einem Onkel gelernt hatte. Die Brüder hatten gemeinsam eine Schmiede betrieben.

Das hatte ich nicht gewußt. Ich wußte, daß unser Vater ein Schmied gewesen war, als er meine Mutter heiratete. Aber ich wußte nicht, daß er mit Onkel Albrecht eine Schmiede besessen hatte.

Aber als sie sich wegen irgend etwas gestritten hatten, gingen beide eigene Wege, fuhr Margaret fort. Albrecht ging in das Haus eines Herzogs, der die meiste Zeit in den Krieg zog. Bei diesem Mann lernte Albrecht die Kunst der militärischen Belagerung. Er baute Katapulte und Sturmböcke und Befestigungstürme. Sein Ruf eilte ihm voraus, wo immer Männer kämpften. Mit der Zeit wurde er ein berühmter Erfinder von Waffen. Sein Gerät für Wurfgeschosse, eine Schleudermaschine, beförderte eine eiserne Kugel von hundert Pfund mit völliger Genauigkeit über fast 400 Meter Entfernung. Und er baute eine Armbrust, die mit einem Bügel versehen war, so daß man sie schneller laden konnte. Dann verschwand er plötzlich.

»Weißt du, was dein Onkel getan hat, Kind?«

Sie kicherte, offenbar vor lauter Vergnügen über ihre eigene Frage.

»Er tat etwas ganz Erstaunliches. Er wurde ein schwarzer Mönch. Er gab alles auf und ging in ein Benediktinerkloster. Er hatte schon genug Gemetzel gesehen für einen einzigen Menschen, das ist wahr, und so kehrte dein Onkel zwei Jahre lang der Welt den Rücken. Er studierte Gottes Wort und gehorchte dem Abt und kümmerte sich um den Garten und übte sich in Demut. Aber ein solches Leben war im Grunde nichts für ihn. Darum kehrte er als Waffenschmied wieder in die Welt zurück. Und heute baut niemand bessere Waffen und Rüstungen als er. Das ist kein leeres Gerede.«

»Und warum hat er das Kloster verlassen?«

»Ein Mann wie dein Onkel hört auf niemanden außer auf sich selbst.« Nach einer Pause, die so lang war, daß ich schon glaubte, sie denke inzwischen an etwas anderes, fragte mich Margaret: »Und du? Verurteilst du ihn?«

»Dazu habe ich kein Recht.«

»Aber du verurteilst ihn. Du riechst das Öl und hörst das Hämmern und fühlst die sengende Hitze und weißt, daß das alles geschieht, um Menschen zu töten. Und dafür, daß er dazu beiträgt, dieses Ziel zu erreichen, wird dein Onkel so gut bezahlt, daß er in einem schönen Haus wohnen und gutes Essen zu sich nehmen kann. Du verurteilst ihn also, nicht wahr, Mädchen?«

»Ich weiß, daß Männer in den Krieg ziehen, um für den Herrn zu kämpfen.«

»Nicht immer für den Herrn.«

»Nein«, gab ich zu, »nicht immer.«

»Du bist ein schlaues Ding«, sagte Margaret und lachte. »Hättest du gewollt, daß dein Vater ein Waffenschmied gewesen wäre?«

»Nein.«

»Nicht einmal, wenn du dann in einem so schönen Haus hättest wohnen können?«

»Nein.«

»Daher verurteilst du deinen Onkel. Du brauchst es nicht zu sagen. Ich weiß es. Du glaubst, daß er gottlos ist, weil er vom Tod lebt. Genauso wie die Soldaten, die durchs Land ziehen und den Menschen, die du geliebt hast, das Leben genommen haben. Stimmt's?«

»Unser Onkel ist nicht wie sie.«

»Aber er macht die Waffen, die sie tragen.«

»Ich habe kein Recht, meinen Onkel zu verurteilen.« Aber es stimmte nicht, denn ich hatte mir in der letzten Zeit angesichts all der Waffen und Schwerter oft die Frage gestellt, ob Gott es wohl mißbilligte, daß ich hier war. Dieser Ort mit dem Feuer und der Hitze und dem heißen Metall konnte eine Herberge für böse Dämonen sein. Und manchmal wachte ich aus meinen Alpträumen auf und hörte noch das Geräusch von Schmerzen und Leiden und Tod, von Eisen und Stahl, die aufeinanderprallten.

Ich fühlte Margarets Hand auf meinem Arm.

»Aber du weißt nicht, warum er zurückkehrte, um Waffen zu machen«, sagte die Haushälterin sanft. »Er tat es nicht, weil er Gefallen hat am Krieg oder am Geld. Er tat es nicht einmal, um sich den Bauch vollzustopfen, obgleich er das, Gott ist mein Zeuge, nur allzugern tut. In Wahrheit ist dein Onkel in die Welt zurückgekehrt, um etwas zu lernen über die Welt. Ja, mein Kind. Um zu lernen.«

Margaret stopfte ihre Pfeife und steckte sie sich, ohne sie anzuzünden, in den Mund. »Um zu lernen, ja, das ist der Grund. Gelehrte Männer aus aller Welt kommen zu ihm, um ihm von allen möglichen seltsamen Maschinen zu berichten und von einem Ding, das Kurbel heißt, und von verdrehten Drahtstücken, die Federn heißen, und wie man Blech härter macht. Sie zeigen ihm, wie man in Eisen Löcher schneidet, Gott ist mein Zeuge — mittendurch durch das Eisen —, mit einem Ding wie ein Bolzen, der sich in einem Gürtel dreht. Nicht so ein Gürtel, wie wir ihn tragen, sondern ein langer Riemen aus festem Leintuch, der an der Decke befestigt ist. Verstehst du?«

»Nein, das verstehe ich nicht.«

»Auf jeden Fall lernt er von diesen Männern viele Dinge. Er lernt von ihnen sogar die merkwürdigen Eigenschaften von Quecksilber. Weißt du, was das ist?«

»Nein.«

»Auf jeden Fall reist er viel und weit, um bei weisen Männern etwas zu lernen. Kluge Männer, die Räder mit Zähnen kennen, innen drin, und Stäbe, die sich alle auf dieselbe Weise bewegen, so daß sich andere Räder mit Zähnen und Stäben in eine andere Richtung bewegen. Alles irgendwie miteinander verbunden und in Bewegung. Ich brauch' dich wohl nicht zu fragen, ob das klar ist. Es ist nicht klar.«

Mit einem tiefen Seufzer stand die alte Frau auf. Sie streckte sich und sah hinauf zu dem erhellten Fenster. »Du kannst nicht etwas lernen, mein Kind, ohne auf die eine oder andere Weise dafür zu bezahlen. Dein Onkel verrichtet die Arbeit, von der er am meisten versteht — er rüstet Männer für den Kampf aus. Und davon wird das Lernen bezahlt.«

Als sie sich umdrehte, um ins Haus zu gehen, sagte ich zu ihr: »Lernt er für seine Uhr?«

Margaret sah mich einen Augenblick lang prüfend an: »Du bist gar nicht so dumm, mein Mädchen. Ja, das stimmt. Für seine Uhr.«

An den folgenden Tagen sah ich meinen Onkel ganz anders als bisher. Seine Barschheit und sein abwesender Blick und seine Gleichgültigkeit hatten nichts mehr mit mir zu tun, alles hatte mit der Uhr zu tun. Margaret hatte auch in diesem Punkt recht: Die Uhr nahm seine ganze Aufmerksamkeit in Anspruch.

Und jetzt ging es mir ebenso: Ich mußte die Uhr sehen. Und während die Zeit verstrich und überall um mich herum in dem großen Haus hektische Betriebsamkeit herrschte und mein Bruder nun in Sicherheit war und auch sein Kaninchen und Margaret mir jeden Tag ein Lächeln schenkte, hatte ich die Zeit und die Geborgenheit, um nur an die Uhr denken zu können.

Von Margaret erfuhr ich, daß sich hinter der Gießerei noch ein weiterer kleiner Raum befand. Dort arbeiteten ein paar Männer mit Onkel Albrecht an dem geheimnisvollen Ding, das mich nicht mehr losließ. Manchmal arbeiteten sie nachts, und ich konnte ihr Hämmern und Feilen hören − nur nicht so laut wie das Geräusch, das den ganzen Tag aus der großen Gießerei kam, sondern es war eher ein nachdenkliches Geräusch, das häufig begann und schon im nächsten Augenblick wieder aufhörte und das sich so tief in meine Gedanken eingrub, daß ich manchmal einschlief und von einem großen Feuer träumte, das von einem Blasebalg angefacht wurde, bis es höher hinaufreichte als die Berge, und in seinen Flammen glühten riesige Räder, weiß und heiß, und bewegten Hämmer, die so groß waren wie das Haus unseres Onkels, die dann wieder herunterfielen gegen die metallenen Seiten und dabei einen Ton erzeugten, der so durchdringend war wie die letzte Posaune beim Weltende, und dann wachte ich, in Schweiß gebadet, wieder auf, als käme mein eigener Körper direkt aus diesem Schmiedeofen.

Nach einem solchen Traum wachte ich eines Nachts von dem Geräusch von Hämmern auf. Nicht so schrecklich laut wie in meinen Träumen, trotzdem erregte es mich so sehr, daß ich aufstand und unseren kleinen Schlafraum verließ und auf den Flur ging, der zur Schmiede führte. Es war dunkel, und ich ließ mich von den lauten Hämmern leiten.

An der Tür zur Gießerei zögerte ich einen Moment, dann machte ich sie auf und ging hinein. Das niedrige Feuer warf einen roten Schein auf die Werkbänke und Eisenplatten bis zur hinteren Tür. Ich machte sie auf. Noch nie war ich in dem Haus so weit vorgedrungen. Vor mir lag ein offener Gang, der von der Gießerei zu einem anderen kleinen Gebäude führte, das dicht an der hinteren Mauer des Grundstücks stand. Von dort kamen Geräusche, die jedoch ganz plötzlich aufhörten. Durch einen Spalt unter der Tür fiel Kerzenlicht in den Gang.

Er war dort drinnen. Onkel Albrecht war dort drinnen.

Ich zögerte nicht. Ich ging durch den dunklen Gang zu dem Schuppen, klopfte einmal, zweimal, dreimal an die Tür, dann trat ich zurück und wartete. In der Stille konnte ich mein Herz klopfen hören, als wäre es selbst ein Stück Metall unter einem Hammer.

Dann ging die Tür auf, und er stand im Licht, das aus dem Schuppen fiel − ein großer schwerer Mann, dessen Hand einen Hammer umspannte und der laut und schnell atmete.

So weit hatte ich mich vorgewagt, aber jetzt hatte ich plötzlich keine Ahnung, was ich als nächstes tun sollte. Daher sagte ich: »Onkel.« Und dann: »Ich habe von einem Geräusch geträumt, und als ich aufwachte, war es noch immer da, und ich bin gekommen, um nachzusehen, was es ist.«

»Was es ist?« brummte er zornig. »Das Geräusch des Mißerfolgs.« Er warf den Hammer zu Boden. »Ich habe nicht viel Geduld, Mädchen. Ich kann sehr zornig sein.«

Ich wußte nicht, was ich sagen sollte, daher sagte ich gar nichts.

»Wenn etwas schiefgeht und du wütend wirst, was tust du dann?«

Zuerst war ich mir nicht sicher, ob ich ihn richtig verstanden hatte. Dann stampfte ich mit dem Fuß auf den Boden. Darüber mußte er lachen. »Genau das meine ich. Es steckt in deinem Blut, Mädchen — Mißerfolge nicht einfach hinzunehmen. Ich habe gerade die Werkstatt verwüstet. Willst du hineinsehen?«

Tatsächlich versuchte ich das — ich verrenkte mir den Hals, um an seinem breiten Körper vorbei in den von Kerzen beleuchteten Raum zu sehen. Ich machte mich groß und sagte mit fester Stimme: »Ja, Onkel.«

»Bist du neugierig auf etwas?«

Er stand vor dem Licht, und sein Gesicht lag im Schatten, so daß ich nicht erkennen konnte, was er dachte. Aber es war bestimmt nicht gut, diesen Mann anzulügen. Ich hatte das Gefühl, als könnte er mir bis ins Herz blicken.

»Ja. Ich bin neugierig auf die Uhr.«

»Verstehe. Neugier ist eitel, oder aber sie entspringt dem wahren Wunsch, etwas zu wissen. Was ist es bei dir, Mädchen?«

Mir fiel in diesem Augenblick nichts anderes ein als etwas, das mich meine Mutter in Latein gelehrt hatte.

Daher sagte ich: »*Ad astra per aspera.*«

Eine Weile war es still, und ich überlegte, ob ich ihn vielleicht beleidigt hatte. Wenn unsere Mutter am Ufer des Flusses saß und strickte oder Essen kochte, drehte sie sich manchmal plötzlich zu mir um und sagte diese Worte zu mir — daß alles Gute im Leben mit Mühe verbunden sei.

»*Ad astra per aspera.* Weißt du denn, was das heißt, Kind?« fragte er schließlich.

»Es ist schwierig, die Sterne zu erringen.«

»Hat sie dir das gesagt?«

»Ja. Oft.«

»Was weißt du über Uhren?«

Ich sah auf meine Füße und sagte: »Nichts.«

Onkel Albrecht trat auf die Seite, so daß ich plötzlich die Werkbänke sehen konnte, einen kleinen Schmiedeofen, einen Riemen aus Leintuch, der von der Decke zu einer Maschine führte und ganz sicherlich dazu diente, sie anzuwerfen. Und viele schwarze Stangen, die miteinander verbunden waren, und Räder mit Zähnen, die sich drehten, langsam, jedes in eine andere Richtung — genauso wie Margaret es beschrieben hatte.

»Du willst also eine Uhr sehen?« fragte er mit merkwürdig weicher Stimme.

»Ja.«

»Dann komm herein.«

12

Aber als ich hineinging, sah ich noch immer nicht viel von der Uhr.

Onkel Albrecht setzte mich auf einen Schemel neben einer Werkbank (die mit Feilen und Zangen und Hämmern und Gegenständen aus Metall übersät war, die ich nicht kannte), und zwar so, daß sich das Gebilde aus Eisenteilen, das etwa die Größe eines Besens hatte, hinter meinem Rücken bewegte und klickende Geräusche von sich gab.

Er selbst saß neben mir auf einem Schemel, und während ich dem heiseren Surren der Uhr lauschte, von der ich nur einen kurzen Blick erhascht hatte, starrte er mich lange Zeit nachdenklich an.

Schließlich spitzte er die Lippen und sagte: »*Deus vult.*«

Offenbar glaubte er, es sei Gottes Wille, daß wir uns in dieser Nacht begegnet waren.

»Sag mir, was ist Zeit, Mädchen?«

»Zeit?«

»Ja, Zeit. Du fühlst doch, daß die Zeit abläuft, nicht wahr?«

»Abläuft?«

»Du fühlst jetzt und fühlst jetzt, und dazwischen liegt Zeit.«

Ich lächelte ihn an. Was hatte das alles zu bedeuten?

»Zeit«, sagte er, »ist die Reihenfolge, in der Dinge geschehen.«

Ich versuchte, über seine Schulter einen Blick auf die Uhr zu werfen, aber seine Stimme rief mich zurück. »Mach dir wegen der Uhr keine Gedanken, bevor du nicht mehr über die Zeit weißt.«

»Ja.«

»Was habe ich dir gesagt, was die Zeit ist?«

»Es ist die Reihenfolge. Nicht wahr?«

»Wovon?«

»Von Dingen, die geschehen.«

»Wenn Dinge nicht zusammen geschehen, sondern getrennt, dann ist der Raum dazwischen ein Teil der Zeit.« Wieder musterte er mich. Sicherlich überlegte er, ob ich verstand, was er sagte, ob es überhaupt der Mühe wert sei, mit mir zu reden.

»Und womit mißt man die Zeit?« fragte er.

Ohne zu zögern, sagte ich: »Mit Eurer Uhr.«

»Mit allen Arten von Uhren. Es hat Wasseruhren gegeben und Kerzenuhren und Sandgläser und die Berechnung der Schatten, die Sonnenzeiger werfen, um die Zeit zu messen, aber keins dieser Dinge hat getan, was die Menschen wirklich wollen.«

Er machte eine Pause. »Nun frag mich, was die Menschen wirklich wollen.«

»Was wollen die Menschen, Onkel?«

»Die Zeit auf eine ganz bestimmte Weise messen.«

Ich wußte, was er hören wollte, daher fragte ich: »Auf welche Weise?«

»Auf eine Weise, daß wir immer wissen, wo wir uns befinden. Ich meine, wo wir uns in der Zeit befinden. Verstehst du?«

»Menschen wollen die Sicherheit des Wissens«, sagte ich.

Onkel Albrecht griff nach einer silbernen Flasche, aus der er trank. Ich roch den beißenden Geruch starken Alkohols.

»Zahnschmerzen«, sagte er und verzog das Gesicht. »Das ist ein ständiges Übel bei mir.« Er hob die Flasche noch einmal an die Lippen. »Die Sicherheit des Wissens. Ja, ich nehme an, damit hast du recht.« Onkel Albrecht sah mich weiter prüfend an.

»Zeit bedeutet nichts, wenn sie nicht gemessen wird«, sagte er nach langem Schweigen. »Eine einfache Möglichkeit, sie zu messen, ist, dem Kurs der Sonne zu folgen. Wenn wir die Sicherheit und das Behagen gewinnen wollen, von dem du sprichst, können wir die Sonne nicht verwenden.«

»Und warum nicht, Onkel?«

»Endlich hast du doch noch eine eigene Frage gestellt. Weil sich der Tag, der nach dem Sonnenlicht gemessen wird, verändert. Im Winter ist das Tageslicht kürzer als im Sommer. Manche Winternächte sind fast doppelt so lang wie Wintertage. Das weißt du doch.«

»Ich habe noch nie darüber nachgedacht.«

Mein Geständnis brachte ihn zum Lächeln. Er war ein Mann, der keine Lügen duldete. Und keine Ausflüchte.

»Die Zeit in eine Ordnung zu bringen, das ist unsere Aufgabe.«

»Ja.«

»Wir müssen die Stunden eines jeden Tags in gleich lange Teile aufteilen. Wir müssen der Zeit einen Mittelwert geben. Verstehst du das?«

»Ich nehme Summen und teile sie. Ich weiß, was ein Mittelwert ist.«

»Das weißt du von ihr.«

»Ich weiß es von meinem Vater.«

Wieder fiel er in Schweigen, als kämpfe er mit dem Gedanken, in seinen Erklärungen weiter fortzufahren. Ich muß sagen, daß mich unser Onkel erstaunte, denn ich war in den Schuppen gekommen, um die Uhr zu sehen, und nicht, um von der Sonne oder von Summen zu sprechen.

Nach einer Weile sagte er: »Margaret hat dir von meinem Leben erzählt.«

»Ja, Onkel.«

»Über die Ordensregel?«

»Ja.«

»Die Benediktiner schätzen die genaue Zeitmessung — die strikte Einhaltung der Zeit. Weißt du, warum?«

Ich schüttelte den Kopf.

»Weil das Gebet regelmäßig abgehalten werden muß. Es ist ein Akt des Glaubens.« Wieder griff er nach der Flasche, wieder trank er, wieder verzog er das Gesicht. »Wir haben eine kleine Wasseruhr verwendet, um den Küster aufmerksam zu machen. Wenn ein Hammer auf eine Messingplatte schlug, läutete er die Glocke in der Abtei. Jeden Tag rief er uns zu den Betübungen.«

Der Onkel stieß einen Seufzer aus, als er sich an jene Tage erinnerte.

»Niemand«, fuhr er fort, »kennt die Bedeutung der Zeit so gut wie ein Mönch. Die Zeit vereint ihn mit Gott — die Länge des Gesangs, die Dauer der Gebete, all diese Dinge haben den Rhythmus von Zeit. Und doch war das, worauf wir uns verließen — die Wasseruhr —, höchst unvollkommen. Sicher, bei Tageslicht konnten wir uns nach der Sonne richten, aber frühmorgens oder an bewölkten Tagen oder für die nächtlichen Offizien hatten wir nur die Wasseruhr. Der arme alte Küster und seine Wasseruhr!«

Unser Onkel lachte in sich hinein, bevor er trank. Wann immer er den Mund öffnete, sah ich schwarze Zähne, abgebrochene Stumpen.

»Ich weiß nicht, wer oder was unzuverlässiger war: der alte Mönch oder die Wasseruhr. Vielleicht die Uhr. Genauso wie sich der Wasserspiegel im Topf veränderte, veränderte sich auch die Wassermenge, die durch einen Trichter floß. So unbeständig wie ein Mann mit geringem Glauben — so haben wir es genannt. Großer Gott im Himmel! Manchmal hat sie völlig versagt.«

Er machte eine Pause, als wartete er auf meine Frage, und so fragte ich: »Wie kann das Wasser völlig versagen? Es ist doch eine ganz einfache Sache.« Ich stellte mir das Wasser so vor, wie es auf die Schaufeln des Mühlrads fiel. »Wasser fließt doch nur.«

»Im Winter, Anne? Wie kann die Tochter eines Müllers so etwas sagen.«

Ich mußte an das Rad denken, wie es im Eis festgefroren war. Ich lächelte. »Das Wasser in der Wasseruhr gefriert also auch.«

Der Onkel griff wieder nach der Flasche. »Die Ordensregel sieht Bequemlichkeit nicht vor. Ein Kloster wird nicht beheizt. Der alte Küster verschlief, wenn die Uhr nicht ging, weil das Wasser gefroren war, und unsere Gebete gerieten völlig außer Plan. Wir wurden von der Zeit besiegt. Zeit – zu der wir uns versammelten, damit wir Gott preisen konnten. *Cucullus non facit monachum.* Weißt du, was das heißt?«

»Es hat mit einem Mönch zu tun.«

»Die Mönchskutte macht noch keinen Mönch. Mich hat sie jedenfalls nicht zu einem Mönch gemacht«, sagte er und lächelte. »Aber das ruhige Leben hat es mir ermöglicht, meine Gedanken zu sammeln. Und sie haben mich zu folgendem Schluß geführt: Die Welt, in der wir leben, ist nichts als eine große Uhr, die von Gott in Bewegung gesetzt wurde.« Er sah mich ernst an. »Wenn du die Welt kennen willst, mußt du die Zeit verstehen. Denn die Welt *ist* die Zeit.« Der Onkel breitete seine kräftigen Arme aus, als würde er mehr umspannen als den Raum, in dem wir saßen. »All dies um uns herum und im Himmel ist der Raum zwischen JETZT HIER und JETZT HIER. Ich war überzeugt, daß es dieser Raum ist, den Gott fühlt.«

Er ließ die Arme wieder sinken und sah mich ernst an, als wollte er sich vergewissern, daß ich auch verstand, was er sagte. »Dieser Gedanke des Zwischenraums nahm in den kalten Fluren des Klosters von mir Besitz. Anstatt mich auf Gebete zu konzentrieren, konzentrierte ich mich auf die Zeit, die wir brauchten, um sie zu singen. Ich betete nicht, ich stellte Fragen. Gab es eine bessere Möglichkeit, die kanonischen Stunden zu markieren? Und nicht nur die kanonischen Stunden, sondern alle anderen Stunden auch und die Minuten und die Sekunden eines jeden Tages bis hinunter zu einem Haarspalt Zeit, der so dünn war, daß er sich nicht weiter aufteilen ließ? Was sagst du zu solchen Fragen?«

Ich wußte nicht, was ich sagen sollte.

Der Onkel starrte mich angestrengt an, dann fuhr er fort: »Die Fragen führten zu einem weiteren Gedanken: Die Schöpfung ist, was uns betrifft, nicht vollkommen. Als Gottes Vertreter bringen wir Ihm Wohlgefallen, indem wir für uns einige Teile Seiner Schöpfung entdecken. Das ist unsere Schöpfung. Verstehst du?«

»Hast du deshalb das Kloster verlassen, um etwas über die Zeit zu lernen?«

»Du verstehst.« Er nahm wieder einen Schluck aus der Flasche. »Und jetzt geh ins Bett, Kind.«

Ich nickte und ging zur Tür, drehte mich aber um, als er mir etwas nachrief.

»Ist deine Neugier befriedigt? Sei ehrlich.«

»Nein, Onkel.«

»Warum nicht?«

»Ich habe mir die Uhr noch nicht angesehen.«

»Möchtest du gern etwas über Uhren lernen?«

»Ja, Onkel.« Ich bemühte mich nicht zu verbergen, wie gern ich etwas darüber erfahren würde. »Das würde ich gern, sehr gern.«

»Weißt du, warum?«

Ich wußte nicht, was ich ihm sagen sollte, und schwieg.

»Macht nichts. Komm morgen hierher.«

Ich ließ ihn an der Werkbank zurück, an der er saß und auf ein paar Eisenstücke starrte, die zerbrochen und in eine Ecke geflogen zu sein schienen. Vielleicht hatte er vorher in seiner Wut auf sie eingehämmert. Als ich zum letztenmal zurückblickte, sah ich, wie er gerade wieder zur Flasche griff.

Als ich in unser Zimmer zurückkehrte, sah ich im blassen Mondschein das schlafende Gesicht meines Bruders. Das Kaninchen hatte sich in seine Arme gekuschelt.

Ich legte mich hin und flüsterte in die dunkle Nacht: »Ach, Niklas, wenn du es doch nur verstehen könntest: Die Welt ist eine Uhr.«

Und so begann alles.

Jeden Tag ging ich in die Werkstatt hinter der Gießerei, wo mich Onkel Albrecht auf einen Schemel setzte mit dem Rücken zur Uhr, während seine Helfer Metallstücke feilten und schmiedeten oder eine Schablone benutzten, um Eisenräder einzuschneiden.

Was er mir erzählte, war nicht immer leicht zu verstehen. Seine Uhr hing nicht vom jahreszeitlichen Lauf der Sonne oder der Temperatur des Wassers oder der Beschaffenheit des rinnenden

Sandes ab, sondern von Metallteilen, die so befestigt waren, daß sie immer die gleiche Bewegung vollführten. Seine Uhr war eine Maschine. Sie besaß Kraft, die in einer ganz bestimmten Geschwindigkeit und in ganz bestimmten Mengen wirken mußte. Zuerst verstand ich nicht viel davor, aber zu meinem Erstaunen war Onkel Albrecht so geduldig in seinen Erklärungen, daß ich am Ende seine Uhr, obgleich ich nur einen ganz kurzen Blick darauf geworfen hatte, als eine Maschine ansah.

Es ging dabei um folgende Idee: Sie erhielt ihre Kraft von einem Gewicht, das allmählich heruntergelassen wurde; dann trugen Räder und Wellen diese Kraft zu dem Teil der Maschine, der die Zeit maß.

Am Ende durfte ich mir die Uhr genau ansehen. Sie stand auf Steinblöcken. Dadurch konnte das Gewicht an seinem Seil, das sich von einer Trommel abwickelte, bis unter die Maschine fallen.

»Achte noch nicht auf all diese Räder und Wellen.« Der Onkel deutete auf einen dünnen Metallstab, der zuerst in die eine, dann in die andere Richtung schwang. »Sieh dir das an«, sagte er. »Das ist die Waag, das ist das Geheimnis der Genauigkeit. Es ist der Herzschlag der Uhr.«

Er zeigte mir, wie sich die Geschwindigkeit der Waag verändern ließ, indem man die kleinen Gewichte an seinen beiden Seiten weiterbewegte. Wenn man sie näher heranbrachte, dann vergrößerten sie den Schwung. Wenn man sie weiter wegschob, verringerten sie ihn.

»Auf diese Weise können wir die Maschine schnell oder langsam gehen lassen«, sagte er. »Als dein Vater und ich noch Kinder waren, hat es so ein Ding noch nicht gegeben.«

Die Welle der Waag war mit einem Ring, dessen gezahnte obere Kante wie eine Dornenkrone aussah, im Eingriff. Dieses Rad ruckte vor und zurück und gab dabei einen leisen, klickenden Ton von sich. Ein kleines Metallplättchen an der Welle gab immer nur einen Zahn auf einmal frei, so daß sich das Rad ruckweise weiterbewegte.

»Sieh genau hin«, sagte Onkel Albrecht.

Das tat ich.

Ich sah mit ganzer Kraft hin, bis mir klar wurde, daß es wichtig war, daß jedesmal nur ein einziger Zahn freigegeben wurde. Denn dadurch wurden die Bewegungen genau eingehalten. Und durch diese genaue Bewegung wurden die anderen Räder und Wellen, die aneinander befestigt waren, wiederum gedreht, und durch dieses Drehen wurde das Steingewicht, das sich von der Trommel abwickelte und langsam an seinem Seil zur Erde sank, Stück für Stück für Stück bewegt, genauso wie sich die Sonne mittags ständig am Himmel abwärtsbewegt.

»Die Waag und das Kronrad«, sagte der Onkel, »sind die Hemmung — Stück für Stück entflieht die Kraft.«

Er beugte sich vor — das tat er immer, wenn er etwas Wichtiges sagte. »Nur wenige Menschen auf dieser Welt haben es bis jetzt gesehen, Anne. Die Hemmung ist eine große Schöpfung. Ein großer Mann hat sie mir gezeigt, und ich zeige sie nun meiner Nichte. Das ist wunderbar.«

Es war schwer zu verstehen, doppelt so schwer, weil ein Teil meiner Aufmerksamkeit — bestimmt der größte Teil — meinem Onkel galt, seinem Ausdruck des Staunens. Vielleicht war für ihn die Art und Weise, wie die Hemmung funktionierte, wie der Anblick Gottes bei seiner Arbeit. Ich begann zu verstehen.

In der Nacht sagte ich zu meinem schlafenden Bruder: »Heute hat er mir das Räderwerk der Uhr gezeigt. Ein Räderwerk ist eine Gruppe von Rädern und Stangen. Eine Uhr hat zwei Räderwerke.« Ich versuchte, so zu klingen wie unser Onkel. Ich wollte so genau sein wie die Bewegung der Gänge. »Das Laufwerk mißt die Zeit, und das Schlagwerk verkündet sie, indem es eine Glocke anschlägt. Er hat mir auch das Zählwerk erklärt, Niklas. Das Zählrad hat am Rand Kerben. Wenn an der Kante ein Hebel entlangfährt, schlägt ein Hammer. Das Schlagen hält so lange an, bis der Hebel zu einer Kerbe kommt und sich festhakt. Dann hört das Schlagen auf. So ist es, nicht mehr und nicht weniger. Die größte Entfernung zwischen den Kerben ist mittags und um Mitternacht. Warum? Weil diese Stunden die meisten Schläge erfordern, nämlich zwölf. Dann fährt der Hebel am längsten über den Rand. Und, Niklas — wenn ich mir in diesem Augenblick etwas wünschen dürfte, dann wünschte ich, daß du die Schönheit eines Zählrads verstehen könntest.«

Ich lag lange wach, und das neue Wissen brannte in mir wie das Feuer eines Schmiedeofens.

Während dieser Tage verbrachte Niklas viel Zeit im Hof. Er schnitzte Stöcke, warf sie aber nicht mehr fort. Er bewahrte sie säuberlich gebündelt in einer Ecke unseres Zimmers auf.

In der einen Hälfte des Hofs war ein kleiner Gemüsegarten angelegt, um den sich ein Hausmädchen kümmerte. Niklas half ihr beim Jäten und pflanzte Majoran und Fenchelbüschel in Töpfe. Er goß die Kürbiskerne und düngte den Boden mit Schafsdung. Von der Schmiede aus hatte ich ihn beobachtet, wie er sich zu einer Pflanze bückte und sie ansah, als habe sie eine Seele, die er in sich aufnehmen konnte.

Der Ausdruck von Zufriedenheit auf seinem kleinen braunen Gesicht erinnerte mich an zu Hause. Auf seinem Gesicht war immer das gleiche leise Lächeln gewesen, wenn er beim Mühlrad saß und der Musik des Wassers lauschte. Jetzt war er wieder genauso glücklich, glücklich und in Sicherheit.

Ich verbrachte die meiste Zeit in der Werkstatt, obgleich unser Onkel meine Gegenwart zu ignorieren begann. Es war klar, daß ihn nur die Zeit interessierte, sonst nichts. Es hatte ihm Spaß gemacht, mir etwas beizubringen, aber je mehr ich lernte, desto geringer wurde seine Begeisterung. Sein Interesse galt voll und ganz dem Bau der neuen Uhr, für die er sich etwas Neues ausgedacht hatte, um sie in Gang zu halten — eine Feder an Stelle des Steingewichts.

Ich schlüpfte in die Werkstatt und hielt mich im Hintergrund — ich war willkommen, aber im großen und ganzen vergessen. Trotzdem war ich Onkel Albrecht dankbar und würde es immer sein, denn durch ihn hatte ich Zugang zu einer neuen Welt gefunden.

Nach einer Weile wandte ich mich an seinen ersten Gehilfen, wenn ich Fragen hatte.

Justin war ein kleiner, zierlicher Mann mittleren Alters, der früher Schmied gewesen war, bevor er mit Uhrenbauen begonnen hatte. Er war ein Meisterschmied wie Onkel Albrecht, und sie waren beide mit Leidenschaft bei der Sache. Auf dem breiten Ledergürtel, den Justin trug, waren die Worte *Orare est laborare, laborare est orare* eingeritzt. Da Justin kein Latein sprach, wußte ich, daß er dieses Motto von meinem Onkel hatte — beten ist arbeiten, arbeiten ist beten —, und sie schienen beide daran zu glauben. Sie sprachen kaum miteinander, sondern lächelten sich nur an, wenn ein Zapfen ins Rad sprang, und verzogen gemeinsam das Gesicht, wenn er es nicht tat.

Eines Tages breitete Justin ein kleines Stück Pergament auf einer Bank aus. Es war eine Zeichnung für die Teile der Uhr. Neben den Bildern von Rädern und Federn waren Zahlen für die Dicke des Metalls, die Länge der Bolzen, den Durchmesser von Stiften.

»Zeig mir, wie man solche Zeichnungen macht«, bat ich, und Justin, der auf seine ruhige Art genauso gern Wissen weitergab wie Onkel Albrecht, setzte mich auf der Stelle vor ein Stück Pergament und ließ mich zeichnen.

Ich beschäftigte mich jeden Tag damit, träumte jede Nacht davon. Ich hatte einen Zirkel, eine Reißfeder, einen Winkelmesser aus Horn, einen Radiergummi, Tinte und ein Lineal aus Weidenholz.

In der Dunkelheit, auf meiner Schlafstatt, wiederholte ich mir (nicht Niklas) die Ermahnungen und Anweisungen des Meisters: »Dreh den Zirkel ein wenig, immer in dieselbe Richtung. Paß auf, daß du ihn gerade hältst und daß der Punkt, an dem du eingestochen hast, nicht verrutscht oder zu groß wird. Ziehe zuerst die Kurven mit Tinte nach, bevor du die geraden Linien mit Tinte ziehst. Beginne mit denjenigen, die den kleinsten Radius haben. Zieh die Kurven erst mit Tinte nach. Zieh die Kurven mit Tinte . . .« So lange, bis ich einschlief.

Eine Woche lang kümmerte sich mein Onkel überhaupt nicht um meine Anstrengungen, einen Baum, einen Strohsack, einen Haken zu zeichnen — jedenfalls nicht, wenn ich dabei war. Aber als ich einmal mit dem Zeichnen eines Flügelrads so beschäftigt war, daß ich ihn gar nicht bemerkte, sah mir Onkel Albrecht eines Nachmittags über die Schulter.

»Du hast Talent«, sagte er steif.

Seitdem interessierte er sich wieder für mich, denn ich war in seine Welt zurückgekehrt.

Da weder er noch Justin Talent zum Zeichnen hatten, gehörte ich jetzt richtig zur Werkstatt, obgleich ich nur ein Mädchen war. Ich lernte jetzt nicht mehr nur etwas über das Schmelzen und Gießen von heißem Eisen und den Gebrauch der Drahtlehre, sondern auch über Mathematik und über die Form von Dingen, über die Geometrie.

Eines Morgens ging ich mit einer langen Leinenrolle unter dem Arm in die Werkstatt. Unter den neugierigen Blicken der beiden Männer rollte ich sie auf und glättete das Dutzend Papierblätter, das ich von der Mühle mitgebracht hatte. Auf unserer Reise wäre es mir nie in den Sinn gekommen, auch nur ein einziges Blatt für Unterkunft oder Essen zu verkaufen. Denn dieses Papier hatte unser Vater ausgeschlagen und geglättet und gepreßt. Es war eine Erinnerung.

Die beiden Männer befühlten das Papier, das so viel feiner war als Pergament, mit offensichtlicher Bewunderung.

»Ich gebe es her für die Uhr.«

Onkel Albrecht sah mich mit großen Augen an, und ich sagte: »Ja. Ich gebe dieses Papier für die Uhr. Man kann gute Zeichnungen darauf machen. Unser Vater würde auch wollen, daß es für die Uhr ist.«

Selten habe ich mich in meinem Leben so glücklich gefühlt wie in diesem Augenblick, als sie beide schweigend nickten und meine Hand drückten.

Ein paar Tage später nahm ich, als ich an Margarets Zimmer vorbeikam, einen schwachen Geruch wahr, der mich veranlaßte hineinzusehen, denn die Tür stand einen Spalt offen.

Margaret lag auf ihrem Bett. Fast wäre ich weitergegangen, aber der Geruch war so stark, daß ich die Tür aufstieß und ins Zimmer trat. Sofort war ich von einem fauligen Gestank eingehüllt. Und als ich durch den dämmrigen Raum an ihr Bett ging und Margaret genauer ansah, stieß ich einen Schrei des Entsetzens aus.

Ihre Stirn war mit roten Flecken überzogen, ihr Gesicht zuckte, aus ihrem Mund quoll eine dicke schwarze Flüssigkeit.

Ich konnte nicht anders, ich lief in die Halle und schrie: »Er ist hier! Er ist gekommen! Er hat hier getanzt, wie er es gesagt hat! Die Pest ist hier! Sie ist hier!«

13

Es war Abend, als Onkel Albrecht schließlich aus Margarets Zimmer kam.

Bis dahin hatten alle aus dem großen Haus im Hof gewartet: Niklas, Justin, der Koch, die Träger, die Küchenhilfen und die Männer aus der Schmiede. Ich schämte mich wegen meines Aufschreis, der uns die gesamte Nachbarschaft hätte auf den Hals hetzen können, wie der Koch wütend bemerkte. Tatsächlich waren meine Entsetzensschreie die letzten lauten Geräusche, die im Haus zu hören gewesen waren. Die Nachricht breitete sich wie ein Feuer aus, und danach herrschte tiefe Stille: kein Hämmern in der Schmiede, kein Klappern in der Küche, keine Streitereien auf den Gängen.

Mit gedämpften Stimmen stellten alle im Haus Vermutungen über die arme Margaret an. Vielleicht war es gar nicht die Pest, nur eine Verstopfung der Lungen, was im Winter häufig genug vorkam.

Aber als hinter der Tür zu Margarets Zimmer ein leiser schrecklicher Ton zu hören war, beugte sich der Koch nach vorn und sagte flüsternd: »Das sind die Beulen, es ist die Pest. Sie werden schwarz und brechen auf und machen Schmerzen, schlimmer als in der Hölle.«

Einer der Gießer sagte: »Ich hatte einen Bruder, der kannte sich in den Sternen aus. Er hat mir erzählt, wo die Seuche herkommt. Die Seuche kommt, wenn sich im Sternkreis Widder Saturn und Jupiter begegnen. Sie kommt, wenn Zorn vorherrscht.«

»Ist dein Bruder am Schwarzen Tod gestorben?« fragte jemand.

»Ja, das ist er. Sein Wissen konnte ihm auch nicht helfen.«

»Man soll sie schon kriegen, wenn einen jemand, der sie hat, ansieht«, sagte ein Küchenmädchen.

»Unsinn«, sagte der Koch. »Die Pest kommt von Erdbeben, deren Dämpfe die Luft vergiften.«

Dann fielen alle in Schweigen und mußten daran denken, was mit der armen Margaret passiert war und was mit ihnen selbst passieren konnte. Keiner von ihnen wußte, daß ich der Pest in menschlicher Gestalt begegnet war, daß sie früher ein Tempelbruder gewesen war, daß sie im Wald unser Leben gerettet hatte, daß sie sich irgendwo versteckt hatte, um sich von ihrer Verletzung zu erholen, und daß sie hierhergetanzt gekommen war, wie sie es vorausgesagt hatte. Wünscht euch, mich nie wiederzusehen, hatte sie gewarnt. Bei dem Gedanken daran zitterte ich am ganzen Körper.

Als die Nacht kam, brachte jemand am Mauerbalken im Hof eine Fackel an. Wir warteten schweigend, bis Onkel Albrecht schließlich aus Margarets Zimmer kam.

»Sie ist tot«, sagte er und winkte uns mit dem Arm, uns um sich zu versammeln. Dann sagte er: »Nichts geschieht, wofür wir durch die Natur nicht gerüstet wären, es zu ertragen. Das hat ein römischer Kaiser einmal gesagt, und ich glaube ihm. Wenn die Seuche weiter um sich greift, werden wir vielleicht bald alle Margaret folgen. Aber in diesem Haus werden wir tun, was möglich ist, um zu leben.«

»Es ist also der Schwarze Tod«, murmelte jemand.

»Ich will, daß an der vorderen und auch an der hinteren Tür Bolzen angebracht werden, um Eisenstangen quer darüberzulegen. Niemand wird ohne meine Erlaubnis das Haus verlassen oder betreten.«

»Sie ist also am Schwarzen Tod gestorben«, sagte ein Schmied.

»Und in wenigen Stunden werden ihr in dieser Stadt noch mehr folgen«, sagte der Onkel zu ihm. »In einer Woche wird es nichts Eßbares mehr zu kaufen geben. Die Bauern werden nichts in die Stadt bringen. Die Plündereien werden beginnen. Um uns zu schützen, müssen wir das Haus verbarrikadieren.«

»Aber wenn nun jemand von uns, Gott möge es verhüten, die Seuche bekommt?« fragte der Koch.

»Dann muß er gehen«, sagte unser Onkel.

»Ihr würdet ihn wegschicken?«

»Wenn jemand etwas Besseres weiß, soll er sprechen.«

Aber die Willensstärke unseres Onkels verbot jedem, etwas zu sagen. In diesem Augenblick legten diese Menschen ihr Leben in seine Hände.

Jedenfalls glaubten wir das.

Am nächsten Morgen war Margarets Zimmer leer. Onkel Albrecht und einige Männer hatten sie in der Nacht fortgeschafft. Bevor es dämmerte, waren sie schon auf dem Weg zum Markt und kehrten kurz nach Sonnenaufgang mit einem Wagen zurück, der mit Säcken dicker Bohnen, mit gesalzenem Fisch, mit Käse und Nüssen, Apfelweinfässern, Trockenkeks, Gewürzen und Honig beladen war.

Und dann wurden sofort die Bolzen an den Türen angebracht und die schweren Eisenstangen darübergelegt. An beiden Eingängen wurden Wachen postiert und auch eine am Brunnen im hinteren Hof — niemand durfte ohne des Onkels Erlaubnis daraus trinken.

Als wir uns vorm Eingang zur Schmiede aufstellten, weil wir untersucht werden sollten, stellte sich heraus, daß drei fehlten: ein Hausmädchen und zwei Träger. Sie hatten beschlossen, ihre eigenen Wege zu gehen.

Einer nach dem anderen gingen wir in die Gießerei und machten die Tür zu. Unser Onkel saß auf einem Schemel und beugte sich vor, um die Achselhöhlen und die Leistengegend zu untersuchen, denn an diesen Stellen treten die Pestbeulen zuerst auf. Anfangs wurde ich rot vor Scham, als ich meinen Körper vor den Blicken eines Mannes entblößen mußte. Aber er war so konzentriert und ernsthaft dabei, daß ich es schließlich jeden Morgen als einen Teil meines Tageslaufs empfand.

Am Mittag des ersten Tags stieg ein Kegel aus schwarzem Rauch von unserem Grundstück auf. Alles, was der armen Margaret gehört hatte, wurde in das Feuer im Hof geworfen. Jedes Stockwerk im Haus wurde mit Essig besprenkelt.

Niemand antwortete, als uns die Nachbarn aus ihren Fenstern fragten, was los sei. »Was ist dort geschehen?« fragten sie. »Ist es die Pest? Es heißt, die Pest ginge um. Ist sie bei euch? Sagt es uns. Ist sie zurückgekommen? Ist sie bei euch — die Pest?«

An beiden Türen waren die Wachen mit Piken, Kriegshämmern

und Schwertern ausgerüstet, die in der Schmiede hergestellt waren. Alle Männer trugen Dolche in ihren Gürteln. »Wir sind eine Festung unter Belagerung«, beschrieb der Koch unser Haus grimmig.

Am zweiten Tag befahl unser Onkel nach der Untersuchung, daß ein junger Mann aus der Gießerei auf die Straße geworfen werden sollte. Eine Stunde lang schluchzte er erbärmlich und schlug gegen die Tür, schwor bei der Seele seiner Mutter, daß unter seinem Arm keine Beule sei, keine Beule, keine Beule, bis wir uns alle zitternd die Ohren zuhielten.

Ich wußte, daß unser Onkel, wenn er eines Morgens an Niklas oder mir eine angeschwollene schwarze Stelle finden würde, keine Gnade walten lassen würde. Wenn es Niklas traf und nicht mich, würde ich mit meinem Bruder gehen. Das würde ich ganz bestimmt tun, dachte ich. Würde ich es wirklich tun? Ich mußte an die leeren Straßen denken, aus denen das ständige Läuten der Kirchenglocken bereits jetzt die steigende Zahl der Toten meldete. Allein auf der Straße zu sterben! Ich konnte den Gedanken nicht ertragen.

Am Ende der Woche saß ich betrübt im Hof und lauschte den Stimmen der Nachbarn, die vor Fenster zu Fenster weitergetragen wurden.

»Man sagt, ein Mädchen ließe ihn ein.«

»Wie denn?«

»Ein Dämon in Gestalt eines Mädchens. Sie macht die Tür auf, und die Pest kriecht herein, um ihre schmutzige Arbeit zu verrichten.«

»Es ist kein Mädchen, das ihn einläßt«, sagte jemand aus einem anderen Nachbarhaus. »Er wird von einer Flamme hereingelassen, die aus dem Mund der Toten schlägt.«

»Werden sie begraben?«

»Draußen vor der Stadt werden sie auf einen großen Haufen geworfen. Es ist keine Zeit, sie jetzt zu begraben.«

»Beim letztenmal wurden sie in den Fluß versenkt. Ich muß es wissen. Meine kleine Tochter war dabei.«

Als ich dort saß, kam unser Onkel vorbei. Er blieb stehen und starrte mich an, als wüßte er nicht genau, wer ich sei.

»Komm mit«, sagte er.

Ich folgte ihm durch die Gießerei, wo ein paar Männer auf den Ambossen teilnahmslos Waffenstücke formten, dann in die Uhrenwerkstatt, in der Justin eifrig an einem eisernen Rad feilte.

»Setz dich«, sagte der Onkel zu mir.

Ich setzte mich.

»Warum bist du in den letzten Tagen nicht in die Werkstatt gekommen?«

»Die Seuche . . .«

»Hast du sie? Nein? Warum kommst du dann nicht hierher? Es gibt Arbeit für dich.«

»Ja, Onkel.«

»Ich möchte, daß du es mir sagst. Jetzt.«

»Was soll ich sagen?«

»Wieso ein Mädchen zu einer alten Frau geworden ist. Du bist im Hof gesessen wie jemand, der keine Hoffnung hat.«

»Ich weiß, Onkel.« Zögernd warf ich einen Blick zu Justin, dessen kantiges Gesicht über die Werkbank gebeugt war. Seine Hände fuhren mit einer langen Feile über die Kante eines gezahnten Rads. Ich holte tief Luft und sagte: »Onkel, liebt Gott uns?«

»Also das ist es.«

Nachdem ich sie erst einmal herausgelassen hatte, konnte ich meine Gedanken nicht mehr für mich behalten. »Wie kann Er uns lieben? Er würde nicht zulassen, daß die Pest durch die Stadt tanzt, wenn Er uns wirklich liebt.«

»Du zweifelst an der Liebe Gottes. Nun, warum nicht. Wer kann sich schon irgendeiner Liebe sicher sein? Und wer will wissen, was Liebe wirklich ist? Mach dir wegen Gottes Liebe keine Gedanken. Zweifle nicht an Ihm. Sondern stelle in Frage, was Er dir vor Augen hält. Kraft zum Beispiel. Die Kraft, Uhren laufen zu lassen. Eines Tages werden wir die Uhren aus ihren Steingebäuden befreien. Irgendeine Art von Kraft wird es jedem Menschen erlauben, eine Uhr an seinem Körper zu tragen.«

»Wozu sollte das gut sein?«

»Damit man immer weiß, wie spät es ist.«

»Und Ihr glaubt, daß das alle Menschen wollen?«

»Ich glaube, ja — alle Menschen.«

»Aber warum, Onkel?«

»Das ist etwas, das ich nicht weiß. Und doch glaube ich, daß die Menschen eines Tages Grund haben werden, Tag und Nacht die Zeit wissen zu wollen.«

Ich mußte über die sonderbaren Ideen unseres Onkels lächeln.

»Ich will dir etwas zeigen.«

Er hob eine dünne Spirale aus Messing hoch, zog sie zu ihrer vollen Länge auseinander und ließ dann das eine Ende los. Es federte mit aller Kraft gegen das andere Ende und erzitterte der ganzen Länge nach, so wie Kaninchen zitterte.

»Das ist Kraft«, sagte Onkel. »Wenn man eine solche Kraft verwenden könnte, um eine Uhr in Gang zu halten, brauchte man das da nicht mehr.« Er sah über die Schulter zum Steingewicht der Uhr, das sich von der Trommel abwickelte. »Ohne ein solches schweres Gewicht zum Antrieb könnte man eine kleinere Uhr bauen. Vielleicht sogar so klein, daß man sie in die Tasche stecken könnte.«

Er hob den Draht hoch und sagte: »Je stärker sie zusammengerollt ist, um so größer die Kraft. Wenn sie sich abwickelt, verliert sie Kraft. Was hätte das bei einer Uhr für eine Wirkung?«

»Ich weiß nicht.«

»Denk nach.«

Ich versuchte nachzudenken. »Würde es die Uhr verlangsamen?«

»Völlig richtig. Während sich die Feder abspult, verändert sich ihre Kraft. Wenn sie eine Uhr in Gang halten würde, würde sich die Uhr mit dem Abspulen der Feder verlangsamen. Siehst du das wirklich vor dir?«

»Ja, das tu ich«, sagte ich. Und ich tat es wirklich.

»Hier liegt also das Problem. Ich muß die Kraft konstant halten, während sich die Spule abwickelt. Seit Monaten suche ich nach einer Möglichkeit.« Er deutete auf die Werkbank, die mit Messingspulen, Zahnrädern und Spindeln übersät war. Ich sah aufmerksam zu, als er ein neues Stück Messing erhitzte und mit dem Hammer bearbeitete.

Eine Uhr, klein genug, um sie tragen zu können?

Das klang genauso seltsam wie seine Rede, daß wir nicht wissen können, ob Gott uns liebt. Die ganze Zeit hatte ich meine geheimen Zweifel verborgen, und nun sprach unser Onkel darüber so ruhig wie über das Wetter — mitten in der Seuche.

Durfte ein Mönch, auch wenn er dem Orden nicht mehr angehörte, so reden? Was war seltsamer? Eine Uhr, die ein Mensch am Körper tragen konnte, oder der Zweifel an der Liebe Gottes?

Die Tage vergingen langsam wie das Drehen eines Zahnrads. Die Ausrufer der Stadt kamen durch unsere schmale Straße und verlasen ununterbrochen die Namen der Verstorbenen.

Aber dann kam der Tag, an dem sie wegblieben.

Bei uns wurden noch Beulen an einem Mädchen und an einem Träger gefunden. Und als man einen Mann aus der Gießerei, nachdem er sich ausgezogen hatte, aufforderte zu gehen, zog er seinen Dolch, und erst als die Wachen mit Piken und Schlachtäxten angelaufen kamen, ging er schließlich mit wilden Flüchen hinaus.

Dann schwiegen auch die Kirchenglocken, und wir wußten nichts in unserem verbarrikadierten Haus, bis *er* kam.

An seiner hohen Stimme erkannten wir, daß es ein Junge war. Er kam jeden Tag und stand an der hinteren Mauer, die viel zu hoch war, um hinüberzusehen, und rief uns die neuesten Nachrichten zu.

»He, ihr da! Da drinnen! Gestern waren es hundert, die gestorben sind. Die Reichen laufen davon aufs Land, aber es ist niemand da, der ihnen hilft, und sie sterben genauso im Gebüsch, auf den Feldern wie alle anderen. Die Leichen, die vor der Stadt in großen Haufen liegen, werden in den Fluß geworfen. Heute früh habe ich gesehen, wie ein dicker Hund an der Leiche eines Mannes genagt hat. Die Menschen helfen sich nicht mehr gegenseitig. Ihr da drinnen, hört ihr mich? Sie sagen, daß ein Mann vor seinem eigenen Bruder davonlaufen wird.«

Und am nächsten Tag: »Letzte Nacht sind die Wölfe aus den Hügeln gekommen. Sie haben mit den Hunden um die Toten gestritten. Niemand trägt farbige Kleidung, nur noch Schwarz. Jeder hat jemanden verloren. Und es gibt kaum noch etwas zu essen. Auch wenn man in ein Haus einbricht, in dem alle tot sind, kann man nie wissen, ob nicht schon jemand vor einem dagewesen ist. Werft ihr mir ein Stück Brot über die Mauer?«

Diese Bitte hätten wir alle gern erfüllt, aber mein Onkel sagte: »Gibt man einem, gibt man allen. Man wird dazu gezwungen.«

Wir starrten Onkel Albrecht fassungslos an.

»Denn der eine wird es einem anderen erzählen, und der wird es wieder weitererzählen«, erklärte er, »und bald wird die ganze verhungernde Stadt vor unserer Tür stehen.«

Obgleich wir ihm nichts gaben, kam der Junge jeden Tag wieder und schrie mit seiner schrillen Stimme: »Es gibt keine Priester mehr, die die Beichte abnehmen. Sie sind gestorben oder geflohen. Man erzählt sich, daß ganze Dörfer auf und davon sind. Man sagt, jetzt kämen bald Männer mit Hundeköpfen und Schlangen mit Smaragdaugen.«

Ich verbrachte den größten Teil des Tages in der Uhrenwerkstatt. Wenn der Onkel seine Wutanfälle bekam, fegte er oft Spindeln und Spiralen von der Werkbank. Dann trank er aus seiner Flasche und murmelte immer wieder: »Beständigkeit.« Justin feilte und hämmerte und bearbeitete heißes Eisen auf dem Amboß. »Die Kraft, die wir brauchen, liegt in der Mitte zwischen dem festesten und dem losesten Punkt einer Spirale.«

Ich sah in sein rotes Gesicht, das tief in Gedanken versunken war, und wußte nicht, was ich von ihm halten sollte. Vor der Tür wütete die Seuche, und er interessierte sich in diesem heißen und stickigen kleinen Raum nur für gehämmertes Metall und dafür, wie es sich um Spindeln spulte. Fast jede Nacht zerschlug er, was er tagsüber angefertigt hatte. Hatte er den Verstand verloren?

Und während der ganzen Zeit summte und klickte Stunde für Stunde die andere Uhr, die schon fertig war, mit ihren Rädern und Wellen so beständig wie die Sonne.

Die Wochen vergingen. Bei den morgendlichen Untersuchungen wurden keine weiteren Beulen gefunden, obgleich ein Träger eines Nachts über die Mauer kletterte und verschwand. Er zog es vor, in Freiheit zu leben anstatt innerhalb der engen Grenzen unserer Festung.

In der Gießerei wurde die Arbeit völlig niedergelegt. Die Menschen wanderten durch die Räume, legten sich zu jeder Tages- und Nachtzeit schlafen, irgendwohin. Täglich zog Rauch über das Grundstück hinweg, der den fauligen Gestank des Schwarzen Todes mit sich führte. Wir hielten uns Ambrakügelchen, die in Tücher gewickelt waren, vor die Nase. Und jeden Tag kam der Junge und teilte uns munter die Neuigkeiten mit, obgleich wir ihm nichts dafür gaben. »Die Männer stechen sich gegenseitig in den Straßen nieder. Sie sind alle betrunken. In den Gassen werden Mädchen ermordet. Die Schweine werden wild. Von den Leichen, sagen die Leute. Sie sagen, die ganze Welt stirbt.«

»Niklas«, sagte ich, als ich eines Morgens zu ihm in den Garten ging, in dem er ohne Unterbrechung Unkraut jätete.

Er sah mich mit seinen blauen Augen an.

»Ich möchte dich fragen, lieber Bruder«, sagte ich, »ob du weißt, was draußen vor sich geht?«

Nicht, daß ich gewollt hätte, daß er es wüßte.

Er wandte sich wieder dem Unkraut zu. Seine dicken Hände griffen behende in den Boden. Diese Hände waren so flink, so flink, daß sie mir gar nicht wie Niklas' Hände vorkamen. Und beim Schnitzen von Holz waren sie genauso flink, so ungewöhnlich flink: Sie bewegten das Messer mit der Sicherheit eines geübten Mannes.

Ich beobachtete ihn eines Nachmittags gerade, als eine Magd vorbeikam. Sie war hochschwanger und beugte sich nach hinten, um ihren Bauch besser tragen zu können.

»Ich war vorn im Haus und habe diesen Dummkopf gesehen, der mich so gemacht hat«, sagte sie. »Er spielt so gern den Wachtposten, trägt so gern ein Schwert. Hu!« Sie wischte sich mit ihrem dicken Arm den Schweiß von der Stirn. »Auf der anderen Straßenseite sitzen Soldaten. Üble Burschen.«

»Werden sie uns angreifen?«

Sie lachte. Ihr Gesicht war breit, verwittert, rot. »Die werden niemanden angreifen. Du solltest sie mal sehen.«

Ich ging in den vorderen Teil des Hauses und die Treppe hinauf in den zweiten Stock, in dem die Fenster nicht zugenagelt waren. Als ich auf die schmale Straße sah, saß ein halbes Dutzend Männer an der Wand des gegenüberliegenden Hauses. Sie sahen so krank aus, als lägen sie im Sterben. Als ich mich gerade abwandte, fiel mein Blick auf einen von ihnen.

Er keuchte, sein Gesicht war von den verräterischen Pestbeulen gezeichnet. Der junge Soldat trug einen Brustharnisch und ein Schwert am Gürtel, aber er sah aus wie in Lumpen. Von seinen Beinkleidern und dem Wams war kaum genug übrig, um seinen Körper zu bedecken.

Es war Erich.

Ich hatte ihn nicht mehr gesehen, seit er vor dem Fluch der Pest davongelaufen war, in die Wälder.

Erich. Er erinnerte mich plötzlich wieder an zu Hause, an die Mühle, an unsere Eltern.

»Ich habe sie getötet. Ich habe sie angehaucht«, hatte die Pest gesagt.

Verzweifelt rief ich Erich. Sein Anblick ließ mich nicht los — und ich sah ihn vor mir, wie er mit einem Bündel Reisig über der Schulter durch den Morgennebel kam und lächelte.

»Erich! Erich! Hier! Auf der anderen Straßenseite!« Er hob schwach den Kopf, konnte mich aber nicht sehen. Einen Augenblick später sackte er in sich zusammen, schloß die Augen. Seine geschwollene Zunge quoll aus dem Mund wie ein dicker Wurm.

Ich verspürte ein Würger im Hals.

Am nächsten Tag warteten wir vergeblich auf den Jungen mit den Neuigkeiten.

Und auch am übernächsten.

Am dritten Tag warteten wir alle, außer Onkel und Justin, am späten Nachmittag, an dem der Junge sonst immer gekommen war, an der Mauer.

Am vierten Tag hielten nur noch ein paar wenige Ausschau nach ihm.

Am Ende der Woche machte auch ich mir keine Gedanken mehr um ihn.

Eines Nachts hörte ich Onkel Albrecht in der Werkstatt poltern. Und ich sagte zu meinem schlafenden Bruder: »Niklas, ich hab' dich lieb.« Ich sagte es trotzig: »Ich weiß, was Liebe ist, und ich liebe dich. Ich liebe auch die Uhr. Aber dich liebe ich mehr als die Uhr. Und wenn er dich wegschickt, hinaus auf die Straße, dann gehe ich mit dir.«

14

»Die Pest ist vorbei, Nichte, aber die Uhr bleibt. Und es bleibt auch das Problem, herauszufinden, wie die Kraft der Feder freigegeben wird.«

So faßte Onkel Albrecht das Ende dieser schrecklichen Zeit zusammen.

Für ihn lief natürlich jeder Tag mit der Regelmäßigkeit einer Uhr ab, und er änderte seine Pläne kaum, auch nicht, als es auf der Straße hinter unserem Haus lauter wurde, weil die Menschen vom Land zurückkehrten, wohin sie während der Seuche geflohen waren.

Einige der benachbarten Häuser, in denen alle gestorben waren, wurden von Plünderern heimgesucht, die so lange blieben, bis alle Weinfässer leer, alle Lagerräume ausgeräumt, alle Schätze des Haushalts auf Wagen verladen waren.

Das Geräusch der vielen Stimmen, auch von betrunkenen Plünderern, klang wie ein Engelschor in unseren Ohren, als wir ihnen von unserem Haus aus lauschten. Wir waren an Schreie der Angst gewöhnt und an Schmerzensschreie und hatten in den vergangenen drei Monaten darüber fast vergessen, wie sich Lachen anhörte, das durch offene Fenster drang.

Wir hatten in unserer Festung überlebt, aber ein Küchenmädchen hatte den Verstand verloren. Sie plapperte vom Ende der Welt und tanzte im Kreis und erzählte uns, daß sie die Jungfrau des Todes sei.

Und an dem Tag, an dem unser Onkel befahl, die Türen zu öffnen, brachte die schwangere Dienstmagd einen gesunden Jungen zur Welt mit der Leichtigkeit einer Kuh, die ihr Kalb wirft. Vielleicht war das auch ein Zeichen Gottes, uns nicht länger bestrafen zu wollen. Die offenen Türen hatte eine magische Anziehungskraft, und wir gingen mit langsamen und bedächtigen Schritten darauf zu, als würden wir uns der Türschwelle des Himmels nähern.

Ich spähte in die Straße und stellte fest, daß wir schon längst jede Hoffnung aufgegeben hatten, die Außenwelt noch einmal wiederzusehen. Ich hatte mich darauf eingestellt, weiter in unserer engen Festung zu leben und auch dort zu sterben, neben der Uhr, deren Summen ewig zu sein schien.

»Komm, Niklas«, sagte ich und nahm ihn an die Hand. »Wir gehen hinaus in die Welt.«

Mit Kaninchen im Arm folgte er mir hinaus auf die Straße, wo auch alle anderen waren (außer Onkel und Justin, die bei ihrer Arbeit blieben).

Es war nicht derselbe Ort, durch den wir vor Monaten auf der Suche nach unserem Onkel gekommen waren. Die Menschenmengen und Wagen waren verschwunden, verschwunden war der Lärm des Marktplatzes, verschwunden war das Klirren und Klappern der vielen Dinge, die sich so schnell bewegt hatten, daß ich sie nur bruchstückweise wahrgenommen hatte.

Dennoch kehrte das Leben in die Stadt zurück. Die Kaufleute stellten ihre Stände auf und boten ihre Waren an, was immer es war. Lastenträger mit Seilschlingen, die sie an ihren Armen befestigt hatten, sahen sich nach Arbeit um. Überdachte Wagen, die von Pferden gezogen wurden, klapperten durch die Straßen und brachten die Reichen nach Hause, die vor der Seuche in ferne Länder geflüchtet waren. Die Menschen kamen aus den Dörfern zurück mit vollen Säcken und bepackt mit Gerät, das sie in den leeren Bauernhöfen zusammengesucht haben mußten.

Alle strahlten, denn wir hatten die Pest besiegt. Aber in den Gesichtern stand noch etwas anderes: ein Blick wie aus großer Ferne. Gott hatte uns vor dem Tod bewahrt, aber er hatte uns die Erinnerung hinterlassen.

»Komm, Niklas«, sagte ich und schob ihn weiter. »Wir wollen hinausgehen aufs Land.«

Es war windig, und der blaue Himmel war mit Wolkentüpfelchen übersät. Ich sog den Duft der Gräser ein, ganz tief. Auf einem Kanal schwammen kleine Mühlen die schon wieder in Betrieb waren. Wir blieben stehen, um die Boote mit den Mühlsteinen zu betrachten. Ein Rad drehte sich, Steine mahlten, das gemahlene Korn rieselte in einen Sack.

Unsere Mühle zu Hause war viel größer gewesen, und doch hatte sie nach dem gleichen Prinzip gearbeitet. Während das Kanalwasser über die kleinen Schaufelräder der Mühle floß, sah ich in Gedanken einen Mann vor mir, der sich bückte, und eine Frau, unsere lieben Eltern, und ich hörte das ständige Rauschen des Wassers, das über unser Mühlrad floß, als wäre es heute, und Niklas und ich lägen an einem warmen Morgen auf dem Dachboden.

Ich drehte mich zu Niklas um, sagte aber nichts, denn ich konnte in seinen Augen die Erinnerung sehen — sein Kinn weit nach vorn gestreckt, sein offener Mund, seine blauen Augen auf die Mühle gerichtet. Ich hoffte, er hatte schöne Erinnerungen an unser Zuhause.

Auf einem Feld legten wir uns auf die Erde. Über uns kräuselten sich die Wolken wie Stücke von Seide, und um uns herum wogte das Korn. Kaninchen hüpfte auf meinen Bauch und machte es sich dort bequem. Seine Barthaare bewegten sich, wenn es den warmen Wind spürte. In den großen runden rosafarbenen Augen sah ich den Kopf meines Bruders, der neben meinem lag und dessen blaue Augen auf das Kaninchen gerichtet waren.

»Wir müssen Gott danken«, sagte ich zu Niklas. Aber selbst als ich diese Worte aussprach, war ich mir nicht sicher, ob ich sie auch meinte. Aber eines war sicher: Wir lebten, weil unser Onkel im Haus rücksichtslos die Kontrolle über unser aller Leben übernommen hatte.

Aber kümmerte es ihn überhaupt, ob irgendeiner von uns lebte? Kümmerte er sich je um irgend etwas anderes als um die Uhr?

Ich sah in den Himmel und stellte mir vor, in den Wolken schwinge eine riesige Waag auf ihrer endlosen Reise zwischen zwei Punkten. Die Seuche war vorübergegangen, aber sie hatte unzählige Menschen das Leben gekostet. Nur die Uhr tickte immer weiter, wie er gesagt hatte. Vielleicht war es das, was er mir zeigen wollte: Die Uhr war besser, als wir es waren, weil sie unberührt blieb von den Dingen, die mit den Menschen geschahen.

Nachdem ich den Schock überwunden hatte, den diese Gedanken in mir ausgelöst hatten, gab ich mich ihnen noch eine Weile hin.

Die Uhr besaß ein eigenes Leben — war es das, was er meinte? Aber ohne Menschen, die wußten, was sie tat, war die Uhr wertlos, oder nicht? Was meinte unser Onkel wirklich? Ich wußte nur, was er getan hatte — er hatte uns gerettet, so daß wir diesen Augenblick in einem Feld, über das der Wind hinwegstrich, erleben konnten.

Als wir wieder zur Stadt zurückgingen, sah ich Rauchwolken aufsteigen.

»O Niklas — ich glaube . . .«, sagte ich, ohne den Gedanken zu Ende zu sprechen — vielleicht war die Pest zurückgekehrt!

Wir liefen durch die Straßen und blieben neben einer Prozession stehen. Was wir sahen, kam uns bekannt vor — es waren Geißelbrüder, die eine Blutspur hinter sich zurückließen. Sie sangen Klagelieder und kamen aus der Richtung eines Feuers, das bis über die Dächer aufstieg. Sie waren ausgemergelt und blutig, und ihr Anblick machte mir Angst. Ich zog Niklas am Arm und begann zu laufen.

»Schnell, Niklas! Wir müssen nach Hause!«

Als wir bei dem großen Haus ankamen, war das, was ich befürchtet hatte, tatsächlich eingetreten: Die Tür war verriegelt. Ich schrie, damit man uns aufmachte. Ich trat einen Schritt zurück und wartete verzweifelt, denn es schien unwahrscheinlich, daß sie uns öffneten.

Aber nach einiger Zeit ging die Tür mit lautem Krachen auf.

»Kommt schnell«, sagte der Wächter.

Ich hörte die zornigen Stimmen schon, lange bevor ich in die Schmiede kam. Als ich um die Ecke bog, sah ich Onkel Albrecht, der drei Eisengießern gegenüberstand.

»Er bleibt«, erklärte Onkel Albrecht.

Einer der Männer, stämmig und mit dunkler Haut, hob drohend die Hand. Nie zuvor, auch in den schlimmsten Tagen der Seuche nicht, hatte ich jemand gesehen, der es gewagt hätte, so mit meinem Onkel zu sprechen.

»Er ist ein Kindsmörder!« schrie der Mann.

»Welches Kind hat er denn getötet?« fragte Onkel Albrecht mit ruhiger Stimme.

»Ihr laßt den Teufel ins Haus. Er ist ein Sohn des Teufels!«

Ein anderer kräftiger Mann stieß ihn zur Seite und trat auf Armeslänge an unseren Onkel heran. Es war der Hammerschmied, der auf jedes Stück der Waffen das AV hämmerte, das für Albrecht Valens stand. »Der Führer hat gesagt —«

»Was für ein Führer?« fragte unser Onkel.

»Der das Volk Gottes anführt.«

»Die Geißelbrüder.« Verächtlich schüttelte unser Onkel den Kopf.

»Ich habe sie auf dem Platz gehört. Ihr Führer sagte, die Juden hätten Gift hierhergebracht und in die Brunnen geschüttet. Die Juden haben die Seuche in Ledertaschen hierhergebracht. Und wenn Kinder in den Straßen starben, dann haben die Juden ihre Leichen mit nach Hause genommen. Sie haben mit den kleinen Christen alle möglichen schrecklichen Dinge getan, dem Teufel zu Gefallen.«

»Davon weiß ich nichts. Der Mann bleibt.«

»Die Leute werden hierherkommen und nach ihm suchen. Sie haben schon fast alle Häuser von Juden niedergebrannt. Sie wollen Blut für Blut.«

»Sie werden nicht hierherkommen, wenn du es ihnen nicht sagst.« Unser Onkel sah dem großen Hammerschmied in die Augen. »Und wenn du es ihnen sagst, werden sie dich ebenfalls dafür verantwortlich machen.«

Jetzt trat der dritte Mann einen Schritt vor. »Der Jude hat zwei Säcke mitgebracht. Wenigstens die solltet Ihr ihm wegnehmen. Im Namen des Herrn.«

Unser Onkel sah die Männer nacheinander an. Ich konnte sehen, daß er ihre Worte erwog.

»Nun gut«, sagte er schließlich. »Ich werde sie ihm wegnehmen. Der eine Sack gehört euch. In dem anderen sind Bücher, die weder euch noch Gott etwas bedeuten. Den werde ich behalten. Einverstanden?«

»Ihr sagt, der eine Sack gehört uns. Wißt Ihr, was da drin ist?«

»Ich habe ihn gefragt. Silberteller, Silberbecher. Und andere Wertsachen.«

»Ihr wollt die Bücher. Aber die anderen Dinge . . .«

114

»Gehören euch, im Namen des Herrn.«

Die Männer sahen einander nachdenklich an, bis der Hammerschmied für alle sprach. »Einverstanden«, sagte er.

»Aber kein Wort über ihn oder den Sack. Und laßt die Finger von ihm. Habt ihr gehört?«

Die drei zögerten. »Die Leute sollten wissen, daß ein Jude im Haus ist«, sagte der Hammerschmied.

»Ohne seinen gelben Flicken — wer sollte es erfahren?«

Der Hammerschmied rieb sich das Kinn. »Ein Jude im Haus.«

»Warum sollen wir für einen Juden schweigen?« fragte der kleine dunkelhäutige Gießer.

Ich hielt die Luft an, denn sie schienen genauso bereit, unseren Onkel anzugreifen wie ihm zu gehorchen.

»Ich habe Arbeit für den Juden«, sagte unser Onkel. »Wenn er mir hilft, dann hilft er der Schmiede, und damit hilft er auch euch.«

Dieser Gedanke schien sie zu beruhigen. Sie blieben noch einen Augenblick stehen, scharrten mit den Füßen im Staub und sahen zu, wie er neben ihnen aufwirbelte.

Als sie wieder in die Gießerei gegangen waren, sagte Onkel Albrecht zu mir: »Bring ihm was zu essen. Sein Name ist Jakob. Er ist in der Kohlenkammer neben eurem Zimmer.«

Ich hatte in meinem ganzen Leben noch nie einen Juden gesehen, und die Aussicht darauf, nun einen zu Gesicht zu bekommen, erfüllte mich mit Furcht. Wenn ich als kleines Kind etwas Böses getan hatte, hatte unsere Mutter immer gesagt: »Sei brav, oder ich bring' dich zu den Juden.« Diese Drohung hatte mich tagelang verfolgt. Ich stellte mir einen großen Kessel vor, in dem Wasser kochte, und Wesen mit spitzen Schwänzen, die vor Vergnügen grinsten, wenn sie mich hineinsetzten.

Ich ging in die Küche und fragte den Koch, warum ein Jude ins Haus gekommen sei. Er verzog das Gesicht und erklärte mir, daß der Jude dem Gemetzel, das gerade stattgefunden hatte, entkommen sei und daß er sich zu unserem Onkel geflüchtet habe, der ihn schon sehr lange kenne.

»Bring es ihm.« Der Koch gab mir eine Holzschüssel mit Brei, die nur halb voll war. »Juden essen nicht viel«, sagte er.

Zögernd nahm ich die Schüssel. »Wo ich herkomme, da gab es keine Juden.«

Er beachtete mich nicht und ging wieder an seine Arbeit, aber ich blieb stehen. »Und auf der Straße habe ich, glaube ich, auch keinen gesehen.« Nach einer Weile fügte ich noch hinzu: »Wie sehen sie denn aus?«

Der Koch drehte sich grinsend um. »Geh doch und sieh ihn dir selbst an.«

Zitternd ging ich bis zur Kohlenkammer und blieb an der Tür stehen. Es brannte nur eine kleine Kerze, so daß es ziemlich dunkel war. Auf einem großen Klotz Holzkohle saß ein stämmiger Mann mit dunklem Bart und tiefen Augenhöhlen, aus denen er mich fragend ansah. Er war ungefähr so alt wie unser Onkel.

Erleichtert über sein menschliches Aussehen, ging ich hinein und sagte: »Das ist für Euch.«

Schweigend nahm er die Schüssel und begann zu essen. Ich hatte noch nie solche Hände gesehen – groß, sogar noch größer als die unseres Vaters und unseres Onkels und knorrig wie ein alter Baum. Die Knöchel sahen aus, als wären sie alle schon einmal gebrochen gewesen. Die Daumen waren im Vergleich zu den Fingern übergroß. Ich starrte gebannt auf diese Hände und konnte mich nicht losreißen.

Er schlang den Brei schnell hinunter und leckte die Schüssel aus. Dabei nahm er kein einziges Mal den Blick von mir. Seine Augen waren groß, genauso wie seine Hände, viel zu groß für sein langes, schmales Gesicht, und sie glänzten wie stilles Wasser im Kerzenlicht.

»Das nächste Mal«, sagte ich, ohne zu denken, »bringe ich einen Laib Brot zum Brei.«

Er nickte und wischte sich mit seiner großen Hand über die weichen Lippen. Ich sah, daß auf seine Jacke ein gelber runder Flicken genäht war. Als ich nach der Schüssel griff, reichte er sie mir und lächelte mich an.

»Du bist hübsch«, sagte er.

Ich trug seine Bemerkung auf dem Gesicht mit mir davon, denn ich konnte nicht umhin zu lächeln. Das hatte noch nie jemand zu mir gesagt, nicht mal unsere Mutter und erst recht nicht unser Vater, der so etwas selbst nicht zu unserer Mutter gesagt hätte. Und den ganzen Tag lang ertappte ich mich dabei, daß ich mir übers Haar strich.

In der Werkstatt gab es ein Stück Glas, das dazu verwendet wurde, die Uhr von unten anzusehen. Als niemand dort war (ich wartete, bis Justin und der Onkel weggegangen waren), suchte ich das Glas und fand es unter ein paar Lappen. Ich bewegte es hin und her, um das Licht einzufangen, und betrachtete mich darin.

Hübsch? Ob das stimmte? Bestimmt sah ich jetzt älter aus, als ich zu Hause ausgesehen hatte. Meine Zöpfe waren länger. Ich faßte sie an. Mein Haar war weich. Und meine Augen standen weit auseinander und waren so blau wie die meines Bruders. Aber mein Mund war breit, zu breit, und meine Lippen waren dick. Meine Nase war ziemlich groß, das stimmte, und die Backenknochen traten hervor. Was war das für ein Gesicht? War es hübsch?

Ich war plötzlich verzweifelt und überlegte, ob der Jude wohl versuchen würde, mich zu verführen — nicht wie ein Mann eine Frau verführt, sondern wie ein Heide, der eine Christin verführt: um mich dem Satan zu übergeben, denn es heißt, daß die Juden vom Antichrist dafür bezahlt werden.

Und dann dachte ich, nein, das kann nicht sein, seine Augen waren nicht böse. Und hatte unser Onkel ihn nicht beschützt?

Am nächsten Tag ging ich, nachdem ich Jakob Brot und Brei gebracht hatte, zu Justin in die Werkstatt.

»Der Jude«, sagte ich. »Warum hat mein Onkel ihn aufgenommen und beschützt?«

»Jakob ist ein guter Kopierer«, sagte Justin. »Er hat für einen Edelmann Bücher kopiert, bis der an der Seuche gestorben ist. Aber niemand kam, um die Bücher zurückzuverlangen — wahrscheinlich, weil sie auch alle tot sind, schätze ich —, so daß Jakob sie noch hat. Dein Onkel möchte gern eins dieser Bücher haben. Glück für Jakob.« Justin feilte am Zacken eines Rades. »Dafür, daß er hier im Haus bleiben darf, wird Jakob für deinen Onkel eine Kopie anfertigen.«

»Dann hat mein Onkel ihn also nicht aus Freundschaft beschützt?«

Justin sah mich erstaunt an. »Freundschaft?«

»Weil Jakob in Gefahr ist. Weil er nichts Böses getan hat, für das man ihn bestrafen kann.«

»Meister Albrecht Valens ein Freund der Juden?« Justin, der sonst ein sehr ernster Mann war und nur selten lächelte, lachte bei dieser Vorstellung aus vollem Hals.

In den folgenden Wochen verbrachte ich genausoviel Zeit mit Jakob wie mit unserem Onkel. Der gelbe Flicken auf seiner Jacke wurde entfernt, und danach schienen die Menschen im Haus ihn vergessen zu haben. Natürlich ging niemand außer mir in seine Nähe. Und vielleicht hätte ich mich auch von ihm ferngehalten, wenn mein Onkel nicht gesagt hätte: »Lerne von ihm, soviel du kannst, Anne.«

In einem kleinen Zimmer, das ihm für diesen Zweck zur Verfügung gestellt war, machte Jakob die Abschrift des Buches. Zuerst bereitete er das Pergament vor, indem er es mit Bimsstein abrieb und glättete. Dann zog er mit einem Stab und einer Ahle Linien. Er saß auf einem Stuhl und hatte ein Schreibbrett auf dem Schoß. In ein Loch im Brett steckte er ein Rinderhorn für die Tinte.

Stundenlang sah ich ihm zu, wie er eine Feder in das Horn steckte und sie gleich darauf auf das Pergament preßte. Zuerst kamen Buchstaben zum Vorschein, dann entstanden Sätze — über die ganze Seite. Er zeigte mir, wie man die Buchstaben genau schrieb und schön malte, und er brachte mir mehr für die Zeichnungen der Uhr bei, als mein Onkel oder Justin es je getan hatten.

Er erzählte mir auch von seiner seltsamen Religion. Von ihm lernte ich die Worte *synagogue, bimah, Mishnah*. Er brachte mir bei, *Eretz Israel* zu sagen, und lachte schallend, wenn ich die Worte aussprach.

»Du willst also eines Tages einmal in das Gelobte Land gehen, wie?« sagte er und schüttelte belustigt den Kopf. »Du wärst ein schönes Mädchen in Palästina.«

Von Jakob erfuhr ich auch etwas über andere jüdische Arbeiten außer dem Kopieren von Büchern. Er erzählte mir, wie sie Karten malten, Seide färbten, nähen. Er brachte mir Rätsel, Schach, Kartenspiele bei. Ich sah zu wie er betete mit dem Gesicht nach Osten und der runden Kappe aus Tuch auf dem Kopf.

Seine Aufgabe für unseren Onkel bestand darin, *De ratione ponderis* abzuschreiben. Darin schrieb Jordanus de Nomore, daß die Dinge nicht in Bewegung bleiben, weil äußere Kräfte sie dazu bringen, sondern aufgrund der Kräfte, die in ihnen selbst stecken: *Vis impressa.*

»Braucht er das für seine Uhr?« fragte ich.

Jakob zuckte die Schultern. »Weil er es wissen will.«

»Habt Ihr meinen Onkel gern?«

»Ich arbeite für ihn.«

»Glaubt Ihr, daß er ein großer Mann ist?«

Jakob blickte von dem Pergament auf und sah mich an. »Jedenfalls ist er neugierig. Er will wissen, wie Bewegung zustande kommt und wie sie erhalten bleibt. Er glaubt, er kann eine Maschine bauen, die immer weiterläuft.«

»Glaubt Ihr das auch?«

Jakob tauchte die Feder in die Tinte. »Ob ich es glaube oder nicht, macht keinen Unterschied.«

»Erzählt mir, woran Ihr glaubt.«

»Wieso interessierst du dich dafür?«

»Ihr schreibt Bücher ab, also wißt Ihr viele Dinge.«

Jakob legte seine Feder auf die Seite und drehte sich um, um mich anzusehen. »Ich glaube, daß alles, was man sieht, eine Bedeutung hat. Weil alle Vorgänge von Gott kommen. Alles deutet darauf hin, daß Seine Gesetze für die Söhne der Menschheit gemacht sind.«

»Nicht nur für die Juden?«

»Warum nur für Juden? Für alle Menschen. Es gibt einen einzigen Gott«, sagte er ernst. »Das hebräische Volk ist auserwählt, diese Botschaft zu verkünden.«

»Das kann ich nicht glauben.«

Jakob lachte. »Ich weiß, daß du es nicht glaubst.«

Ein anderes Mal fragte ich ihn nach seiner Familie.

»Welche Familie? Es gibt keine Familie.«

»Haben die Geißelbrüder sie verbrannt?«

»Sie haben sich selbst verbrannt.«

»Wie konnten sie so was tun?«

»So ist der Brauch bei uns. Wenn jede Hoffnung verloren ist, dann stirb in deinem eigenen Haus.«

»Aber Ihr lebt noch.«

»Ich hätte bleiben und mich auch verbrennen können, aber dann habe ich mich gefragt: ›Warum soll man diesen Schweinehunden die Genugtuung geben zuzusehen, wie wir verbrennen?‹ Als mein Bruder anderer Meinung war, habe ich ihn und seine Familie verlassen. ›Flieht und lebt und gebt ihnen nicht die Genugtuung‹, sagte ich zu ihnen, aber sie standen nur da und sahen mich an, und da sprang ich aus einem Fenster an der Rückseite des Hauses.«

»Hattet Ihr denn nicht auch eine Frau und Kinder?«

»Das ist schon sehr lange her.« Er beendete das Gespräch mit einer Handbewegung. Seine großen knorrigen Finger griffen wieder nach der Feder. Und mit großer Zartheit, wie Schmetterlinge auf einer Blume, bewegte er die Feder über das Pergament. Es war kein sehr langes Buch, und nach zwei Monaten hatte Jakob die Abschrift fertiggestellt.

Onkel Albrecht und Justin und ich sahen ihm zu, wie er die einzelnen Pergamentbogen faltete und in mehreren Teilen zusammenfaßte, die er mit einem Faden zusammennähte. Er legte sie zwischen Holzplatten, die von Messingklammern, die unser Onkel eigens dafür angefertigt hatte, zusammengehalten wurden. Der Deckel wurde mit braunem Leder bezogen, das er selbst gegerbt hatte.

Einen Tag, nachdem alles fertiggestellt war, verließ uns Jakob.

Ich sagte ihm an der Hintertür Lebwohl. Mein Onkel hatte ihn gut bezahlt, das wußte ich, und Jakob lächelte an jenem Morgen. Er hatte nicht seinen Spitzhut auf dem Kopf, und er hatte auch nicht den gelben Flicken auf seine Jacke genäht. Die Menschen hatten die Seuche noch nicht vergessen, und so war es auf der Straße für einen Juden wahrscheinlich gefährlicher als sonst. Und wenn er Glück hatte, würde man ihn nicht ansprechen und durchsuchen. Ich wußte aus unseren Gesprächen, daß Jakob nicht leugnen würde, ein Jude zu sein, wenn man ihn fragte.

In der einen Hand hatte er ein Bündel Proviant und in der anderen die Tasche mit den Büchern. Obgleich es Juden nicht erlaubt war, einen Dolch zu tragen, hatte Jakob einen unter seiner Jacke verborgen. Ich wußte es, weil ich ihn gefragt hatte, ob er eine Waffe besäße.

»Auf Wiedersehen, Jakob«, sagte ich. Ich schämte mich wegen der Tränen in meinen Augen. Ich war eine Christin, die beim Abschied von einem Juden weinte.

Jakob zeigte mir ein Stück Holz. »Sieh mal«, sagte er. Die Konturen kamen mir irgendwie bekannt vor.

»Das hat mir dein Bruder geschenkt.«

Einen Augenblick war ich überrascht, daß sich die beiden überhaupt begegnet waren.

»Was ist das?« fragte ich

»Sein Kaninchen. Er hat es für mich geschnitzt.«

»Das hat Niklas gemacht?«

»Merk dir, was ich dir sage. Eines Tages wirst du auf ihn stolz sein.«

Ich winkte Jakob nach, als er sich umdrehte und die Straße hinunterging. Ich wagte nicht, meine Tränen abzuwischen.

»*Sholom Aleichem*«, rief er noch, dann war er verschwunden.

Wir hatten nie davon gesprochen, welchen Gefahren er ausgesetzt sein würde, wenn er unser Haus verließ. Als ich ihn einmal fragte, wohin er gehen würde und was er tun würde, hatte Jakob nur abgewinkt — mit seiner großen Hand, die so typisch für ihn war. Wahrscheinlich wollte er damit sagen, daß die Welt groß war und daß er Bücher hatte, die er immer wieder abschreiben konnte. Die Welt und seine Bücher würden sich verbinden, irgendwie, und ihm ein neues Leben bringen.

Nur schade, daß Jakob ein Jude war. Er hätte einen guten Christen abgegeben. Kaum hatte ich diesen Gedanken gedacht, da wurde mir auch schon klar, wie sehr ich mir wünschte, daß er geblieben wäre. Was für eine Gefahr er für mich dargestellt hatte! Erst als er weg war, verstand ich das Wesen und das Ausmaß dieser Gefahr. Wenn Jakob mich gefragt hätte, ob ich mitkommen wollte mit ihm, hätte ich vielleicht »ja« gesagt und damit eine Todsünde begangen.

Im Garten wuchs noch immer Gemüse. Ich blieb auf meinem Weg durch den Hof stehen, um Niklas zuzusehen, wie er mit seinen flinken plumpen Händen das Unkraut zupfte.

Er hatte also ein Abbild von Kaninchen geschnitzt. Was Jakob mir gezeigt hatte, war nicht nur ein Stück Holz, sondern ein Kaninchen aus Holz. Mit winzigen Schnitten hatte mein Bruder ein Ohr, ein Auge, eine Pfote geformt.

Gut für dich, Bruder, dachte ich, während ich ihm zuwinkte und bereits jetzt stolz auf ihn war.

15

In der Gießerei lief die Arbeit schon bald wieder auf vollen Touren — es wurden Waffen und Rüstungen gebaut. Und in der kleinen Werkstatt dahinter schlug die Glocke der kleinen Uhr jede Stunde an, auch wenn unser Onkel oder Justin die Waag mehrmals wöchentlich nach einer Sonnenuhr neu einstellen mußten. Die Arbeit an der neuen Uhr ging gut voran, obgleich das Problem der Feder noch immer nicht gelöst war.

Als das Gemüse im Garten abgeerntet war, wurde er umgepflügt, so daß Niklas jetzt die meiste Zeit mit Schnitzen verbrachte. Die Frau, die den Verstand verloren hatte, ging eines Morgens weg und kehrte nie zurück. Die Hausmagd saß zufrieden im Hof und stillte ihr Kind. Jetzt kamen auch wieder Männer, um Waffen zu kaufen, und der Speisesaal im zweiten Stock hallte von ihrem Gelächter wider, wenn sie mit unserem Onkel aßen und tranken.

Manchmal servierte ich ihnen den Wein und durfte in der Ecke stehen und zuhören. Nach Meinung meines Onkels war das eine gute Gelegenheit für mich, etwas über die Welt zu erfahren. Ich war erstaunt, wie schnell wir alle die Pest vergaßen, die durch die Stadt getanzt war und über die Hälfte aller Einwohner hinweggerafft hatte. Wir hatten die Pest überlebt; und wir lebten jetzt wieder genauso, wie wir vorher gelebt hatten.

Zweimal die Woche gingen alle gemeinsam aus dem Haus in die

Kirche. Unser Onkel führte die Prozession an und drehte dabei die abgenutzte Perlenkette eines Mönchs zwischen den dicken Fingern. Insgeheim hatte ich Angst, die Kirche zu betreten: In ihren Mauern war Gottes Wohnsitz, und wenn ich so nah bei Ihm war, wenn ich auf dem kalten Steinboden kniete und die Hände im Gebet faltete, mußte er doch deutlich das Mißtrauen und den Unglauben spüren, den ich in bezug auf seine Liebe hegte.

Immer wieder sah ich Niklas an, der mit gefalteten Händen neben mir ging — das hatte er von unseren Eltern gelernt, die immer mit gefalteten Händen von der Mühle in die Dorfkirche gegangen waren. Was wußte er von Gott? Was wußte ich von Gott?

Eines Sonntags, als uns der Priester das Wort Gottes verkündete, zitterte ich vor Entsetzen: »Verdammt sind nur die, welche in tödlicher Sünde sterben, aber welche den heiligen Willen Gottes erfüllen, die werden gesegnet sein.« Wenn Gott keine Gnade zeigte, warum mußten wir dann seinen Willen erfüllen? Ich spürte, wie ich vor Entsetzen erstarrte, als ich mir in Seinem Haus solche Fragen stellte.

Verleiteten mich meine Gedanken zur Sünde? Wie konnte ich Gott mißtrauen und gleichzeitig Seinen heiligen Willen befolgen?

Diese und ähnliche Fragen hämmerten in meinem Kopf, während wir aus der Kirche gingen. Mein Onkel kam und ging neben mir. »Was hast du? Stimmt etwas nicht?«

»Es ist alles in Ordnung.«

»Jedesmal, wenn wir aus der Kirche kommen, siehst du traurig aus — oder erschrocken.«

»Es ist alles in Ordnung«, wiederholte ich.

Aber das nächste Mal, als wir aus der Kirche kamen, schlug er mir vor, ein Stück am Fluß entlangzugehen. Als Niklas uns folgte, würdigte ihn mein Onkel keines Blickes. Ich konnte es ihm nie verzeihen, daß er meinen Bruder ignorierte.

Wieder stellte ich, während wir nebeneinander gingen, fest, wie ähnlich unser Onkel unserem Vater war — seine Figur und seine Art, sich zu bewegen. Diese Ähnlichkeit beruhigte mich. Als er mich wieder fragte, was mich bedrücke, sagte ich ihm: In Gottes Welt gebe es keine Gerechtigkeit. Warum sonst wären meine Eltern auf so schreckliche Weise gestorben?

Wir waren am Fluß angekommen, auf dem Boote schwammen, deren Segel in der Mittagssonne flatterten.

Lange Zeit starrte unser Onkel ins Waser, ohne zu sprechen. Dann sagte er: »Jemand hat einmal gemeint, wenn er bei der Schöpfung dabeigewesen wäre, hätte er dafür gesorgt, daß auf der Welt alles besser eingerichtet würde.«

Er sah mich scharf an, und ich wußte, daß er eine Antwort verlangte. Daher sagte ich: »Dieser Mann hat Gott kritisiert.«

»Genau. Würdest du das auch tun?«

»Nein.«

»Doch, das würdest du, Anne. Das tust du doch. Wie konnte ein Gott, der gnädig ist, zulassen, daß meine Eltern auf diese Weise starben —«

»Ich habe kein Recht, Fragen zu stellen.«

»Aber du tust es.«

Als mich mein Onkel wieder ansah, wandte ich mich ab und starrte auf den Fluß. Ich hoffte, er würde aufhören zu reden. Er nahm mich ins Gericht wie ein Kirchenfürst.

»Ich glaube, du stellst diese Fragen, weil du in deiner Seele entsetzt bist.«

»Bitte, Onkel —«

»Ich glaube, du haßt deine Gedanken, sie machen dir Angst. Und doch fragst du in deiner stillen Wut immer wieder, warum alles so ist.«

»Ich habe kein Recht, solche Fragen zu stellen.«

»Im Kloster haben wir auch solche Dinge gefragt.«

»Aber ihr wart Männer Gottes.«

»Niemand von uns kann sich enthalten, Fragen zu stellen. Das kommt, weil wir denken.«

»Dann will ich nicht denken.«

»Du denkst, weil Gott dir Vernunft gegeben hat.«

»Ich will keine Vernunft.«

»Sie gehört dir durch Ihn, und wenn du dich ihr verweigerst, stellst du dich gegen Ihn und Sein Gesetz. Verstehst du?«

Ich sah ihn nicht an, sondern starrte auf den Anlegeplatz und die Fässer, die dort standen, und auf die Boote im blauen Wasser. Ich drehte mich nicht um; ich wollte ihn nicht ansehen. Er kränkte mich tief.

»Ich glaube, du stellst Gottes Liebe in Frage, selbst wenn du um seine Gnade bittest.«

Was er sagte, war schrecklich. Er sprach von einem Ketzer, von einem Verdammten.

»Du willst also keine Vernunft annehmen, weil Vernunft von Gott kommt, und doch wendest du sie gegen Ihn an.«

Ich wollte ihn nicht ansehen, ich würde es nicht tun. In diesem Augenblick haßte ich ihn.

»Was du bis jetzt noch nicht überlegt hast, ist, wie du sie anwenden sollst, wie Er will, daß du sie anwendest. Kannst du das verstehen?«

Ich würde mich nicht umdrehen und ihn ansehen. Dann würde er mir vielleicht bis tief in die Seele blicken können.

»Du bist zornig, Anne.«

Ich würde ihn nicht ansehen, selbst wenn er noch einmal sagte: Du bist zornig, Anne. Sieh mich an.

Ich würde ihn nicht ansehen.

»Ich liebe die Vernunft, Anne. Aber ich traue ihr nicht.«

Diese sonderbaren Worte veranlaßten mich, nun doch in seine Richtung zu sehen. Er lächelte.

»Ja. Die Vernunft kann uns nichts erklären, was über das normale Maß hinausgeht. Um verborgene Dinge zu begreifen, verlassen wir uns auf den Glauben, weil wir sie nicht beweisen können.«

»Verborgene Dinge?«

»Was wir nicht sehen können.«

»Wie den Himmel und die Engel?«

»Und Gott selbst. Aber sie existieren. Selbst wenn wir es nicht beweisen können. Wir sagen, das ist so, und es ist so. Das ist Glauben. Vernunft schafft einem die Welt. Glauben die Ewigkeit.«

Ich runzelte die Stirn und dachte über seine Worte nach.

Mein Onkel sah mich prüfend an und sagte: »Nein. Du hast noch kein Gefühl für den Glauben. Aber du mußtest auch sehr viel erleiden.« Er räusperte sich. »Nun, ich habe es getan. Ich habe wie ein Mönch gesprochen, das ist seltsam. Denn im Kloster habe ich es nie getan. Ich eigne mich nicht für langweilige Moralpredigten, Anne, obgleich du das vielleicht glaubst, so wie ich mich heute benehme. Aber ich werde nichts mehr sagen«, fügte er brummig hinzu. »Laß uns heimgehen.«

Während wir weitergingen, sah ich ihn von der Seite an und spürte, wie sich meine Mundwinkel in noch größerer Verzweiflung nach unten zogen. »Und Ihr, Onkel? Hättet Ihr bei der Schöpfung auch einen Rat gegeben?«

»Nein. Je mehr ich von der Welt weiß, desto mehr glaube ich, daß sie so ist, wie sie sein sollte. Wir müssen nur herausfinden, was das ist.«

Er hat mit mir nie wieder über diese Dinge gesprochen. Erst viel später habe ich verstanden, wie schwer es für ihn gewesen sein mußte, so zu einem verzweifelten Mädchen zu sprechen — genauso schwer, wie es mir weh getan hat, ihn die Gotteslästerung aussprechen zu hören, die ich insgeheim nährte.

Eines Tages sah ich, wie ein großer Mann in einem Umhang aus feiner Wolle aus der Gießerei kam. Er hatte entsetzliche Narben im Gesicht, das eine Auge war nur noch ein Fleischklumpen und fast verschlossen. Es sah aus, als sei die ganze linke Hälfte seines Gesichts verbrannt. Ich beobachtete ihn, als er sich kurz und förmlich von Onkel Albrecht verabschiedete.

»Das ist ein Goldschmied aus der Stadt«, sagte mein Onkel zu mir, während er dem narbigen Mann nachdenklich nachblickte. »Er ist ein Ratsherr.« Mein Onkel sah mich an und sagte: »Weißt du, was das bedeutet?«

»Nein.«

»Er ist der Gildemeister der Goldschmiedegilde. Er repräsentiert die Stadt. Er will, daß ich eine Uhr baue, die in einen Turm paßt, den sie errichten.«

»So groß wie ein Kirchturm?«

»Genauso groß oder noch größer. Die Uhr würde der Stadt gehören. Sie wäre ein Symbol für die Stärke der Stadt.«

»Wirst du die Uhr bauen?«

Er zog die Schultern hoch. »Dann hätte ich nicht mehr soviel Zeit, an der Feder zu arbeiten. Trotzdem – ich denke, eine Uhr für eine Stadt zu bauen ist keine Zeitverschwendung.«

Ich arbeitete jeden Tag in einem kleinen behaglichen Raum hinter der Werkstatt an meinen Zeichnungen und konnte von meinem hohen Schemel aus das Ausglühen und Hämmern und Schaben hören, mit dem unser Onkel und Justin so beschäftigt waren. Mein Onkel benötigte für seine Zahnschmerzen jetzt nicht mehr so oft die Flasche, und er bekam auch nicht mehr so oft seine mitternächtlichen Wutanfälle. Oft hörte ich ihn von meiner Stube aus über die Feder reden und über die Möglichkeit, sie mit Hilfe einer Spindel zu drehen – alles zusammen nannte er eine Schnecke. Durch meine Lateinkenntnisse verstand ich, was er meinte: *fusata*, eine Spindel, die mit einem Faden umwickelt war. Ich war stolz über mein Wissen und versuchte, es bei meinem Onkel anzubringen. Aber er beachtete mich gar nicht.

Einmal hörte ich, wie er zu Justin sagte: »Der Mensch lernt am meisten vom Krieg. Dank seiner habe ich gerade eben unser Problem gelöst.«

Ich hielt in meiner Arbeit inne und lauschte, während er Justin etwas ganz Merkwürdiges erzählte. Was mein Onkel bei der Herstellung von Kriegsmaschinen gelernt hatte, wandte er jetzt auf die Uhr an. Er war überzeugt, daß der Krieg das Problem der Feder gelöst hatte. Er erklärte Justin, wie er die Katapulte für die Belagerungen gebaut hatte – sie schossen siebzig Pfund schwere Steine ab. Daher waren sie sehr groß. Er hatte die Männer vor allzu großer Ermüdung bewahren wollen, wenn sie die Maschine spannten. Man hatte eine gebogene Feder aus Pferdehaaren und eine Winde verwendet, um sie zu laden. Je strenger die Feder gespannt war, um so schwerer war es, die Winde zu drehen. Unser Onkel beschrieb Justin, wie er ein Seil an der Feder befestigt und dieses Seil dann um eine Trommel, die wie ein Kegel geformt war, gezogen hatte. In der Trommel war eine spiralförmige Furche, in die das Seil hineinpaßte. Die Männer, die das Katapult spannten, zogen an dem Seil. Wenn die Feder fest angezogen war, verlief das Seil um den kleinsten Durchmesser der kegelförmigen Trommel. Wenn die Feder nicht fest gespannt war, bewegte es sich um den größten Durchmesser der Trommel.

»Verstehst du, Justin? Auf diese Weise haben sie immer gleich stark gezogen, egal, wie fest die Feder gespannt war. Unser Problem mit der Feder für die Uhr läßt sich auf die gleiche Weise lösen, Justin, genauso wie beim Katapult: Wir verändern einfach den Durchmesser. Unsere Aufzugsschnecke muß wie ein Kegel geformt sein.«

Und ein wenig später, als ich mich wieder meiner Zeichnung zugewandt hatte, hörte ich ihn lachen. »Ah, der Krieg! Er ist unser Meister, von dem wir Menschen lernen.«

Einige Wochen, nachdem der Mann aus der Stadt in unser Haus gekommen war, fand ein großes Ereignis statt: Der Bischof kam ganz überraschend zu Besuch.

Als jemand diese aufregende Nachricht in die Werkstatt brachte, sagte mein Onkel zu mir: »Geh an deine Arbeit in der Kammer.«

»Soll ich nicht lieber hinausgehen, während Ihr mit Seiner Eminenz sprecht?«

»Geh zurück an deine Arbeit.«

Und so saß ich dann in der Kammer und konnte alles mitanhören.

Ich hörte, wie sie sich feierlich begrüßten — der Bischof hatte eine hohe Stimme — heiser und krächzend, als würde etwas über Metall schaben.

»Es ist uns zu Ohren gekommen«, sagte er, »daß man dich gebeten hat, eine Uhr für einen Stadtturm zu bauen.«

»Das stimmt.«

»Die Abtei könnte auch eine Uhr gebrauchen, die dem Sakristan zuverlässig die Zeit meldet. Als ehemaliger Mönch weißt du sicher, wie nötig er sie hätte.«

»Ja, ich weiß.«

Eine lange Zeit schwiegen sie, als würden sie nachdenken. Dann ergriff wieder der Bischof das Wort, und er schien jedes Wort sorgfältig abzuwägen. »Ich nehme an, du würdest uns auch eine Uhr bauen?«

»Das wäre meine Christenpflicht und eine große Ehre, Euer Eminenz.«

»Und die Stadtuhr würdest du dann nicht bauen?«

»Das weiß ich noch nicht. Darüber habe ich noch nicht nachgedacht.«

»Meister Albrecht, was benötigen die Kinder Gottes am meisten? Sie müssen wissen, wann sie beten sollen, nicht wahr? Sicher erinnerst du dich noch daran — aus der Zeit, als du Gott gedient hast. Und an die Zeit fürs Gebet, die wir den Menschen immer gesagt haben, siebenmal am Tag. Wenn ihnen aber die Stadt sagt, welche Stunde dies oder das ist — die nichts mit dem Gebet zu tun hat —, was könnte das dann wohl für einen Zweck haben?«

»Die Menschen würden wissen, wo sie stehen.«

»Wo sie stehen?«

»In der Zeit, Euer Eminenz. Dann könnten sie ihren Tag ganz frei nach der Uhr planen.«

»Frei? Aber das ist doch das Problem!« Die Stimme des Bischofs wurde schrill. »Bietet nicht Freiheit Gelegenheit, Unheil zu stiften? Für die Abweichung von den Regeln des christlichen Lebens? Wir müssen die Menschen vor den Gefahren schützen, die ihnen auf dem Weg zu Gott begegnen Meinst du nicht?«

»Ja, Euer Eminenz. Wir müssen den Menschen helfen, Gefahren zu meiden.«

»Das ist nicht genau dasselbe, was ich sagte. Bitte, folge meiner Argumentation, Meister Albrecht. Kanonische Stunden rufen die Menschen aus gutem Grund, dem besten von allen — um unseren Herrn zu preisen. Meinst du nicht?«

»Ja, Euer Eminenz. So ist es.«

»Wozu brauchen die Menschen denn eine profane Zeit, die von einem Turm geliefert wird, den Kaufleute gebaut haben? Ich verlange, daß du den Auftrag ablehnst. Vergiß deine Pflicht nicht noch einmal.«

Anstatt einer Antwort bot ihm mein Onkel ein Glas Wein an.

Als der Bischof weiterredete, war seine Stimme leiser, klang nicht mehr so sehr nach Metall, das über Metall schabt. Er sprach von einem Besuch, den er vor kurzem dem großen Kloster von Saint-Denis abgestattet hätte. Er pries den liturgischen Gesang, der acht oder neun Stunden am Tag zum Lobe des Herrn durchgeführt würde.

»Wie der heilige Benedikt sagte: ›Wenn wir Psalmen singen, stehen wir vor Gott dem Herrn und den Engeln.‹«

Onkel Albrecht sagte nichts.

»Es ist schade, daß du nie Saint-Denis gesehen hast. Abt Suger hat es sich als ein Bauwerk zur Verherrlichung unseres Herrn vorgestellt. Und zu unser aller Freude ist es das geworden. Hast du *Von der himmlischen Hierarchie – von der kirchlichen Hierarchie* gelesen?«

Ich hörte keine Antwort von unserem Onkel, aber er muß genickt haben, denn der Bischof sagte: »Dann weißt du auch, was darin steht: Gott ist das Licht. Und durch heilige Inspiration hat der Abt eine Abtei gebaut, die diese Wahrheit enthält. Von den Kreuzgängen gelangt man auf einen großen Platz aus Luft und Licht. Öffnungen fangen das Licht ein. Indem er die dicken Wände durch schlanke Pfeiler ersetzt hat, hat er dafür gesorgt, daß überall Licht hereinkommt. Dieses Licht ist vollkommen. Es strömt herein durch das große Rosenfenster, strömt herein wie Milch. Dann denkst du, du seist im Himmel. Und bei der heiligen Messe sind die goldenen Schalen und die kostbaren Steine in Licht getaucht wie in die Herrlichkeit Gottes.«

Der Bischof machte eine Pause, ich nehme an, er war von seinen eigenen Worten berührt.

Ich sah in meiner Kammer wirklich ein Bild des Lichts vor mir, das wie ein Regenschauer hereinfiel, so schwindelerregend, daß man gar nicht hineinschauen konnte.

»Auf dem Altar, Meister Albrecht, war eine Porphyrvase, ein Kelch aus unbezahlbarem Karneol und eine andere Vase aus Beryll, glaube ich. Alles über die Maßen kostbar.«

Unser Onkel schwieg.

Dann hörte ich, wie sich jemand räusperte. Es muß der Bischof gewesen sein, denn er hatte sehr lange gesprochen. Dann hörte ich scharrende Geräusche, als würden die Männer aufstehen, und ich konnte der Versuchung nicht widerstehen, durch die Tür zu spähen.

Es gelang mir, einen kurzen Blick auf den Bischof zu werfen, und ich muß sagen, seine Erscheinung paßte zu seiner Stimme. Er war außerordentlich groß, einen Kopf größer als unser Onkel, und so dünn, wie die Menschen alle nach der Seuche waren. Er hatte eine gebogene Nase, scharfe Augen, eine große breite Stirn. Er trug eine lilafarbene Soutane und bewegte sich langsam auf die Tür zu, als würde er jeden Schritt abmessen. Die Quaste seines Baretts schimmerte hell, als er sich unter dem Türrahmen bückte, auf den Sonnenstrahlen fielen.

Am Nachmittag kam Onkel Albrecht, als ich gerade eine Linie aufs Pergament zog, zu mir in die Kammer. Ich zeichnete weiter, als er sich über meine Schulter beugte, um die Arbeit zu besichtigen.

»Ich möchte, daß du sie später kleiner machst. Wenn du hiermit fertig bist, möchte ich, daß du die Pläne auf dem Papier machst, das du von der Mühle mitgebracht hast.«

Voller Stolz nickte ich.

»Ich weiß jetzt, nach welchem Prinzip die Schnecke funktioniert«, fuhr mein Onkel fort. »Jetzt brauchen wir sie nur noch zu bauen. Dann werden wir eine Uhr haben, wie sie die Welt noch nie gesehen hat. Und meine Nichte wird die Pläne dafür zeichnen.«

Unsere Blicke begegneten sich. Noch nie hatte ich mich ihm so nah gefühlt.

»Hast du den Bischof gehört?« fragte er.

»Ja.«

»Findest du, daß er recht hat, wenn er sagt, wer eine Uhr haben soll und wer nicht?«

»Ich habe kein Recht auf eine solche Meinung.«

»Hast du das Recht, zu denken?« Er starrte mich so intensiv an, daß ich erschrocken war.

»Ich würde ihm eine Uhr für die Kirche geben und eine andere Uhr für die Stadt bauen.«

»Aha, das würdest du also tun. Soso«, sagte er barsch und ging hinaus.

Er wollte, daß ich auf dem kostbaren Papier unseres Vaters Pläne zeichnete! Das war mehr, als ich mir je erhofft hatte. Es war eine Ehre für mich und trieb mich dazu an, mehr denn je in der Kammer zu arbeiten.

Aber in der Werkstatt liefen die Dinge nicht gut. Onkel holte wieder seine Flasche hervor — die Zahnschmerzen wurden schlimmer —, und seine mitternächtlichen Wutausbrüche schallten durchs ganze Haus.

Obgleich unser Onkel das Prinzip kannte, war es ihm nicht möglich, in der Schmiede eine Messingspirale herzustellen, die sich in einer gleichmäßigen Bewegung abspulte. Bis er das Problem gelöst hatte, konnten die Versuche mit der Schnecke nicht fortgesetzt werden. Obgleich ich hörte, wie er mit Justin über den Bau der Stadtuhr sprach, schien keine Entscheidung möglich, solange die Schnecke ihn Tag und Nacht beschäftigte.

Und dann fand ein weiteres großes Ereignis statt — diesmal auf lange Sicht vorbereitet. Der Herzog der Provinz hatte seinen Besuch in unserer Werkstatt angekündigt.

Mein Onkel sagte, ich solle mir bessere Kleider besorgen, damit ich im Speisesaal den Wein servieren könne. Der Gedanke, zu einem Schneider zu gehen, machte mir Angst, so als hätte jemand während der Seuche von mir verlangt, auf dem Markt einkaufen zu gehen. Aber da ich gehen mußte, ging ich.

Mit der freundlichen Hilfe einer alten Schneiderin kleidete ich mich schließlich mit einem Leinenhemd und einem blauen Rock und einer grünen Tunika, deren Ärmel vom Handgelenk bis zum Ellbogen bestickt waren, neu ein. Über der Tunika trug ich einen dunkelroten Umhang mit weiten Ärmeln, aber so, daß die Tunika darunter zu sehen war. Der Umhang war in der Taille zusammengehalten. Meine Schuhe waren aus weichem braunem Leder.

Als ich mich für den Abend fertig angezogen hatte, wirbelte ich durch unser Zimmer, damit Niklas mich sehen konnte. Er lächelte, und ich wußte, daß ich für ihn anders aussah als sonst, vielleicht ein bißchen hübscher. Ich gab ihm einen Kuß und ging in den Speisesaal, wo die Diener schon Silberschalen für die Suppe, Messer für das Fleisch und Brot aufgelegt hatten.

Unser Onkel und der Herzog kamen herein, sie lachten über etwas. Als sie sich gesetzt hatten, goß ich den Wein in die Gläser, und unser Onkel erklärte dem Herzog, daß ich seine Nichte sei. Der Herzog drehte sich um, um mich anzusehen von oben bis unten und auf eine Art und Weise, daß ich mich unbehaglich fühlte. Und auch später während des ganzen Abends spürte ich seine Blicke auf mir, die ganz unverhohlen Bewunderung ausdrückten.

Er war klein und stämmig, ein Mann mittleren Alters, mit tiefliegenden, aber wachen Augen, wulstigen Lippen und einem Schnurrbart, der schon grau wurde. Auf dem Kopf trug er eine Leinenkappe, die mit Bändern unter dem Kinn befestigt war. Seine Tunika war mit feiner Stickerei und kleinen blutroten Quasten geschmückt. Über seinem Umhang aus Damast trug er eine Perlenkette. Selbst in meiner neuen festlichen Kleidung kam ich mir ganz grobschlächtig vor neben seiner eleganten Erscheinung.

Während sie sich durch die Suppe mit Rindfleisch und die gekochte Scholle und das frische Schweinefleisch mit Senfsoße arbeiteten, sprachen sie von fernen Ländern und Schlachten. Während sie aßen und tranken, sprachen sie von Festungstürmen und Katapultgeschützen, Rammböcken und Steinschleudermaschinen − mit der Leichtigkeit und Selbstverständlichkeit von Männern, die diese Waffen entweder gebaut oder benutzt hatten. Sie lachten über Tunnelgänge, die bei einer Belagerung eingestürzt waren. Sie verachteten die Männer, die davonliefen, und lobten die Männer, die in der Schlacht fielen.

Ich füllte immer wieder ihre Gläser und hörte am Ende gar nicht mehr hin, denn ihre Geschichten vom Krieg waren mir langweilig.

Und dann sagte der Herzog plötzlich: »Was die Uhr betrifft.«

»Welche Uhr?« Beide Männer hörten zu trinken auf und stellten die Gläser auf den Tisch.

»Die die Kaufleute für ihre Stadt wollen. Du wirst sie doch nicht bauen, oder?«

Mein Onkel lachte. »Das hat mich der Bischof auch gefragt.«

»Na, und?«

»Das weiß ich noch nicht.«

Der Herzog trank in einem Zug seinen Wein aus und lächelte mich an. Als ich sein Glas auffüllte, starrte er quer über den Tisch vor sich hin. »Nach allem, was ich höre, Albrecht, ist deine Uhr ein schöner neuer kostbarer Schatz. Verschleudere ihn nicht an Narren.«

»Wie ich schon sagte, mein Herr, habe ich mich noch nicht

entschieden. Eine Uhr, die groß genug ist, daß sie in einen Turm paßt, erfordert sehr viel Arbeit.«

»Die Uhr, die du mir heute gezeigt hast — die schon gebaut ist —, ist groß genug. Sie würde schön in eine Ecke meiner großen Halle passen.«

»Seine Eminenz möchte sie auch haben.«

»Schätze sind keine Schätze mehr, wenn es zuviel davon gibt. Eine Sache wie deine Uhr gehört in die richtige Umgebung. An einen Ort, der ihrer würdig ist. In mein Schloß.« Er trank und zuckte die Schultern. »Die Kirchenleute haben ihre heiligen Relikte. Aber Edelmänner sollten ihre eigenen Schätze haben — Juwelen und Pferde oder Uhren.« Er lächelte zufrieden bei diesem Gedanken. »Die Priester besitzen schon viel zuviel. Glaubst du, daß das dem König recht wäre?«

»Nein, das glaube ich nicht.«

»Bau deinen schönen Traum für *mich* und natürlich auch für den König. Wenn ich ihn das nächste Mal sehe, werde ich ihm von dir und deinen Uhren erzählen. Glaube mir, Albrecht, er wird bestimmt auch eine haben wollen. Aber er wird es nicht gern sehen, wenn sie überall auftauchen. Diese Kaufleute und sogar das Volk auf der Straße könnten auf die Idee kommen, daß sie dasselbe haben können, was der König hat. Wo kämen wir da hin?«

Mein Onkel nickte, ohne etwas zu erwidern.

Damit gab sich der Herzog aber nicht zufrieden. Er hatte das Kinn weit vorgestreckt und sich nach vorn gebeugt. Seine Bewegungen waren irgendwie wild, furchterregend, so, daß ich ihn plötzlich an einem anderen Ort vor mir sah — in voller Rüstung, eine Streitaxt schwingend, führte er seine Truppe durch die Bresche, die eine dieser Belagerungsmaschinen geschlagen hatte, von denen den ganzen Abend die Rede gewesen war.

»Ich will von dir eine Uhr«, sagte der Herzog mit Nachdruck.

»Ich fühle mich geehrt«, sagte mein Onkel.

»Aber verdammt noch mal! Du darfst sie nicht diesen Kaufleuten geben, hörst du? Wenn in den Städten auch noch Uhren aufgestellt werden, glauben diese hochnäsigen, geldgierigen Bastarde noch, sie seien die Allergrößten. Schon jetzt tragen sie die Kleider von

Edelmännern. Sie kaufen sich die gleichen Juwelen, fahren in den gleichen Kutschen. Als nächstes werden es die Fuhrleute tun. Und nicht lange, und jedes gewöhnliche Schwein auf der Straße wird glauben, mit Prinzessinnen Sodomie treiben zu können. Das werden wir nicht zulassen, Albrecht. Wir werden nicht zulassen, daß du ihrer dreckigen Eitelkeit noch Nahrung gibst. Glaube mir – das werden wir nicht zulassen.«

Mein Onkel lachte. »Ihr seid sehr überzeugend, mein Herr.«

Ich glaube, der Herzog sah darin eine Art Versprechen, denn er lachte jetzt auch. Ich beeilte mich, Wein nachzuschenken, und bald waren die beiden Männer wieder beim Krieg und ihren Belagerungsmaschinen.

Und schließlich stand ich neben meinem Onkel und winkte dem Herzog nach, der aus dem Haus wankte und eine von Pferden gezogene Kutsche bestieg, die in der Nacht verschwand. »Dieser Mann ist gefährlich«, sagte mein Onkel und sah mich nachdenklich an.

16

Am nächsten Morgen legte ich das Papier aus, das ich von der Mühle unseres Vaters mitgebracht hatte, und begann, die Uhr unseres Onkels darauf zu zeichnen – die Hemmung, das dreispeichige Aufzugsrad, die Sperräder, Sperrkegel, Rollen, Räder und alle dreieckigen Zähne an ihnen, den Rahmen aus geschmiedetem Eisen, der durch Keile in rechteckigen Schlitzen zusammengehalten wird, die Glocke über der Waag und der Hammer. Die Maße und Größen wurden zuerst auf Pergament notiert, dann von meinem Onkel auf ihre Richtigkeit geprüft. Zirkel, Winkelmesser, Tinte. Erweiterungen von Hand und Auge. Ein Durcheinander von Formen, die miteinander harmonisieren, zu Papier gebracht. Von vorn und von hinten, von der Seite und von oben – das Gehwerk und das Schlagwerk.

Nach und nach nahm jedes Teil der Uhr auf dem kostbaren Papier

Gestalt an wie etwas, das aus dem Nebel zum Vorschein kommt, während ich unaufhörlich am Zeichenbrett zitterte aus Furcht, einen Klecks zu machen.

Nachdem es für Niklas nichts mehr im Garten zu tun gab, blieb er bei mir in der Zeichenkammer. Die Hausangestellten und Gießer hatten ihm alle möglichen Arten Holz gebracht, und aus diesen Holzstücken aus Eiche und Föhre schnitzte mein Bruder jetzt mit der Konzentration und der Ruhe, die ich neuerdings an ihm kannte, das Ebenbild von Kaninchen.

Mit seinen plumpen Fingern, die Haare wie Schneekaskaden über dem Holz, wenn er sich nach vorn beugte, schnitzte Niklas mit denselben Bewegungen, die er auch machte, wenn er das Kaninchen streichelte. Und das Kaninchen, das reglos auf seinem Schoß saß, war jeden Abend bedeckt mit unzähligen winzigen Holzspänen. Mein Bruder arbeitete langsam, gleichmäßig, bis die Ecke des Zimmers voller geschnitzter Kaninchen war.

Und dann schnitzte er eines Tages einen Vogel. Und dann eine Katze. Er schnitzte, während ich auf dem Papier zeichnete, das Vater mit dem Mühlrad, über das Wasser floß, und mit den Hämmern geschaffen hatte.

In der Werkstatt legte Onkel Albrecht seine Flasche beiseite und unterbrach die Arbeit an der aufgerollten Feder. Die Nachfrage nach seiner Uhr lenkte seine Aufmerksamkeit auf das, was er bereits gebaut hatte.

Eine Woche nach dem Besuch des Herzogs kamen ein paar Männer ins Haus, sie trugen sein Wappen auf den Wämsern — ein weißes Einhorn, das in die aufgehende Sonne sprang. Nach einer langen Unterredung mit meinem Onkel gingen sie wieder, und noch am selben Tag begannen die Gehilfen aus der Gießerei unter Justins Aufsicht damit, die fertige Uhr auseinanderzunehmen.

Zwei Tage später traf am Hintereingang eine Mauleselkolonne ein, und die Uhr, die in Leinentuch verpackt war, wurde auf den Tieren befestigt. Justin begleitete sie, um die Uhr im Schloß des Herzogs wieder zusammenzusetzen.

Als sie weg waren, stand ich neben meinem Onkel und

betrachtete den aufgewirbelten Staub, der sich auf die Flanken der Maulesel legte.

»Der Herzog wird also zufrieden sein«, sagte mein Onkel und seufzte.

»Und der Bischof, wird der auch zufrieden sein?«

»Wenn die andere Uhr fertig ist, gehört sie ihm. Der Herzog hat mehr Druck gemacht als der Bischof, deshalb hat er zuerst eine bekommen. Verstehst du, Nichte? Der Krieg kommt vor den Gebeten. Und natürlich gilt *bis dat qui cito dat*, das hoffe ich jedenfalls.«

Sicher, es stimmte — mein Onkel hatte keine Zeit vergeudet, dem Herzog zu geben, was er wollte, nur um diesen gefährlichen Mann zu beschwichtigen. Ich begriff jetzt, was ich bis dahin nicht verstanden hatte: Wenn ein Mann wie unser Onkel etwas erfand, dann war das noch nicht das Ende. Der schwerste Teil bestand vielleicht darin, zu entscheiden, wie man über die Erfindung verfügen und was man damit anstellen sollte.

Meine Neugier brachte mich wie schon so oft dazu, etwas Gewagtes zu tun. Ich wußte, daß Hugo, ein Meister aus der Gießerei, auf den Ländereien, die zum Herzogtum gehörten, geboren und aufgewachsen war. Als er eines Nachmittags im Hof eine Tonpfeife rauchte, ging ich zu ihm.

»Du hast doch auf dem großen Lehnsgut des Herzogs gelebt«, sagte ich, »erzähl mir etwas über ihn.«

»Wieso interessiert sich ein Mädchen wie du für den Herzog?«

»Ich möchte wissen, warum er die Uhr bekommen hat.«

»Er hat sie bekommen, weil er sie haben wollte.«

»Weil er gefährlich ist?«

»Du bist ein neugieriges Mädchen, Anne.«

»Ja, ich bin neugierig.« Ich lächelte ihn an.

Hugo nahm die Pfeife aus dem Mund. »Mein Bruder hat in drei Feldzügen unter dem Herzog gedient und mußte beim vierten dran glauben. Ja, ich kenne den Herzog. Vor ein paar Jahren hat er vor Wut seinen Sohn erdolcht — seinen einzigen Sohn. Einmal traf er, nachdem er eine Stadt eingenommen hatte, zwei seiner Männer an, die sich wegen einer Frau stritten. Um den Streit zu beenden, hat er die Frau einfach mit seinem Schwert in der Mitte zerteilt, eine Hälfte für jeden.«

»Nein, das kann ich nicht glauben.«

»Er sagte: ›Ich habe getan, was Salomon nur androhte zu tun.‹«

»Nein, das kann ich nicht glauben.«

»Er hat es getan, und er hat es gesagt. Und vor einer anderen Stadt, die er belagerte, schwor er in Gottes Namen und bei seiner eigenen Seele, daß er den Bürgern, wenn sie sich ergäben, keine Gewalt antun würde. Als sie dann die Stadttore öffneten, fielen seine Soldaten über die Bürger her, vergewaltigten die Frauen, plünderten und mordeten drei Tage lang, bis sich in den Straßen nichts mehr rührte außer den Aasgeiern. Das ist der Herzog, der die Uhr bekommen hat. Sogar der König fürchtet sich vor ihm, obgleich er wie ein ganz normaler Mann aussieht und trinkt und lacht, ganz genauso wie du und ich.« Der Gießer zog zufrieden an seiner Pfeife. »Ich hoffe, jetzt ist deine Neugier befriedigt.« Und nachdenklich fügte er hinzu: »Und er wird bestimmt auch zahlen. Nicht gut — denn er ist geizig —, aber immerhin etwas. Er zahlt vielleicht für das Metall. Das ist mehr, als der Bischof zahlen wird.«

Die Arbeit an der anderen Uhr ging voran. Ich überlegte, ob mein Onkel sie der Kirche geben würde als Buße dafür, daß er den Orden verlassen hatte.

Um noch alles zu komplizieren, kamen drei Männer aus der Stadt und blieben eine Woche bei uns. Unser Onkel hatte den Stadtrat gebeten, sie zu schicken, damit sie sich die Uhr ansehen konnten, denn eines Tages würden sie die Uhr für die Stadt aufstellen müssen.

Unser Onkel würde also die Stadtuhr ebenfalls bauen.

Inzwischen arbeitete ich weiter an den Zeichnungen — Onkel wollte zwei davon. Einer der Männer aus der Stadt kam immer in die Kammer und starrte über meine Schulter auf die Zeichnungen.

»Wie kann ein Mädchen wissen, wie man so was macht?« fragte er.

Ich brachte es nicht fertig, in aller Bescheidenheit zu antworten. Aber ich konnte es auch nicht verhindern, stolz zu sein. Natürlich, wenn ich nicht Meister Albrechts Nichte gewesen wäre, hätte er mir nichts beigebracht. Und wenn mein Bruder dazu fähig gewesen wäre, hätte sich unser Onkel bestimmt mit ihm abgegeben.

Aber es war eine Tatsache, daß ich diese Zeichnungen sorgfältiger und präziser anfertigen konnte als unser Onkel oder Justin.

Ich bemühte mich, nicht überheblich zu wirken, trotzdem merkte ich, wie ich rot wurde, so daß man mir meinen sündigen Stolz vom Gesicht ablesen konnte.

An dem Tag, an dem die drei Männer in die Stadt zurückkehrten, rief mich Onkel Albrecht in die Werkstatt, wo er und Justin gerade dabei waren, die Waag an der Uhr des Bischofs zu befestigen.

»In einigen Tagen werden wir diese Uhr fertiggestellt haben. Dann werden wir alle in die Stadt gehen und dort eine große Uhr bauen.« Er lächelte mich an. »Du auch.«

»Und Niklas?«

Wie immer, wenn mein Bruder erwähnt wurde, runzelte unser Onkel die Stirn — der Gedanke an seinen unvollkommenen Neffen muß ihm weh getan haben. »Der Junge auch.«

»Warum baust du die Stadtuhr? Ich dachte, du arbeitest an einer Uhr mit einem Federantrieb?«

»*Vox populi vox Dei.*«

Nachdem mein Onkel diese Worte schroff ausgestoßen hatte, drehte er sich um und machte sich wieder an der Waag zu schaffen.

In diesem Augenblick wurde mir klar, was ihn noch mehr antrieb als der Wunsch, etwas zu lernen — es war der Wunsch, Gottes Willen zu erfüllen. Jedenfalls so, wie er diesen Willen verstand. Wenn Gott durch die Menschen sprach und die Menschen eine Uhr wollten, dann fühlte sich unser Onkel verpflichtet, eine für sie zu bauen. Aber der Bischof hatte ihn gewarnt. Er hatte gesagt, daß es den Menschen nicht bekommen würde, solche Dinge zu besitzen. War unser Onkel ungehorsam? War seine Auffassung von Pflichtbewußtsein gegenüber Gott aufrührerisch? War unser Onkel durch die Unabhängigkeit des Geistes genauso sündig wie ich mit meinen Zweifeln an der göttlichen Liebe? Vielleicht hatten wir mehr gemeinsam als das Blutsband. Vielleicht waren wir durch unsere ketzerischen Gedanken verbunden.

Als ich von großem Lärm aus dem Schlaf gerissen wurde, glaubte ich zuerst, mein Onkel habe wieder einen seiner mitternächtlichen Wutanfälle und werfe Spindeln und Federn an die Wand. Aber der Lärm wurde immer lauter und vermischte sich mit dem Geräusch von Stimmen.

Ich stand auf und lief von unserem Zimmer zur Gießerei, vor der sich mehrere Lehrburschen, die im Haus wohnten, versammelt hatten und hineinspähten. Ich lief zu ihnen.

Ein halbes Dutzend Männer mit schwarzen Kapuzen zertrümmerte mit Schmiedehämmern die Arbeitstische. An ihren Wämsern sah ich das Wappen — ein Einhorn, das in die aufgehende Sonne springt. Und durch die Löcher in den Kapuzen sah ich ihre Augen, die auf Zerstörung aus waren. Sie warfen alles, was brennbar war, in den Schmiedeofen. Was sie nicht zerschlagen konnten, packten sie in große Säcke.

Wo war unser Onkel?

Ich hatte plötzlich Angst um ihn, und dann sah ich ihn in dem Augenblick, in dem mich die Furcht zu überwältigen drohte, wie er von drei Männern mit Kapuzen aus der Werkstatt geführt wurde. Er wollte sich losreißen und drehte den Kopf, um zu sehen, was hinter ihm in der Werkstatt vor sich ging. Er stieß einen zornigen Schrei aus, der aber von den Drohungen der Männer, die ihn festhielten, noch übertönt wurde.

Mir war nie aufgefallen, wie stark unser Onkel war — vielleicht so stark wie unser Vater. Er kämpfte wie ein Stier, bis es ihm gelang, sich loszureißen, und dann versetzte er einem der Männer einen so kräftigen Schlag, daß er umfiel. Aber ein anderer schlug ihm einen dicken Knüppel über den Nacken. Dann kamen die anderen aus der Werkstatt, und während der gesamte Haushalt vom Eingang her zusah, schlugen sie ihn so lange, bis er in die Knie ging, und dann traten sie ihn mit Füßen.

Ich lief zu ihm und bekam selbst einen Schlag ab, daß ich stürzte. Dann ergriffen die Kapuzenmänner die ausgebeulten dicken Säcke und verließen mit ihnen die Gießerei.

Als ich den blutenden Kopf unseres Onkels hochhob, schob sich neben mir eine kleine Hand nach vorn, um auch zu helfen. Ich drehte mich um und sah in die großen blauen Augen meines Bruders.

Wie sich bald zeigte, hatte Onkel Albrecht mehr als nur ein paar Schläge davongetragen. Er lag in seinem Bett und bekam kaum Luft. Er hatte die eine Hand zur Faust geballt und drückte sie fest an seine Brust.

Ich blieb die ganze Nacht bei ihm, und am nächsten Morgen schien er sich wieder besser zu fühlen. Seine beiden Hände lagen still neben seinem Körper, sein bleiches Gesicht war mit kaltem Schweiß bedeckt. Dann atmete er allmählich ruhiger. Und danach schlief er eine lange Zeit.

Ich schlief auch ein, aber bevor er die Augen aufschlug, waren auch meine wieder offen.

»Nichte«, sagte er schwach.

Ich legte meine Hand auf ihn.

»Der Herzog.«

»Ich weiß.« Ich wußte, was geschehen war. Der Herzog hatte seine Drohung wahrgemacht. Er hatte unseren Onkel davon abgehalten, eine Uhr für die Stadt zu bauen. Mehr noch, er hatte sogar die Uhr zertrümmert, die für den Bischof bestimmt war. Es würde in dieser Region nur einen einzigen geben, der eine mechanische Uhr besaß – der Herzog.

In den nächsten Wochen taten Justin und die Gießer alles, um den Schaden zu beheben, aber die Wahrheit war, daß die Uhrenwerkstatt wie auch die Gießerei völlig zerstört waren. Überall lagen die einzelnen Teile der Uhr, die für den Bischof bestimmt war – »wie Männer, die in der Schlacht gefallen waren«, sagte Justin, während er herumging und die Hände rang.

Ich hatte Justin früher für stark gehalten, weil er so hart arbeitete, ohne mir darüber klarzuwerden, daß er nur stark war, wenn er von jemandem geführt wurde. Ohne unseren Onkel, das wußte ich jetzt, wären im Haus niemals Uhren und Waffen gebaut worden.

Und es schien, als würde er nie wieder die Führung übernehmen und Anweisungen erteilen, denn er wurde mit jedem Tag schwächer. Manchmal ballte sich seine Hand auf der Brust zur Faust, und sein Atem kam nur stoßweise.

141

Aber immer wieder raffte er sich auf und sprach von merkwürdigen Dingen. Er sprach von einer Zeit, in der jede große Stadt eine Uhr haben würde. Auf der Vorderfront eines jeden Turms würde ein großer Metallkreis angebracht sein, so daß die Bürger von der Straße aus hinaufblickten und von einem langen Zeiger die Stunden von eins bis zwölf würden ablesen können. Und an Stelle eines einfachen Hammers, der auf die Glocke schlug, würde eine Figur aus Eichenholz, vielleicht ein Krieger, ein Schwert schwingen oder eine Streitaxt und so die Stunden anschlagen.

Solche Visionen gaben ihm vorübergehend Kraft, als wären diese großen Worte Medizin für ihn. Dann hob er den Kopf vom Kissen, daß ich einen Augenblick lang hoffte, er werde die Zudecke abwerfen und aufspringen.

In solchen Momenten erteilte unser Onkel Befehle, dann war das Haus plötzlich wieder mit Leben erfüllt.

Der Auftrag, den er mir eines Morgens erteilte, war kurz und bündig: Ich sollte die beiden Zeichnungen sofort fertigstellen.

Ich ging vom Krankenzimmer direkt in die Kammer. Neben dem zertrümmerten Schemel fand ich die Zeichnungen verstreut am Boden. Offenbar hatten die Männer des Herzogs sie für wertloses Gekritzel gehalten.

Und so begann eine Zeit intensiver Arbeit, angeregt von meiner Liebe zu Onkel Albrecht. Ich arbeitete, aß und schlief in der Kammer, die ich nur verließ, um mich nach seinem Befinden zu erkundigen.

Als die beiden Zeichnungen schließlich fertiggestellt waren, ging ich in das Zimmer, das ich mit Niklas teilte. Ich legte mich hin und fiel sofort in einen traumlosen Schlaf, bis mich eine Hand wachrüttelte.

»Schnell.« Es war ein Küchenmädchen. »Schnell. Geh zu ihm. Er verlangt nach dir.« Und dann fügte sie hinzu: »Er liegt im Sterben.«

Aber als ich in sein Zimmer kam, atmete Onkel Albrecht ganz ruhig. Er drehte den Kopf auf die Seite, um mich anzusehen, seine Augen glänzten anders als sonst, sein Gesicht war ungewöhnlich weich.

»Onkel«, sagte ich und nahm seine Hand, während ich mich auf sein Bett setzte.

»Sag nichts. Dazu ist keine Zeit. Du mußt bestimmte Dinge wissen. Du mußt mir verzeihen.«

»Es gibt nichts zu verzeihen.«

»Ich habe deine Mutter geliebt.«

»Dann haben wir sie beide geliebt.«

»Ich habe sie wie ein Mann geliebt.«

Seine Hand zitterte.

»Aber ich habe es sie nie wissen lassen, weder durch Worte noch durch Taten, das schwöre ich. Sie hat es nie erfahren, niemals. Aber dein Vater hat es geahnt. Wir hatten einen Streit. Ich bin aus ihrem Leben gegangen. Deine Mutter glaubte, wir hätten uns wegen etwas anderem gestritten. Sie hat es nie erfahren, niemals. Und jetzt liebe ich dich, als wärst du meine eigene Tochter.«

»Und ich liebe dich auch.«

»Verzeih mir.«

»Lieber Onkel, es gibt nichts, das ich verzeihen müßte. Du bist immer nur gut zu mir gewesen.«

»Zuerst habe ich nur den Gedanken gehaßt, daß du hier bist, daß ich sie in dir wiedersehe. Aber mit der Zeit habe ich dich so gesehen, wie du bist. Du hast mich sehr glücklich gemacht, Anne.«

Als er schwieg, glaubte ich schon, er sei eingeschlafen, aber er sprach weiter und ergriff meine Hand.

»Hör mir zu«, sagte er. »Du mußt in die Stadt gehen.«

»Sie hat es nie erfahren?«

»Hör mir zu, du hörst mir nicht zu. Geh in die Stadt. Ich habe alles vorbereitet, ich habe einen Soldaten angeheuert, der dich hinbringt. Hör zu. Nimm den einen Satz der Zeichnungen mit. Den bietest du dem Goldschmied an. Erinnerst du dich an ihn? Der mit dem vernarbten Gesicht.«

Er umklammerte meine Hand fest. »Gib Justin die andere Zeichnung. Warte —« Aber er begann, zu keuchen und zu würgen. Ich hielt seine Hand und saß bei ihm, bis er wieder eingeschlafen war.

Als es dämmerte, wachte er auf

»Anne? Bist du da?«

»Ja, ich bin bei dir.« Ich ging von dem Stuhl, auf dem ich gesessen hatte, zum Bett und setzte mich neben ihn.

»Hast du mir verziehen?« Das war es, was er hören wollte. Daher sagte ich: »Ja, ich habe dir verziehen.«

»Und du hast keinen Haß auf mich?«

»Nein Onkel, ich habe keinen Haß auf dich.« Wie hätte ich ihn hassen können, nur weil er meine Mutter geliebt hatte? Selbst wenn er sie mit dem Verlangen eines Mannes geliebt hatte. Ich hatte ihn nur einmal gehaßt — als er in meine Seele geblickt und mir meine schrecklichen, ketzerischen Gedanken auf den Kopf zugesagt hatte.

»Sieh unter das Kissen, Anne.«

Ich hob das Kissen hoch und zog eine dicke Lederbörse darunter hervor.

»Nimm es.«

»Nein, Onkel.«

»Nimm es. Es gehört dir. Die Uhr —«

Ich beugte mich nach vorn, um ihn deutlicher hören zu können.

»Die Zeichnungen müssen in die Stadt. Ich habe einen Vertrag geschlossen. Sie müssen hingebracht werden.«

»Ja, Onkel. Justin und ich —«

»Nein, nein, nein. Geh nicht mit Justin in die Stadt. Laß ihn zuerst weggehen. Traue ihm nicht — er ist kein mutiger Mann.« Unser Onkel richtete sich auf seinem Kissen auf, seine Augen waren groß und wild. »Laß ihn zuerst weggehen. Dann warte einen Tag, bevor du gehst. Versprich mir das!«

Ich versprach es ihm.

Er lehnte sich zurück und schien mich nach einer Weile vergessen zu haben. Als er dann wieder sprach, kamen seine Worte langsam und ruhig aus seinem Mund wie aus einem Traum, und ich wußte, daß es mit ihm zu Ende ging.

»Ich bedauere es, keine Uhr mit einem Federantrieb gebaut zu haben. Wenn ich mehr Zeit gehabt hätte, hätte ich sie bauen können. Ich weiß, daß ich recht habe.«

Als er schwieg, sagte ich: »Ganz bestimmt hast du recht.«

»Das Geheimnis der Schnecke ist eine kegelförmige Trommel. Kegelförmig. Ganz zweifellos. Wir werden Uhren haben, die man in der Hand halten kann.« Er schluckte. Dann lächelte er. »Gar nicht so ungewöhnlich.«

»Onkel?«

»Wir werden alles machen. Nichts ist so ungewöhnlich, als daß es sich nicht machen ließe. Das ist der Wille Gottes. Schiffe werden von Maschinen angetrieben werden. Glaub mir.«

»Ich glaube dir, Onkel.« Aber bestimmt kamen seine Worte aus Fieberträumen.

»Und es wird Maschinen geben, die fliegen. Ihre Flügel werden die Luft zerteilen wie die Flügel der Vögel. Und die Maschinen werden nicht müde werden. Sie werden sich immer weiter drehen. Und eines Tages«, fügte er in fieberhafter Erregung hinzu, »eines Tages werden Maschinen bis zum Grund der Meere tauchen.«

Er murmelte noch lange Zeit vor sich hin, schlief ein, kam wieder zu Bewußtsein und sagte Dinge, die ich nicht begriff. Aber ich hörte ihn auch den Namen meiner Mutter und meines Vaters sagen in so qualvollem Schmerz, daß ich weinen mußte.

Ich weinte, bis ich spürte, wie seine Hand, die ich hielt, steif wurde. Ich starrte ihn an und erkannte, daß er noch im allerletzten Augenblick Dinge sah, die nur ein Mann wie er sehen konnte.

17

Als unser Onkel noch lebte, waren seine Wünsche stets respektiert worden, daher war ich sicher, daß sie auch nach seinem Tod respektiert werden würden. Aber in der folgenden Woche wurde ich eines Besseren belehrt.

Kaum hatte sich im Haus die Nachricht von seinem Tod verbreitet, da begannen auch schon Sachen zu verschwinden: Waffen aus den Lagerräumen, Möbel aus den Zimmern, Werkzeuge aus der Gießerei. Justin brachte an der Gießerei ein Vorhängeschloß an. Die Haushälterin, die nach Margarets Tod gekommen war, versperrte alle Räume, so daß selbst die Hausmädchen erst ihre Erlaubnis einholen mußten, wenn sie sie betreten wollten. Unser Onkel war erst einen Tag begraben, da erschienen auch schon Leute mit Rechnungen am Tor und forderten Bezahlung. Es gab viele Gerüchte. Geistliche und Edelleute erhoben Anklage, sie forderten Uhren und Waffen, die sie bereits bezahlt, aber nie erhalten hätten.

In den Fenstern der benachbarten Häuser erzählte man sich, daß das gesamte Anwesen einer alten Mätresse oder einem Kloster vermacht worden sei. Auf der Straße fragten sich die Menschen gegenseitig, ob es stimmte, daß der alte Valens in seinem Letzten Willen jedem Mitglied des Haushalts, jedem Gießer und Schmied einen Teil seines Besitzes vermacht habe.

Justin sagte mir, daß dieses Gerücht der Wahrheit entspräche.

»Und wann werden sie ihren Teil bekommen?«

»Niemals. Sie werden nicht so lange warten, bis das Gericht alles geregelt hat. Das wird viel zu lange dauern. Sie werden weggehen – an andere Arbeitsplätze, in andere Städte.«

»Man wird seine Wünsche also nicht respektieren?«

Justin lachte. Das war plötzlich ein neuer Justin. »Was gehen uns jetzt noch seine Wünsche an? Kümmre dich um deine eigenen, Anne.«

Ich sagte nichts weiter, sondern ging in den Hof und setzte mich an die Mauer und hing meinen melancholischen Gedanken nach. Justin hatte den Mann schon vergessen, mit dem er jahrelang zusammengearbeitet hatte.

Unser Onkel muß geahnt haben, daß es so kommen würde. Deshalb hatte er mich gewarnt und mir geraten, allein in die Stadt zu gehen. Einem Mann ohne Gedächtnis kann man nicht trauen.

Am nächsten Tag verabschiedete ich Justin. Die Teile des Uhrwerks, die nach dem Überfall des Herzogs aus den Trümmern gerettet worden waren, wurden auf Maultiere gebunden. Justin, der eine Rolle Sackleinen in den Händen hielt, in der die Zeichnungen waren, stieg auf ein Pferd. Er machte mich auf die Gefahren einer Reise aufmerksam und bat mich, ihm auch meinen Satz Zeichnungen auszuhändigen. Sein Eifer bestärkte in mir den Wunsch, die Zeichnungen zu behalten und selbst zu überbringen.

Als ich der Maultierkolonne, die sich langsam entfernte, nachsah, spürte ich Blicke auf mir. Ich brauchte mich nicht umzudrehen, denn ich wußte, wessen Augen auf mich gerichtet waren. Sie gehörten dem Mann, den unser Onkel ausgesucht und bezahlt hatte, um Niklas und mich mit den Zeichnungen in die Stadt zu bringen.

Sein Name war Hubert, und er war am Tag der Beerdigung

gekommen. Er war jung, nur wenige Jahre älter als ich. Er war groß und hatte eine breite Brust, große Füße und große Hände. Hubert hatte eine schmutzige blaue Tunika an, die mit einem Gürtel zusammengehalten war, und eine zerbeulte Hose und staubige Sandalen und eine braune Wollkapuze, die sich um den Hals legte wie ein kurzes Cape. Er lehnte an der Mauer und wartete darauf, daß ich die Zeit für die Abreise festsetzte. Nie sah ich sein Gesicht. Wann immer ich mich zu ihm umdrehte, sah ich die geschlossene Kapuze, und in ihrem Schatten waren seine Lippen – nur sie sichtbar – immer ein wenig geteilt. Er schien genau zu beobachten, was seine verborgenen Augen sahen. Und ich stellte mir vor, daß sie mich sahen.

Als Justin und seine Maultiere auf der Straße verschwunden waren, drehte ich mich schließlich zu Hubert um. »Morgen früh reisen wir ab.«

Kurz nach Sonnenaufgang packte ich die paar Sachen, die ich besaß, in einen Lederbeutel, wickelte meine Zeichnungen in Sackleinen und befestigte sie mit Riemen auf meinem Rücken; und den Geldbeutel machte ich an meinem Gürtel fest. Ich trug eine einfache Tunika, weite Beinkleider und eine Kapuze, die einen Kragen hatte, unter dem ich meine Haare verbergen konnte.

Niklas war schon bereit, als ich ihn rief. Er hatte einen Holzkäfig gebaut, um das Kaninchen darin zu tragen. Jede Strebe des Käfigs war mit einer anderen verbunden, so daß der ganze Käfig ohne eine einzigen Nagel zusammenhielt.

»Das ist ein schöner Käfig, Bruder«, sagte ich zu ihm.

Er lächelte nicht, gab mir mit seinen blauen Augen kein Zeichen, daß er verstanden hatte. Niklas war schnell gewachsen. Er war jetzt so groß, daß er mich schon an die mächtige Gestalt unseres Vaters erinnerte. Ich nahm mir vor, mehr Zeit mit ihm zu verbringen. In ein paar Jahren würde Niklas ein Mann sein. Und was dann?

Aber für diese Frage war auf unserer Reise keine Zeit. Wir verließen unser Zimmer und gingen in den Hinterhof, in dem sich die Bewohner des Hauses versammelt hatten. Sie sahen auf die Straße und lachten und kicherten.

»Was ist los?« fragte ich, als wir zu ihnen kamen.

»Sieh doch selbst«, sagte ein Gießer.

Auf dem Rücken eines Pferdes saß ein gutaussehender junger Mann mit langen braunen Haaren und hellen braunen Augen. Seine Gesichtszüge in dem schmalen weißen Gesicht waren eckig und scharf, ohne brutal zu wirken. Obgleich er saß, wirkte er groß — Gamaschen umschlossen seine langen Beine —, und er hatte breite Schultern, und seine Brust sah in dem glänzenden Harnisch riesig aus. Mit der einen Hand, die sehr groß war, hielt er die Zügel, mit der anderen hielt er einen Helm mit einer großen Feder. Als er mich in der Hintertür des Hauses sah, teilten sich seine Lippen plötzlich zu einem erstaunten Lächeln.

Ich kannte diese Lippen. Der gutaussehende junge Mann auf dem Pferd war Hubert. Er sah durch die Rüstung verändert aus.

Ich drehte mich zu den anderen um, die dastanden und kicherten, um eine Erklärung zu bekommen, aber sie gaben mir keine. Wenige Minuten später winkte ich ihnen über die Schulter zu — ich saß auf dem Pferd, das Hubert in seiner Ritterrüstung am Zügel führte, und Niklas folgte ihm mit dem Käfig, in dem das Kaninchen saß.

Als wir unter aller Augen die Stadt verlassen hatten und auf der Straße waren, die nach Osten führte, sagte Hubert: »Mein Fräulein.« So nannte er mich immer.

Er sagte: »Mein Fräulein, kümmert Euch nicht um diese Leute. Es geht sie nichts an, wofür ich mein Geld ausgebe. Wenn ich es für eine Rüstung ausgeben will, jede einzelne Münze, die ich verdiene, weil ich Euch begleite, Fräulein, jede einzelne Münze für Helm und Schwert und Pferd verwende, für die Ehre, das alles zu besitzen, dann ist das ganz allein meine Sache, ganz allein meine.«

Ich saß auf dem gemächlich dahinschreitenden Pferd und hörte Hubert zu. Wer hätte geglaubt, daß er so viel reden konnte? Aber wer hätte denn wohl auch geglaubt, daß sich hinter der Kapuze ein so gut aussehendes Gesicht, braune Augen, weiche, gelockte Haare verbargen?

Während wir in der zunehmenden Hitze an Getreidespeichern, Scheunen, Weinfässern, Obstgärten und Getreidefeldern vorbeizogen, erzählte mir Hubert davon, was ihm im Leben am meisten bedeutete — vom Rittertum. Die jungen Edelknaben lernen, wie

148

man bewegliche Figuren mit der Lanze trifft, erzählte er mir. Sie halten die Pferde ihrer Ritter, wenn die Schlacht zu Fuß fortgeführt wird. Er erzählte mir, daß die Bannerherren Banner tragen und die Ritter (des niedrigsten Stances) Lanzenfähnchen, die gabelförmig sind, anders als die flatternden Wimpel, die von den Edelknaben getragen werden. Er sprach begeistert und ausführlich von der Zeremonie des Ritterschlags, von Gelübden, von den Formen des Treueschwurs, der Bedeutung von Waffenzeichen, bis mir der Kopf schwirrte von all diesen Dingen und einer solchen Pracht und Herrlichkeit.

Hubert hörte nur so lange zu sprechen auf, bis er die Rüstung von Armen und Beinen genommen hatte. Dann fuhr er fort, noch mehr Geschichten von großen und tapferen Rittern zu erzählen, von dem »Erzpriester« Arnaut de Cervole und »dem Mann der wenigen Worte« Robert Knollys und von Fra Monreale und Hugh of Calveley.

Er blieb mitten auf der Straße stehen, um mir zu zeigen, wie der Ritterschlag vollzogen wurde, und verwendete Niklas für die Zeremonie. Niklas mußte sich auf die Straße knien, dann tippte Hubert meinem Bruder dreimal mit einem glänzenden neuen Schwert auf die Schulter und schrie: »Beschütze den König, preise Gott und steh auf!« Er schrie so laut, daß die Bauern, die ihre Wagen über die Straße zogen, vor Schreck zwischen die Büsche sprangen.

Hubert hatte seinen Helm an der Satteltasche des Pferdes befestigt und auch seinen Brustharnisch, so daß er am Ende die gesamte Rüstung, in der ihm in der Mittagssonne heiß geworden war, abgelegt hatte. Mit der einen Hand führte er das Pferd am Zügel, so trottete er mit gesenktem Kopf über die Straße, die sanften braunen Augen auf die Furchen am Boden gerichtet.

»Für einen Ritter«, sagte er, »sollte es keine Steuern geben. Das ist seiner unwürdig.« Er sagte es auf seine ernste, abgewogene Art. »Ein Ritter muß sich mit dem Schwert und der Lanze beweisen und mit sonst nichts. Auf dem Schlachtfeld«, Hubert warf mir einen Blick zu, »zahlt er seine Schulden und nur dort und sonst nirgendwo. Nichts sonst zählt«, sagte Hubert mit stolzem Stirnrunzeln, »außer seiner Dame und seinem Gott und dem Schlachtroß, das er reitet.«

»Ja«, sagte ich.

»Dann seid Ihr also meiner Meinung, mein Fräulein?«

»O ja, gewiß.« Mir war, als habe sich mein Herz in meiner Brust losgerissen und triebe wie ein Blatt im Strom dahin. Seine Ritter bedeuteten mir nichts, aber wahrscheinlich hätte in diesem Augenblick nichts, was er sagte, eine Bedeutung. Ich beobachtete ihn – wie er uns auf der Straße führte, ein starker und kräftiger junger Mann mit seinen weichen Haaren, die sich im Winde wiegten, und seinen Schultern, so breit, als könnten sie Niklas, mich und das Pferd dazu tragen, während er immer weiter redete und redete und redete, von Schlachtfeldern, die mit zerfetzter Seide und goldenen Gürteln und bunten Tuniken und kostbaren Pelzroben übersät waren – mit dem Reichtum der kämpfenden Männer, den sie mit ihrem Blut und ihrem Leben zurückgelassen hatten.

Als wir in einem Dorf anhielten, um etwas zu essen zu kaufen, sah er in seinen Geldbeutel und stellte fest, daß er leer war. Ich fragte ihn, ob unser Onkel ihm Geld gegeben habe, um für uns auf der Reise bezahlen zu können.

Überrascht machte er den Mund auf und hielt die Luft an, als wäre ihm dieser Gedanke nie in den Sinn gekommen.

Er hatte also tatsächlich alles für seine Ritterrüstung ausgegeben – die er in der Schmiede unseres Onkels gekauft hatte (denn ich hatte das AV gesehen, das in den Brustharnisch eingestanzt war).

»Macht nichts«, sagte ich und zahlte aus meinem eigenen Geldbeutel.

Als wir wieder auf der Straße waren, bestand er darauf, den Geldbeutel für mich zu tragen. Es gebe überall Banditen, aber ich brauche mir deswegen keine Sorgen zu machen, solange er in unserer Nähe sei, versicherte Hubert. Er wollte, daß ich mich sicher fühlte.

Ich gab ihm den Geldbeutel. Aber von den Leinenrollen, die auf meinem Rücken befestigt waren, wollte ich mich nicht trennen, auch nicht, um seinen Mut und seine Entschlossenheit zu würdigen.

»Mein Fräulein«, sagte er und ging weiter die Straße hinunter, die wegen der sich ständig verlängernden Schatten auch länger aussah, »ich weiß, daß meine Vorfahren kühn und tapfer gewesen sein müssen. Mein Vater war es ganz bestimmt. Er hat als Knappe eines Ritters begonnen.« Hubert blieb einen Augenblick stehen und sah mich an, um die Bedeutung dieser Tatsache hervorzuheben.

Ich lächelte in hemmungsloser Bewunderung.

»Aber dieser Ritter fiel in der Schlacht, bevor mein Vater noch richtig erwachsen war. So verbrachte er sein Leben als Krieger auf dem Schlachtfeld.« Wieder blieb er stehen, um mich anzusehen.

Ich runzelte traurig die Stirn.

Hubert zuckte die Achseln. »Er hat sich mit seinem Schicksal abgefunden. Er war bis zu seinem Ende zufrieden, er starb in seinem Bett, nachdem er all die Jahre in den heidnischen Ländern gekämpft hatte. Er war ein wahrer Ritter – großzügig und treu.« Hubert, der das Pferd führte und voranging, drehte sich um und fügte hinzu: »Die wahren Ritter beschützen die Schwachen und widersetzen sich der Tyrannei.«

»Willst du später ein Ritter sein, Hubert?«

Er schien größer zu werden. »Ja, das will ich«, erklärte er. »Und jetzt habe ich endlich die Rüstung. Als nächstes werde ich beweisen, daß ich mit den Waffen umgehen kann. Heutzutage, mein Fräulein, werden die Ritter auf dem Feld geschlagen. Besitztum ist nicht mehr so wichtig. Die Kreuzzüge haben vielen tapferen Männern Gelegenheit gegeben, sich auszuzeichnen. Und ich werde meine Chance nutzen. Ich glaube, ich bin zum Ritter bestimmt. Was glaubt Ihr, mein Fräulein?«

»O ja, das glaube ich auch.«

Er war stehengeblieben und sah mich so eindringlich an, wie ich ihn ansah. Der Himmel und die Erde standen still, das könnte ich schwören, in diesem Augenblick, und zum erstenmal in meinem Leben sah ich einen Mann mit dem Verlangen einer Frau an, wie es die Priester verdammen, weil es für sie eine Sünde ist.

151

18

Wir gingen weiter durch den heißen Nachmittag, vorbei an Feldern und Wäldern, und begegneten kaum anderen Reisenden. Hubert erklärte, es läge an der Seuche, daß so wenig Menschen unterwegs seien — sie hatte sich über das Land gewälzt wie eine feindliche Armee, die alles verwüstet.

Ich erzählte ihm, wie wir der Pest begegnet waren. Es kam mir gar nicht in den Sinn, vorsichtig zu sein — bei einem solchen Geständnis konnten manche Menschen zu der Überzeugung gelangen, daß ich entweder verrückt oder vom Teufel besessen war. Aber ich dachte nur daran, wie ich mich in Huberts Augen wichtig machen konnte. Und was könnte wichtiger sein, als der Pest zu begegnen? Das waren meine Gedanken.

Hubert hörte mit ernster Miene zu, dann drehte er sich um und blickte mich mit schmalen Augen an.

»Nein«, sagte er. »Das war nicht die Pest, die du getroffen hast. Das war ein Tempelritter, der sein wahres Ich vergessen hatte. Er hat nicht geschrien, als sie ihm die Hand abgeschlagen haben?«

»Er schrie, aber es hörte sich an wie ein Schlachtruf.«

»Ganz sicher ein Ritter. Ein Ritter schreit nicht, wenn man ihm Schmerzen zufügt. Das verbietet die Regel.«

»Würde die Pest schreien?«

»Natürlich würde sie schreien«, erklärte Hubert. »Es heißt, daß Dämonen ganz schrecklich schreien, wenn sie verletzt sind.«

Kurz nach dieser Unterhaltung schlug Hubert, als sich die Straße gabelte, die Richtung nach Norden ein, obgleich die Stadt im Osten lag. Ich sagte nichts über diesen Umweg, und ich fragte nichts, sondern ich betrachtete ihn immer nur, wie er das Pferd führte mit wehenden Haaren, durch die der heiße Wind strich. Von einem Fallensteller, dem wir auf der Straße begegneten, kaufte Hubert zwei Rebhühner, die ganz frisch getötet waren. Großzügig griff er in meinen Geldbeutel, war nicht bereit, um den Preis zu feilschen, obgleich ich ihn ziemlich hoch fand. Hubert gab dem grinsenden Fallensteller ein paar Münzen und befestigte die steifen Tiere am Sattel des Pferdes, dabei strich seine Hand über meine Hüfte, daß mir das Blut in die Wangen stieg.

Wir beschlossen, die Nacht im Wald zu verbringen, denn Hubert sagte, es sei sicherer, als in einem Gasthaus zu übernachten. Ich willigte ein und mußte an das Wirtshaus denken, in dem sich zwei Ritter wegen eines Pferdes geschlagen hatten. Das Pferd, auf dem ich ritt, war ein Hengst, wenn auch ein ziemlich alter und mit einem Senkrücken. Ich brauchte Hubert gar nicht erst um seine Meinung in bezug auf Stuten als Schlachtpferde zu fragen. Ich kannte sie. Trotzdem fragte ich ihn.

Er blieb stehen. »Mit einer Stute in die Schlacht reiten? Niemals!« sagte er.

Ich freute mich über seine Antwort. Wie zuverlässig er war! Und wie stark! Hubert würde nicht einen Millimeter von dem Pfad abweichen, den er einmal gewählt hatte. Seine Festigkeit erregte mich.

Ein Stück von der Straße entfernt, in einem kleinen Wald, richteten wir unser Lager für die Nacht her. Niklas und ich sammelten Brennholz, während Hubert die Rebhühner rupfte und zurechtmachte.

Offenbar wußte er gut, wie man Speisen zubereitet und kocht. Als sich die Vögel am Spieß drehten, erzählte er mir von seiner Kindheit, die er mit zwei jüngeren Brüdern und seiner kranken Mutter verbracht hatte. Wenn er nicht das eigene Land bestellte und pflügte, verdingte er sich als Hirte oder Zimmermann. Sein Vater kehrte nur sehr selten aus den Schlachten zurück, um von seinen großen Abenteuern zu berichten. »Er hat dir also von den Rittern erzählt«, sagte ich, als wir die gebratenen Vögel aßen.

»Es war wunderbar. Die Schlachten beginnen in der Morgendämmerung. In Reihen bewegen sich die Krieger durch den Wald, dessen grünes Buschwerk einen starken Geruch ausströmt. Niemals sonst riechen sie so wie vor der Schlacht, sagte Vater. Und gegen Mittag, auf dem Höhepunkt der Schlacht, spürt man das Sonnenlicht warm auf dem Arm mit dem Schwert. Es ist ein Gefühl, als würde Gott auf einen herabblicken. Immer hat er uns von solchen Dingen erzählt, aber meine Brüder wurden schnell ungeduldig. Nur ich hätte immer und ewig zuhören können.«

Wir schwiegen.

Dann sah mich Hubert mit einem scheuen Lächeln an. »Eines Tages werde ich mir Jagdhunde und Falken halten, mein Fräulein, und für Euch werde ich kostbare Roben mit Hermelinkragen und herrliche Samtgewänder kaufen, das schwöre ich.«

Ich spürte, wie ich rot wurde, obgleich ich mich schon daran gewöhnt hatte, daß er mich sein Fräulein nannte. Er war ein lieber junger Mann, und ich lächelte ihn so offen an, wie ich konnte, und spürte dabei, wie sich meine Mundwinkel nach oben zogen, und merkte, wie meine Augen glänzten.

Aber er sah mich nicht länger an. Seine Augen waren auf die rotglühende Asche gerichtet. Über dem Feuer sah sein Mund jetzt fest und nachdenklich aus, als würde er angestrengt nachdenken. Dachte er an mich?

Es war ein langer anstrengender Tag gewesen, und obgleich ich müde war, fühlte ich mich überhaupt nicht schläfrig, auch nicht, als sich Niklas zusammengerollt hatte und eingeschlafen war mit Kaninchens Käfig neben sich. Hubert und ich saßen einander gegenüber und starrten ins Feuer.

Dann sah er mich plötzlich mit einem so gequälten Ausdruck an, daß ich wußte, daß er über mich nachgedacht hatte.

Er sprach ruhig, sanft, seine Worte kamen über die glühende Asche zu mir. Er sprach von der Liebe eines Ritters, der seiner Dame bis ans Ende ihrer Tage dient. Die Liebe macht einen Ritter stark und befähigt ihn, große, beherzte Taten zu vollbringen. Eine solche Liebe verblaßt nie, denn die Schönheit seiner Dame ist als ewige Schönheit in seine Seele eingebrannt.

Ich sagte nichts, aber die Müdigkeit des Tages war von mir abgefallen, statt dessen spürte ich in meinem Körper eine Schnelligkeit wie jemand, der entschlossen ist zu laufen.

Hubert hatte einen Mann gekannt, der in einem Nachbardorf wohnte und lesen konnte. Er hatte Gedichte aufgesagt und Hubert ein paar davon beigebracht. Diese Gedichte erzählten von dem Schmerz der Liebe und der Herrlichkeit der Jugend, dem Verlust des Ichs und von der letzten Erfüllung der Liebe, sagte Hubert.

Ich erwiderte nichts, zog aber die Beine ganz dicht vor den Körper und legte das Kinn auf die Knie, ich fühlte, wie mein Herz klopfte.

Und es schlug noch schneller, als Hubert um das Feuer kam und sich so dicht neben mich setzte, daß ich die Wärme seines Körpers spürte. Im letzten Glühen des Feuers sahen wir uns an, sein Gesicht war so blaß wie der Mond.

Und dann sagte er mit leiser Stimme Gedichte auf. Sie handelten von Liebenden: von der grausamen Dame und dem flehenden Ritter. Er beschrieb ihre Schönheit, und nur ich wußte, daß er zu mir sprach, als besäße ich diese Schönheit. Er sagte, meine Haare schimmerten wie eine Messingschale, meine Nase sei frech, meine rosaroten Lippen so süß wie Duftwasser, meine Kehle weißer als die eines Schwans oder weißer als Schnee, der auf einen Zweig gefallen ist. Er sagte, er könne mit den Händen meine Taille umfassen. Mein Körper sei so rank und schlank wie ein Baum. Er sagte, mein Fleisch (bei diesem Wort spürte ich Hitze in den Wangen) sei so frisch wie der Morgentau. Und dann sprach er mit singender Stimme von meinen Brüsten, die wie kleine weiße Vögel seien, die sich in ihrem Nest rührten, und ich mußte wieder daran denken, wie er sie den ganzen Tag angestarrt hatte, wie sie — ja, das wußte ich — zu der schwingenden Bewegung des Pferdes ein wenig wippten.

Ich dachte noch immer über seine Worte nach, als sich Hubert nach vorn beugte und seine Lippen auf meine legte. Seine Hände glitten von meinem Gesicht hinunter zum Hals, sie zitterten auf mir, als berührten sie etwas Zerbrechliches, ein kleines Tier, ein Kaninchen, und als er mich berührte, fühlte ich mich auch, wie Kaninchen sich gefühlt haben mußte, wenn wir es streichelten, so warm und geborgen. In mir breitete sich eine Wärme aus, wie ich sie noch nie zuvor gespürt hatte. Sie strömte durch meinen Körper, so warm, daß mir ganz schwindlig wurde, aber es war nicht der Wunsch, zu schlafen, der mich erfüllte, o nein. Ich machte mich von ihm los.

»Was habt Ihr, mein Fräulein?« fragte er sanft.

»Ich weiß nicht.«

»Natürlich wißt Ihr es. Ihr habt Angst vor der Liebe.«

»Ich weiß nicht.«

Er ließ mich dann allein, ging wieder hinüber auf die andere Seite des Feuers. Ich glaube, wenn er mich noch ein wenig länger an sich gedrückt hätte, hätte ich mich ihm dort und dann hingegeben. Und wann immer ich ihn am nächsten Tag ansah, kehrte sogleich dieses schwindlige Gefühl von Wärme zurück.

Wir kamen nur langsam voran. Wir gingen nach Norden und dann ein kurzes Stück nach Osten und dann wieder nach Norden. Auf diese Weise würden wir doppelt so lange brauchen, bis wir die Stadt erreichten. Aber das kümmerte mich nicht. Ich überließ Hubert die Führung und folgte ihm, wohin er wollte. Niklas ritt manchmal hinter mir auf dem Pferd, aber der schwankende Gang des Pferdes beunruhigte ihn, so daß er die meiste Zeit neben Hubert ging.

Am Nachmittag des zweiten Tages schob er seine Hand in Huberts Hand. Das hatte Niklas seit dem Tod unseres Vaters noch nie bei einem Mann getan. Als ich ihn Hand in Hand mit Hubert sah, mußte ich voller Schmerzen an früher denken, als unser Vater ihn mitnahm, wenn er nach dem Mühlrad sah. Dann standen sie beide bei dem Rad und sahen zu, wie es sich drehte und wie das Wasser von einer Schaufel zur nächsten tropfte, während sie sich an den Händen hielten, Vater und Sohn. Und jetzt hatte mein Bruder genauso leicht Vertrauen zu Hubert gefaßt, wie ich es getan hatte. Es ging mir zu Herzen. Denn bestimmt hatte mein Bruder dieses Gefühl aus meinem Gesicht abgelesen. Anstatt wütend und eifersüchtig zu sein, fühlte sich auch Niklas in Huberts Gegenwart wohl. Ich hatte sie beide bei mir auf dieser Reise, darüber war ich sehr froh.

Wir hielten an diesem Abend wieder in einem Wald an. Hubert nahm von dem Sattelknauf des Pferdes einen kleinen Eisenkessel. Schon bald kochte der Brei, und während er kochte, kauten wir das Brot, das wir im letzten Dorf gekauft hatten. Die Sonne ging unter, noch bevor wir mit dem Essen fertig waren. Aus der Ferne hörte ich Kühe, und in den Zweigen über uns zwitscherten die Vögel.

Während wir aßen, hoppelte das Kaninchen im Gras, und ich konnte in seinen großen Augen, die vom Schein des Feuers glühten, mein Spiegelbild sehen. Dann setzte es Niklas wieder in seinen Käfig.

Ich fühlte, wie ich dachte: Geh schlafen, Bruder, geh jetzt schlafen.

Wir schwiegen beide, Hubert und ich, während das Feuer niederbrannte und in sich zusammenfiel. Nachdem die Dunkelheit eingebrochen war, waren auch andere Geräusche zu hören — das Summen der Insekten, das Knistern im Unterholz, das die kleinen Tiere verursachten, die im Boden scharrten.

Schließlich gähnte Niklas und rollte sich neben dem Feuer zusammen, das Kaninchen im Käfig in greifbarer Nähe.

Hubert und ich saßen einige Zeit stumm da, wir starrten beide in das Gesicht des Jungen, das sich allmählich entspannte und dann ganz leer wurde im Schlaf.

Schließlich stand Hubert auf und winkte mir. Wortlos folgte ich ihm weg von dem verglühenden Feuer ein Stück in den Wald hinein. Keiner von uns sagte etwas. Dann blieb er stehen und drehte sich um. Im Schein des Mondes sah ich die Konturen seines Gesichts. Er sagte: »Jetzt ist die Zeit, mein Fräulein.«

Ich sagte nichts.

»Jetzt ist die Zeit, uns zu lieben, nicht wahr? Das wißt Ihr doch auch, mein Fräulein? Nicht wahr?« fragte er mit so zarter, flehender Stimme, daß ich die Kordel ergriff, die meine Tunika zusammenhielt, und mich abwandte. Als ich mich wieder umdrehte und zu ihm ging, war ich nackt. Und als sich sein nackter Körper behutsam dem meinen näherte, war ich verwundert über seine Mitte, die mich berührte und sich dann warm an meinen Bauch legte. Unsere Lippen trafen aufeinander. Er zog mich auf den Boden, oder vielmehr glaube ich, daß wir uns beide gegenseitig auf den Boden zogen. Mein Verlangen nach ihm war so groß, daß sich meine Hand zwischen uns schob, als wir in dem toten Laub lagen Körper an Körper, daß meine Hand gierig nach ihm griff, ungeduldig. Als er in mir war, fühlte ich für einen kurzen Augenblick den Schock und den Schmerz, aber dann strömte die Freude über unsere Vereinigung aus mir heraus wie die Wärme aus einem Feuer, und ich weinte, weinte.

Am nächsten Morgen gingen wir auf der Straße, die nach Norden führte, weiter. Hubert führte mich aus Liebe fort von meiner Pflicht und meiner Verantwortung. Ohne die Leinenrolle auf meinem Rücken hätte ich vergessen, daß es eine Uhr gab. Für mich zählte nicht die Zeit, sondern Zeitlosigkeit. Ich wünschte mir, daß diese Reise nie zu Ende ginge, daß wir drei, Hubert, Niklas und ich, und auch das Kaninchen nach Norden oder Süden oder Westen gingen — überallhin, nur nicht in die Stadt. Ich wollte mit Hubert und Niklas in einem einzigen unveränderlichen Augenblick gefangen sein, bis Gott uns zu sich rief.

19

Während der nächsten beiden Tage zogen wir nach Norden und ein Stück nach Osten, machten frühzeitig halt am Abend, um das Lager aufzuschlagen und darauf zu warten, daß Niklas einschlief. Und dann die Liebe — auf dem unwegsamen Boden unter Eichenbäumen und wilden Kirschen und Erlen und zwischen den Waldschnepfen und dem kleinen Wild, das sich im Unterholz versteckte.

Ich erlebte, wie unser geheimes Vergnügen in der Dunkelheit bei Tageslicht zu einem anderen Vergnügen wurde. Da draußen in der von Sonne durchdrungenen Welt fühlte ich mich Hubert, getrennt von seinem Körper, in Gedanken sehr nahe, all seinen Gedanken, die ich hegte und pflegte wie das Kaninchen in seiner Kiste, und wenn er sich vorn, wo er das Pferd am Zügel führte, zu mir umdrehte und mich anlächelte und ich zurücklächelte, auf ihn hinunterlächelte, dann sprachen wir zueinander von der Liebe, wie Troubadoure von ihr sprechen.

Auf seinem Totenbett hatte unser Onkel mir etwas zugeflüstert, das ich erst hörte, als ich mein Ohr dicht an seine Lippen legte.

»Der heilige Hieronymus«, hatte er gesagt. »Die Liebe kennt keine Regeln.«

Mir wurde klar, daß unser Onkel an meine Mutter dachte, an eine Liebe, die sich der Vernunft und der Zeit widersetzt. Die Liebe kennt keine Regeln, hatte der heilige Hieronymus gesagt.

Ganz gewiß gab es in dieser Zeit keine Regeln und keine Ordnung in meinem Leben — jedenfalls nicht in Huberts Gegenwart, sondern nur ein heftiges schwindelerregendes Durcheinander von allem und dahinter im Verborgenen ein tiefes, aufschäumendes Gefühl der Freude.

Als wir – voller Liebe in Gedanken und im Körper, daß es fast weh tat – am dritten Tag neben der Straße Rast machten und Niklas mit dem Kaninchen im Gras spielte, drehte ich mich zu Hubert um und sagte: »So wie ich dich liebe, kannst du mich gar nicht lieben.«

»Aber das tu ich«, erklärte er. »Aucassin hat gesagt« – ich wußte nicht, wer Aucassin war – »:Eine Frau kann einen Mann nicht so sehr lieben, wie ein Mann eine Frau liebt. Die Liebe einer Frau ist in ihren Augen und in den Warzen ihrer Brüste, aber die Liebe eines Mannes ist so tief in sein Herz gepflanzt, daß sie nicht entkommen kann.‹«

Von der sommerlichen Wärme standen ihm Schweißperlen auf dem sonnengebräunten Gesicht. Ich hatte den Wunsch, mit dem Handrücken über seine Wange zu streichen. Ich tat es, meine Hand nahm die Nässe seiner Haut an, und unsere Augen brannten, als wir uns ansahen.

»›Und sie lebten noch viele Tage‹«, zitierte Hubert, »›und hatten Freude in Hülle und Fülle. Aucassin hat sein Vergnügen, und auch Nicolette hat ihr Vergnügen.‹«

»Du hast schon so viel gelesen«, sagte ich glücklich. »Mehr als ich.«

»Du kannst lesen?« fragte er erstaunt. »Ich kann nicht lesen. Der Mann in unserm Dorf konnte lesen, aber ich kann nicht lesen. Er wollte es mir nicht beibringen, weil ich am Pflug ging. Er sagte, ein Bauernjunge verdiene es nicht, lesen zu lernen. Ich habe mir nur gemerkt, was er mir erzählt hat. Mehr nicht.«

»Ich kann dir das Lesen beibringen.«

»Würdest du das tun? Würdest du das wirklich tun? Mein liebes süßes Fräulein, würdest du das wirklich tun?« Er flehte mich an, lernen zu dürfen, genauso als würde er um meine Liebe flehen.

»Ich verspreche es dir. Was ich weiß, wirst auch du wissen.« Und ich segnete meine arme Mutter, weil sie mich das gelehrt hatte, was sich Hubert am meisten wünschte – vielleicht ebensosehr, wie er sich wünschte, ein Ritter zu sein, vielleicht wünschte er es sich sogar mehr als meine Liebe.

Wir setzten unsere zeitlose Reise durch den heißen Sommer fort. Und wenn ich am Ende ein Kind haben würde – es kümmerte mich nicht. Nichts war mir wichtig außer den mondhellen Nächten, wenn Niklas eingeschlafen war.

Manchmal ging Niklas am Tag neben ihm, und Hubert hielt seine Hand, und mein Bruder, der nur selten gelächelt hatte, seit er vom Blitz getroffen worden war, lächelte auf dieser Reise häufig — als sei er in einem Glück gefangen, das mit meinem Glück verflochten war.

Meine Zweifel an der göttlichen Liebe und Gnade erschienen mir in dieser Zeit eher dumm als sündig. Ich hatte Gott aus Ungeduld und Ignoranz in Frage gestellt. Das Gemetzel bei der Mühle verblaßte in dem Sonnenlicht, durch das uns mein Geliebter führte, während ich mir immer wieder sagte, daß Gott seine Gründe gehabt haben mußte, unsere Eltern zu sich zu holen. Gott wußte am besten, warum sie so brutal und gewaltsam umgekommen waren. Ich wollte den göttlichen Sinn nicht länger anzweifeln, denn ich erlebte ein Glück, das nur Gott mir hatte geben können.

Am Morgen des fünften Tags hörten wir, als wir einen steilen Hügel hinaufstiegen, die Geräusche einer Stadt, noch bevor wir sie zu Gesicht bekamen. Wir hörten Schreie und Rufe und Wiehern und das Knirschen von Radachsen und eine Flöte und den hohlen Ton einer Trommel und noch mehr Geschrei und plötzliches Gelächter, bevor wir die Spitze des Hügels erreichten, von der wir auf eine ganze Ansammlung roter Ziegeldächer am Ufer eines Flusses blickten. Ich stieg vom Pferd und ging neben Hubert. Niklas, der Kaninchens Käfig mit beiden Händen fest umklammerte, blieb dicht neben mir, und so gingen wir hinunter in die Stadt.

Schon bald befanden wir uns inmitten einer lärmenden Menschenmenge, die einen »Sommerjahrmarkt« abhielt. Ich hatte keine Ahnung, daß in dieser Umgebung so viele Menschen von der Seuche verschont geblieben waren. Aber vielleicht waren sie auch von weit her gekommen.

Überall waren Stände errichtet, in denen Waren zum Kauf angeboten wurden. Ich sah Heilkräuter, die meine Mutter immer auf solchen Jahrmärkten gekauft hatte: Eibischwurzeln und Holunderrinde und Wacholder und Sauerampferwurzeln und Enzian. Auf Holztabletts wurden Blutwurst, dicke Bohnen und gedörrte Äpfel angeboten. Träger drängten sich durch die Menge, die ganze Ladungen Malz und Bienenkörbe mit Honig und Kübel mit Schweinefett schleppten. Am Straßenrand saßen Kesselflicker und Korbmacher und Scherenschleifer. Ich hielt Huberts Hand fest so wie Niklas meine, und wir kamen an Menschenansammlungen vorbei, die Gauklern, tanzenden Bären, Akrobaten zusahen, während Musiker auf der Flöte spielten und zweiseitige Trommeln schlugen.

Als wir zum Dorfplatz kamen, sahen wir eine Bühne, die neben der Kirche errichtet war. Hubert hob Niklas auf die Schultern, damit er über die Menschenmenge hinwegsehen konnte. Auf der Holzbühne stand ein kleines Haus aus Sackleinen und Holzstreben. Überall waren Pflanzen in Töpfen — es sollte wohl einen Garten darstellen —, und eine Frau ging darin herum und sah in alle Richtungen, hielt Ausschau nach dem Herrn, wie sie erklärte.

»Ich bin Maria Magdalena«, erzählte sie und spähte in das Haus, das sie als Höhle bezeichnete. Zwei Kinder, an deren Rücken Flügel aus gebogenem Holz befestigt waren, kamen aus der Höhle. Sie seien Engel, sagten sie.

»Christus ist auferstanden«, erklärten sie weiter, und Maria Magdalena fing an, überall nach Ihm zu suchen. Aber als dann Jesus am Kreuz erschien, glaubte sie, Er sei ein Gärtner, obgleich Er in Seiner weißen Ledertunika außerordentlich göttlich aussah.

Als sie ihren Irrtum erkannte, stieß Maria Magdalena einen Freudenschrei aus und lief zu Ihm, aber der Herr sagte: »Rühr mich nicht an«, und wich vor ihr zurück und trug ihr auf, die Nachricht von seiner Auferstehung zu verbreiten.

Ich überlegte, was Christus gemeint haben mochte, als er sagte: »Rühr mich nicht an!« Vielleicht wollte er damit sagen: »Klammre dich nicht an mich, halt mich nicht fest, laß mich zu meinem Vater gehen.« Während Maria Magdalena davoneilte, um die Nachricht zu verbreiten, sagte sie mit von Freude erfüllter Stimme: »Ich werde den auferstandenen Christus im Himmel sehen!« Aber wenn Er nun im Himmel wieder sagte: »Rühr mich nicht an«, und davonlief? Ein schrecklicher Gedanke, ein sündiger Gedanke. Ich zitterte am ganzen Körper, weil ich es wagte, einen solchen Gedanken zu fassen.

Ich zog Hubert am Ärmel und lockte ihn fort von der Bühne zu einer anderen Gasse, in der Männer Pfeffersäcke wogen und falsche Körner aussortierten. Unser Vater hatte uns einmal erzählt, daß es auf den Jahrmärkten Kaufleute gäbe, die Körner aus schwarzem Ton und Öl unter die Pfefferkörner mischten, um die Säcke schwerer zu machen, als sie eigentlich waren.

Als ich es Hubert erzählte, nickte er mit ernster Miene. »So sind die Kaufleute. Sie sind nicht wie Edelleute.«

Auf den Pflastersteinen waren Tabletts mit Muskatblüten, Salz, Zucker, Alaun, Farbstoffen. Und in der nächsten Gasse gab es Tierhäute zu kaufen und Eisen und Kupfer. Die Stände, in denen Ambra, Perlen und Elfenbeinzähne ausgestellt waren, wurden von bewaffneten Männern bewacht. Ich war so aufgeregt, daß ich mich fast verschluckte und Niklas' Hand ganz fest drückte. Aber er starrte nur mit leerem Blick auf die Kaufleute, die laut ihre Waren anpriesen.

Wir folgten einer Reihe Bauern in eine offene Halle, in der riesige Stoffballen wie Klafter Holz an den Wänden aufgestapelt waren — unzählige Ellen Seide und Wolle und Flachs und Baumwolle. Mir wurde ganz schwindlig, und ich zerrte an Huberts Hand, bis er mich ansah und sich unsere Blicke einen Augenblick lang in heimlicher Dunkelheit vereinten.

Als wir wieder auf der Straße waren, gingen wir zu einer Wiese am Rande der Stadt. Dort hatte eine dichte Menschenmenge einen Kreis gebildet, und aus diesem Kreis kamen Geräusche wie von Schlägen, immer wieder und wieder, und dann ein lauter Schmerzensschrei und danach ein Aufschrei aus den Zuschauerreihen.

»Sie kämpfen mit dem Stock«, erklärte Hubert und war ganz aufgeregt.

»Ist das Spiel oder Ernst?« Ich sah einen Mann, der aus dem Kreis geführt wurde. Als sich die Menschenmenge teilte, sah ich, daß zwischen seinen Fingern, die er gegen die Stirn gepreßt hatte, Blut hervorquoll.

»Sieh doch.« Hubert starrte einem Mann auf einem Pferd nach, der durch die Menge ritt. »Das ist ein Ritter.« Und ehrfürchtig wiederholte er: »Ein Ritter.«

Ich sah einen abgerissenen bärtigen Mann in Rüstung und staubigen Kleidern. Er sah aus, als wäre er lange Zeit auf Reisen gewesen.

162

»Siehst du sein Wappen?«

Ich konnte erkennen, daß auf der Brust und den Ärmeln des zerrissenen Waffenrocks rote Falken waren.

Und er war ein guter Reiter, das konnte selbst ich sehen.

Die Zuschauer bemerkten es auch, denn sie wichen auf die Seite, um ihm Platz zu machen, als er langsam auf den Kreis zuritt. Als er im Kreis war, neigte er den Kopf und fragte: »Bist du der Beste hier?«

Wir konnten von unserem Platz aus den Mann, mit dem er sprach, nicht sehen, aber wir hörten seine Antwort.

»Ja, das bin ich.«

»Willst du gegen meinen Knappen kämpfen?«

»Ja, das will ich.«

Der Ritter drehte sich auf dem Pferderücken um und winkte, und augenblicklich drängte sich ein kräftiger Mann grob nach vorn. Lächelnd beugte sich der Ritter zu ihm nieder und flüsterte ihm etwas zu.

»Und jetzt werdet ihr Bauern euch wundern«, rief der Ritter und ließ sein Pferd tanzen, daß die Menschenmenge erschrocken zurückwich.

Zwar konnten wir nichts sehen, aber die Geräusche jagten mir kalte Schauer den Rücken hinunter, es waren Schläge von Holz auf Fleisch, dann der begeisterte Aufschrei der Zuschauer. Es dauerte nicht lange. Drei Männer trugen den Verlierer – es war nicht der Knappe – aus dem Kreis, an der spöttischen Menschenmenge vorbei.

»Ihr Bauern«, rief der Ritter. Er lächelte mit schmalen Lippen und warf einen Blick in die Runde. »Ihr glaubt, der Stock gehöre euch. Dieser Mann hier kann jeden von euch schlagen – und ich kann ihn schlagen. Wer will es als nächster wagen? Was? Hat keiner den Mut dazu? Nicht ein einziger Bauer?«

Ich sah, wie Hubert in Gedanken nach vorn ging, noch bevor sich sein Körper bewegte. Ich sah, wie ihn die höhnische Herausforderung im Innersten traf, und ich konnte nichts tun, ihn zurückzuhalten. Er rief: »Ich wage es mit Eurem Mann!«

Als mir Hubert die Zügel gab, reichte ich sie an Niklas weiter und befahl ihm, sich nicht von der Stelle zu rühren.

Als Hubert dann an den Menschen vorbeiging, die ihn neugierig anstarrten, folgte ich ihm bis ganz nach vorn zum Kreis. Dort stand der stämmige Knappe in einem kragenlosen Lederwams und hielt einen Stock in der Hand, der fast so groß war wie ein Mensch und dessen Ende mit Eisen beschlagen war. Er lächelte, als sich Hubert bückte, um den Stock aufzuheben, den der letzte Kämpfer fallen gelassen hatte.

Es würde ein brutaler Kampf werden. Ich wußte es, und ich haßte es. Aber irgend etwas hielt mich dort fest zwischen den vielen Menschen, ganz vorn am Kreis, die mich von allen Seiten stießen und wie ein großes Seil schwankten, an dem jemand schüttelte. Mein Mutter hatte immer gesagt: »Anne, du mußt immer alles sehen.« Und es stimmte, daß ich immer alles sehen mußte, was passierte, egal, was es war, so wie ich auch entsetzt zugesehen hatte, aber trotzdem zugesehen hatte, wie sie meine Mutter niedergemetzelt hatten.

Aber jetzt hatte mein geliebter Mann eine Herausforderung angenommen, die er nicht gewinnen konnte. Obgleich er groß und stark war, sah er neben dem Knappen klein und schmächtig aus, und als sie einander umkreisten, jeder mit einem dicken Stock in der Hand, wäre ich fast in den Kreis gelaufen, um mich dem Junker vor die Füße zu werfen und ihn um Gnade zu bitten, so ungleich sah der Kampf aus, noch bevor er richtig begonnen hatte.

Trotzdem konnte ich, während sie einander einschätzten, erkennen, daß Hubert mit seinem Stock erstaunlich geschickt umging. Mit der linken Hand hatte er ihn in der Mitte gefaßt, mit der rechten näher am Ende. Und als er ihn elegant durch die Luft sausen ließ, hatte es den Anschein, als sei dieser Eichenstock wie seine verlängerte Hand, so sicher und selbstverständlich ging er damit um.

Plötzlich griff der Knappe an, er schwang seinen Stock mit solcher Kraft, daß ich vor Entsetzen aufschrie, aber Hubert fing den Schlag mitten in der Luft ab, indem er seinen eigenen Stock so geschickt dagegen schwang, daß er dem Knappen die Waffe aus der Hand schlug. Die Menschen schrien auf und feuerten Hubert an, auf den nun unbewaffneten Gegner loszugehen. Aber Hubert trat einen Schritt zurück und ließ den Knappen den Stock aufheben.

Kaum hatte er ihn wieder in der Hand, ging er auch schon wieder wie wild auf Hubert los. Diesmal traf ihn Hubert an der Schulter, so daß er umfiel, dann stieß er ihm das eisenbeschlagene Ende des Stocks in den Bauch und nagelte ihn so am Boden fest.

Der Knappe, der vor Scham oder Anstrengung ganz rot im Gesicht war, schrie wütend: »Das wirst du mit dem Leben bezahlen, du Bastard!«

Wieder wollte ich mich zwischen sie werfen, aber sie gingen schon aufeinander los, bevor ich mich überhaupt rühren konnte — ihre Schlagstöcke prallten mit einem lauten Krachen gegeneinander —, es hörte sich an wie beim Holzfällen im Wald. Die langen Stöcke sausten durch die Luft, und manchmal verhakten sie sich ineinander, so daß sich die beiden Männer einen atemlosen Augenblick lang Auge in Auge gegenüberstanden — Huberts Gesicht ausdruckslos und blaß, das seines Gegners verzerrt und feuerrot.

Dann wich Hubert ohne Vorwarnung zurück, als wollte er sich zurückziehen, und der Knappe ging ihm nach, und im selben Augenblick hieb Hubert mit einer langen gleitenden schrecklichen Bewegung seinen Eichenstock mit aller Kraft gegen den Kopf des Mannes. Dem dumpfen Donnern des Schlags folgte ein Aufstöhnen der Menschenmenge, die schneller als ich begriffen hatte, was mir erst allmählich klar wurde — daß der Knappe nicht wieder auf die Beine kommen würde.

Er lag am Boden, und seine Glieder zuckten wie bei einem in die Falle gegangenen Tier. Er war nicht tot, aber aus seinem Mund tropfte Speichel, und seine Augen blickten starr nach oben — wie Niklas' Augen.

Es war völlig still, als sich der Ritter auf seinem Pferd nach vorn beugte. »Steh auf«, befahl er seinem Knappen. »Steh auf!« schrie er. Er stieg vom Pferd und ging quer durch die Arena und kniete sich neben den Knappen. Er schlug ihm ins Gesicht, immer wieder und wieder. Dann drehte er sich um und sagte wütend zu Hubert: »Worauf wartest du? Auf eine Belohnung? Glaubst du etwa, ich würde dir eine Belohnung geben?«

»Nein, mein Herr. Ich bin zufrieden.«

»So! Du bist zufrieden«, sagte der Ritter und wandte sich wieder seinem Knappen zu. Jetzt kamen auch andere Männer in den Kreis.

Der Ritter befahl ihnen, den Knappen aufzuheben und wegzutragen. »Du bist also zufrieden«, murmelte er noch einmal und sah Hubert mit einem bösen Lächeln an, daß ich zusammenzuckte. Dann stieg der Ritter wieder auf sein Pferd und galoppierte in Richtung der Stadt davon, so daß die Menschen vor ihm auf die Seite springen mußten.

Wir hatten die Stadt schon weit hinter uns gelassen, als ich zu Hubert sagte: »Ich war böse auf dich.«

»Was hab' ich denn getan, Fräulein?«

»Du hättest die Herausforderung nicht annehmen sollen.«

»Bei uns zu Hause haben wir von klein auf mit Stöcken gespielt. Ich kann gut damit umgehen. Deshalb wollte dein Onkel auch, daß ich dich begleite.«

Ich versuchte zu verbergen, daß ich stolz auf ihn war, und sagte: »Du hättest gegen diesen Mann nicht kämpfen sollen.«

Schweigend gingen wir eine Weile weiter, bis sich meine Angst wieder in Zorn verwandelt hatte. Vorwurfsvoll sagte ich: »Ich dachte, du liebst mich.«

Hubert blieb stehen und hielt die Zügel fest. »Ich liebe dich mehr als das Leben.«

»Du warst bereit, dein Leben hinzugeben — und damit auch meine Liebe.«

»Aber es war eine Herausforderung«, sagte er und sah mich mit seinen blauen Augen groß an.

Wieder gingen wir schweigend weiter. Schließlich sagte ich: »Er hätte dich verletzen können.«

»Ach, Fräulein«, erwiderte er und lächelte schwach, »er hat mich verletzt.«

Als wir zu einem Wald kamen, bestand ich darauf, daß wir die Straße verließen. Neben einem Fluß zog er die Tunika aus, und dann sah ich seine Verletzung — quer über der Brust klaffte eine tiefe Wunde. Sie hatte schon eine häßliche blaugraue Farbe angenommen, und als ich sie berührte, zuckte Hubert zusammen.

»Siehst du«, sagte ich. »Ich hatte recht. Du darfst dich nie wieder herausfordern lassen. Versprich mir das.«

Er schwieg, und mir wurde klar, daß er mir dieses Versprechen niemals geben würde.

Nachdem ich die Wunde mit dem Wasser aus einer Quelle gesäubert hatte, setzte ich mich neben Hubert und machte mir Vorwürfe. Wie dumm ich gewesen war! Hubert war in seinen Gedanken ein Ritter, daher mußte man ihn auch wie einen Ritter behandeln — bereit zum Kampf, eigensinnig, frei. Ich nahm mir vor, mich nie wieder einzumischen.

Während Niklas ein Stück den Fluß hinunterging, beugte ich mich vor, um die schwarze Wunde auf Huberts nackter Brust zu küssen. »Ich kann kaum erwarten, bis es dunkel wird«, sagte ich ohne Scham.

Und dann war sie endlich da, unsere verschwiegene Dunkelheit. Wenngleich sie vom Mond erhellt war, als wir uns von meinem schlafenden Bruder wegstahlen und zum Fluß liefen.

Wortlos streiften wir unsere Kleider ab. Die Luft war warm, aber das Wasser war kühl, als ich meinen Fuß hineinstreckte, und als wir uns an den Händen faßten und langsam hineingingen, mußte ich die Luft anhalten. Wir hoben unsere Arme über den Kopf, als das kalte Wasser bis zu unseren Hüften reichte. Im Mondschein sah ich meine Brüste auf der eisgrauen Oberfläche des Wassers — schimmernde Kugeln, wie Früchte nach dem Regen. Er streckte die Hand aus und berührte sie, und mein ganzer Körper brannte wie Feuer.

»Komm«, sagte ich.

Tropfnaß, so wie wir aus dem Wasser kamen, legten wir uns am Ufer ins Gras. Ich hörte den Ruf einer Eule, als mein Geliebter in mich eindrang, und ich hatte das Gefühl, als würde alles zusammenpassen in Gottes Welt — die Kälte des Flusses, der Ruf des Vogels, das Gefühl von ihm in meinem Körper, alles war irgendwie miteinander verbunden — wie ein Baum mit seinen Wurzeln. Ich spürte, wie er sich in mir zu bewegen begann mit der Gleichmäßigkeit einer Uhr, bevor er losstürmte, so wild und ungestüm — wie ein gejagtes Tier im Wald, in dem wir lagen.

Etwas später sah mich Hubert an und sagte: »Wenn ich zu alt bin fürs Schlachtfeld, werden wir in die großen Städte gehen, nach Paris und Rom. Dort gibt es viele Bücher. Und vorher bringst du mir das Lesen bei. Und dann mache ich Lieder auf deine Schönheit — wie ein Troubadour.«

Ich lächelte und seufzte und mußte denken, daß mein geliebter Mann wie ein kleiner Junge war, und wünschte mir, daß er immer so bliebe.

20

Als die Sonne hoch über unseren Köpfen stand, machten wir neben einem schnell dahinfließenden Strom halt. Hubert nahm eine der drei Gänse, die am Sattelknauf baumelten und die wir in der Stadt auf dem Jahrmarkt gekauft hatten, aus dem Sack. Er hielt den kreischenden Vogel am Hals und trennte ihm mit dem Dolch in einer einzigen Bewegung den Kopf ab. Dann rupfte er ihn.

Wir wollten die Gans braten und sie hier am Flußufer verspeisen — mit dem Rauschen des Wassers in den Ohren, das wie das Gemurmel von Stimmen klang. Während Hubert mit der Gans beschäftigt war, gingen Niklas und ich in den Wald, um Brennholz für das Feuer zu sammeln.

Wir waren noch nicht lange fort, als wir vom Fluß her menschliche Stimmen hörten. Neugierig spähte ich vom Rand des Waldes hinüber zu dem freien Feld, das zum Flußufer führte. Dort hatten sie angehalten.

Ein Mann zu Pferde sprach mit Hubert, der die noch nicht fertig gerupfte Gans an den Beinen hielt, während gut ein halbes Dutzend Männer zu Fuß um ihn herumstand.

Der Mann auf dem Pferd war der bärtige Ritter mit den roten Falken auf dem staubigen Waffenrock. Der Ritter und seine Männer lächelten auf eine Weise, daß es mir eiskalt über den Rücken lief. Ich ergriff Niklas' Hand und kroch unter den Bäumen in das hohe Gras dicht bei der Lichtung, auf der sie Hubert umzingelt hatten.

»Wenn du schwörst, daß sie wirklich dir gehört«, sagte der Ritter und zeigte auf das metallbeschlagene Zaumzeug an Huberts Pferd,

168

»dann glaube ich dir. Und wenn du sagst, daß du deine Rüstung ehrlich verdient hast, dann glaube ich dir auch. Wer das, was du mit meinem Knappen getan hast, tun kann, ist ein ehrenwerter Mann. Du hast seinen Kopf zertrümmert, und jetzt sagt er nur noch ›La-la-la‹ an Stelle seines Namens.«

Hubert, der ein Stück vom Ufer entfernt auf dem Boden hockte, sah den Ritter, dessen Rüstung im Sonnenlicht glänzte wie die polierten Eisenteile einer Uhr, mit zusammengekniffenen Augen an.

»Ich frage mich«, fuhr der Ritter in so freundlichem Ton fort, daß ich wieder am ganzen Körper ein Frösteln verspürte, »wo du wohl gelernt haben magst, so gut mit einem Schlagstock umzugehen.«

Hubert lächelte und rupfte ein paar Federn aus der Gans. »Das habe ich von meinem Vater gelernt.«

Nein, dachte ich, bitte, jetzt keine Geschichten.

»Dein Vater war ein Mann in Waffen?«

»Ein Ritter«, versicherte Hubert stolz. »Ein Ritter wie Ihr.«

Der Mann auf dem Pferd lachte, woraufhin auch die anderen Männer lachten, die sich im Kreis um Hubert gesetzt hatten.

Hubert warf einen Blick in die Runde und legte die Gans auf den Boden.

»Ein Ritter von Adel?« fragte der Ritter grinsend.

»Nein, mein Vater war kein Ritter von Adel. Er wurde auf dem Schlachtfeld zum Ritter geschlagen.«

»Aha, ein großer Krieger also.« Der Ritter sah von Hubert zu den Männern, die wie er hämisch feixten.

Hubert war verwirrt. Ich sah, wie sein Gesicht rot wurde. Ich dachte: Guter Junge, sei still. Sag jetzt nichts mehr.

»Und du bist der Nachfolger dieses tapferen Kriegers«, sagte der Ritter und zog leicht an den Zügeln, daß sein Pferd tänzelte. »Weißt du, was ich glaube, junger Mann? Ich glaube, du hast in den Ställen gelernt, mit dem Stock umzugehen. Bestimmt hast du einen edlen Ritter im Schlaf getötet und dann seine Rüstung gestohlen. Ich glaube, daß dein Vater ein Dieb war und ein Hurensohn, so wie du.«

Hubert starrte auf das schattige Gesicht des Ritters, und ich dachte: Nein, mein lieber Junge, nein, bitte, nicht.

Hubert stand langsam auf und blieb einen Augenblick mit gesenktem Blick stehen, als wäge er in diesem einzigen Augenblick jede Entscheidung seines Lebens ab.

»Überlegst du, ob ich es wert bin, mit dir zu kämpfen?« Der Ritter zog heftig an den Zügeln, daß sich sein Pferd aufbäumte. »Ob meine Beleidigung es wert ist? Das brauchst du nicht lange zu überlegen. Sie ist es wert.«

Hubert warf einen Blick in die Runde. Er sah sich um und betrachtete die Männer, die hinter ihm am Boden saßen.

»Mach dir ihretwegen keine Sorgen«, sagte der Ritter mit seiner freundlichen Stimme. »Das ist eine Sache zwischen dir und mir, zwischen ehrbaren Edelmännern. Also, mach dich bereit.«

Wieder zögerte Hubert, und in diesem Augenblick begriff ich – und sicher wußte der Ritter es auch –, daß Hubert zwar wußte, wie man mit einem Stock umgeht, aber im Kampf zu Pferde war er nicht geübt.

»Bete für ihn«, sagte ich zu Niklas und sah meinen Bruder an, der neben mir durch das geteilte Gras spähte. »Bete für ihn«, flehte ich und hatte ganz vergessen, daß Niklas nicht beten konnte.

Seine kleine warme Hand schob sich in meine, während Hubert, noch immer mit deutlichem Zögern, die glänzende Rüstung über seinem Panzerhemd befestigte und dann die Beinschienen und die Kniekappen, die aus der Waffenschmiede meines Onkels stammten.

Und schließlich – o mein Geliebter – setzte Hubert mit mutigem Lächeln den Helm auf und schob das Visier an den Scharnieren nach oben, so daß ich für einen kurzen Augenblick seine Augen sah, verwirrt und verletzt.

»O Herr, ich habe gesündigt, aber ich schwöre, wenn du diesem Jungen hilfst, werde ich für alle Zeiten deine treue Dienerin sein, Heiliger Geist, denn er will nichts Böses, er ist dumm wie ich und jung, und wenn du ihm hilfst, lieber Gott, bitte, hilf ihm, und wenn du Gnade walten läßt, allmächtiger Heiliger Geist im Himmel, dann schwöre ich, ich schwöre . . .«

Und dann quollen nur noch unzusammenhängende Worte aus mir heraus, denn nachdem Hubert Panzerhandschuhe übergezogen hatte, ging er zu seinem Pferd. Und dann bemühte er sich ungeschickt mit diesen schweren Handschuhen, die Streitaxt von der Satteltasche loszumachen, aber es gelang ihm nicht. Die Männer stießen sich an und lachten hämisch. Nachdem er beide Handschuhe ausgezogen hatte, machte er die Axt los und schwang sie langsam in einem Bogen durch die Luft, als wollte er prüfen, wie sie in der Hand lag, wie etwas, das ihm fremd war. Dann zog er die Panzerhandschuhe wieder an und hielt die Streitaxt unbeholfen fest.

»Lieber Gott, Heiligster aller Heiligen, ich flehe dich an, ich schwöre —« Aber ich mußte zusehen, wie das Unglaubliche geschah: Hubert stieg auf sein Pferd, um mit einem Ritter zu kämpfen.

Das Gefolge des Ritters war aufgestanden, die Männer hatten Piken und Hämmer, aber keiner bedrohte ihn. Sie standen da und feixten, und ich mußte daran denken, wie selbstzufrieden die Soldaten bei unserer Mühle ausgesehen hatten, als meine Mutter gestorben war.

»Mein Herr, Ihr seht prächtig aus«, sagte der Ritter und nickte anerkennend.

Und es stimmte: Hubert sah in seiner schimmernden Rüstung wirklich prächtig aus.

Und der richtige Ritter — ungepflegt und ohne ordentliche Rüstung außer der Brustplatte — hing über seinem Pferd wie ein müder Reisender. »Wirklich schade, daß wir keine wehenden Fahnen und Herolde haben, die unsere Herkunft verkünden. Leider müssen wir nun ohne alle Formalitäten auskommen. Fertig, mein Herr?«

Ich sah, wie Huberts Augen hinter dem blitzenden Metall starr wurden, sie wurden ganz schmal und flatterten — so mußte er als kleiner Junge, nicht älter als Niklas, ausgesehen haben, wenn man ihn bestraft hatte: Stolz, Furcht, Unsicherheit, aber vor allem Stolz lag in ihnen.

Jesus Christus, unser Herr, greif ein, ich bitte dich, liebster Jesus, mach, daß er aufhört, daß er von seinem Pferd steigt, Herr, *mach, daß er absteigt*, flehte ich in Gedanken. Plötzlich spürte ich Hoffnung. Wenn er abstieg vom Pferd, wäre dem Unglück Einhalt geboten. Wenn er von unserem Erlöser dazu gebracht würde, den verhängnisvollen Irrtum seiner Prahlerei einzusehen, würde Hubert gerettet werden. Der Ritter würde zwar gräßlich lachen, aber er würde ihn laufenlassen.

Sollte ich zu ihm gehen, ihn bitten aufzuhören, ihm sagen, daß Gott ihm befohlen habe abzusteigen?

Hubert zog das Visier übers Gesicht und hielt die Zügel straff.

Der Ritter hatte sich aufgerichtet und sein Schwert gezogen. »Und jetzt fang an. Komm!«

Seine Aufforderung diente nur dazu, Hubert zu erschrecken, der daraufhin so stark an den Zügeln zog, daß sein Pferd nach hinten ausbrach. Die Männer bildeten einen Kreis um ihn und lachten und johlten.

Ich richtete mich auf und kniete am Boden. Ich schob das Gras auseinander, um zu ihnen zu laufen. Ich mußte nur erst Atem schöpfen, um es zu tun.

Aber dann grub Hubert seine Sporen tief in die Flanken des Pferdes und griff an.

Das Pferd hatte sich eben aufgebäumt und die Hufe nur wenige Male bewegt, als sich etwas durch die Luft bewegte und Hubert aus dem Sattel warf. Sein Pferd galoppierte allein bis dicht zu dem Ritter, der bewegungslos auf seinem Pferd saß, dann bog es zur Seite und trottete reiterlos noch ein Stückchen weiter und blieb dann stehen.

Zuerst verstand ich nicht, was passiert war. Hubert lag dicht am Ufer am Boden, und um seinen behelmten Kopf lag ein Stahlreifen, und der Stahlreifen war an einem langen Speer befestigt, den einer der Männer hielt.

Der Ritter lächelte und bewegte sein Pferd nach vorn, bis er den am Boden liegenden Jungen erreicht hatte.

Dann sah ich, daß der schreckliche Reifen zwei Stahlspitzen hatte, die fest gegen den unteren Teil von Huberts Helm drückten. Der Reifen, der vorn zu öffnen war, war von hinten um seinen Hals gestoßen worden. Dann wurden die Spitzen an dem Reifen, die an den offenen Enden befestigt waren, an Federn zurückbewegt, um Huberts Helm zu umfassen — bei dem Gedanken daran mußte ich am ganzen Körper zittern —, und waren

172

wieder nach vorn gesprungen, um ihn festzuhalten und vom Pferd zu stoßen. Ich konnte meinen Blick nicht abwenden von dem schrecklichen Reifen.

Hubert war nicht bewußtlos. Wie ein großer Käfer bewegte er seine metallschweren Arme und Beine, was die Männer um ihn herum zum Lachen reizte. Wenn er sich zu sehr bewegte, zog der Mann, der den Reifen am Speer hielt, mit einem Ruck daran, so daß die Stahlspitzen noch fester gegen Huberts Helm drückten und ihn am Boden festhielten, sich in ihn eingruben, *Gott im Himmel, ich bitte dich, ich flehe dich an, allmächtiger —*

»Nun, mein Herr«, sagte der Ritter. Er lächelte von oben auf Hubert hinunter und sagte ganz ruhig: »Hast du wirklich geglaubt, ich würde mit einem Bauern kämpfen? Ich würde von dir eine Herausforderung annehmen?«

Der Ritter, der noch immer das Schwert in der Hand hielt, stieg vom Pferd und beugte sich über Hubert. »Na«, sagte er. »Bist du zufrieden?«

Er wird meinen lieben Jungen töten, dachte ich.

Aber der Ritter schüttelte den Kopf, steckte das Schwert in die Scheide und stieg wieder auf sein Pferd. Er zuckte die Schultern und sagte: »Soll er am Leben bleiben, der Narr.«

Ich danke dir, allmächtiger Gott, ich schwöre, daß ich von diesem Tag an, sagte ich, als der Ritter, der schon ein Stück davongeritten war, plötzlich anhielt. Mit einem Ruck riß er sein Pferd herum und ritt zu Hubert zurück. Eine Weile starrte er auf den armen Jungen am Boden, der ausgestreckt dalag und noch immer von dem Reifen festgehalten wurde.

Der Ritter strich sich über das stopplige Kinn und betrachtete Hubert, dann seine Männer, dann wieder Hubert.

»Das ist nicht in Ordnung«, sagte er. »Ich habe einen guten Knappen verloren. Das kann ich nicht zulassen.«

»Du«, sagte er zu einem seiner Männer, »gib ihm die Pike.«

Als der Mann vortrat und den Spieß gegen Hubert richtete, sagte der Ritter, der sich das Kinn rieb: »Aber nicht zu stark. Ich will, daß das Schwein es richtig spürt.«

Als der Mann zu Hubert ging, der reglos am Boden lag, von den

173

schrecklichen Reifenspitzen festgehalten, sagte ich zu Niklas: »Bete, Bruder, bete —«

Ich versuchte, auch zu beten, aber ich fand keine Worte. Ich sagte: »Gott«, sagte ich, »Gott —«

Und im selben Augenblick bohrte sich das Metall dicht unter der Brustplatte in Hubert, mit langsamer zögernder Bewegung, als fürchtete der Soldat, es zu tief hineinzustoßen.

Und tatsächlich sagte der Ritter auch: »Halt. Das genügt. Zieh sie raus. Er soll sehen, was Ritter wirklich können.«

Als der Mann die Pike aus Huberts Körper zog und die metallene Spitze wieder zum Vorschein kam, gab Hubert ein dumpfes Stöhnen von sich.

Ich bekreuzigte mich.

Er stöhnte, aber er schrie nicht. Huberts Mut gefiel dem Ritter nicht. Mißgelaunt strich er sich über das Kinn. »Willst du mir vielleicht weismachen, du Hundesohn von einem Bauern, daß du edlen Geblüts bist? Ein Mann von hohem Rang? Willst du wissen, was ich glaube? Ich glaube, du bist ein Weib.« Er beugte sich über den breiten Rücken seines Pferdes und sah Hubert an, der die Hände auf das Loch unterhalb seiner Brustplatte drückte, aus dem rotes Blut quoll. »Nehmt ihm den Reifen ab«, sagte der Ritter.

Sofort schob der Soldat den schrecklichen Reifen nach vorn, bis die Stahlspitzen einrasteten und Hubert frei war.

»Nehmt ihm den Helm ab.«

Einer der Männer bückte sich und zog ihn mit einem Ruck herunter.

»Mein lieber Junge, ich hab' dich lieb«, murmelte ich laut, als das hübsche Gesicht zum Vorschein kam — auch jetzt noch hübsch, obgleich sein Mund vor Schmerzen verzerrt war. »Sieh hierher, sieh mich an«, bat ich unter angehaltenem Atem.

Seine Augen waren weit aufgerissen und starrten angsterfüllt den Ritter auf dem Pferd an.

»Völlig richtig, du bist ein weibischer Kerl. Du bist eine Hure. Deshalb werden wir dich jetzt nehmen.« Der Ritter sah seine Männer an. »Zieht ihm die Hose runter und legt ihn zurecht. Aber schnell. Sonst stirbt er uns noch.«

Ich fühlte Niklas' Hand, die sich fest in meine drückte, um Trost zu finden. Unsere Finger verschlangen sich fest, als wir sahen, wie sie Hubert die Beinrüstung herunterzogen und dann seine Hose, daß er von der Hüfte abwärts nackt war. Grob rollten sie ihn auf den Bauch. Und sofort war der Boden um ihn herum dunkel vor Blut.

»Wer will das hübsche Ding zuerst haben?«

»Ich«, sagte einer der Männer.

Er warf seinen Helm und die Axt fort. Die anderen machten Witze, als er seine Hose auszog und sich auf meinen Jungen stürzte, dessen Arme, weit ausgestreckt, von zwei anderen Männern festgehalten wurden.

»Sieh nicht hin«, sagte ich zu meinem Bruder. Ich legte den Arm um ihn und zog ihn herum, so daß wir den Männern den Rücken zudrehten.

Und jetzt schrie Hubert am Ende doch.

Sein Schrei hallte zwischen den Bäumen hindurch, aus denen eine dunkle Wolke Vögel aufstob, laut krächzend, und ich mußte denken, daß sie Gott leibhaftig waren, der vor den Schmerzen meines geliebten Jungen davonflog. *Allmächtiger Gott, wende dich nicht ab, ich flehe dich an, verlaß ihn nicht in seiner Not, hab Erbarmen, Gott —*

»Wer will als nächster?« hörte ich den Ritter fragen.

»Er ist tot, Herr.«

»Dann werft ihn in den Fluß. Das war das letzte Mal, daß ein Knappe von mir mit dem Stock gegen einen Bauern gekämpft hat.«

Danach war es still, und schließlich gab es ein Geräusch, als ob etwas auf dem Boden aufschlüge. Huberts Brustharnisch? Von einem Hammerschmied mit dem Siegel unseres Onkels versehen.

Dann hörte ich ein Aufklatschen. Es war, als würde eine Glocke zu klingen beginnen bis in mein Herz. Und es hörte nicht auf, sondern klang immer weiter in meinen Ohren. Ich hatte beide Arme um Niklas gelegt und hielt ihn ganz fest. Dann merkte ich, daß er sich erbrochen hatte. Ich wiegte Niklas in den Armen und sagte: »Es ist alles vorbei, Bruder. Jetzt ist er bei Gott.«

Aber es war keineswegs alles vorbei.

Von dem Augenblick an, in dem ich das Aufklatschen gehört hatte, war ich entschlossen, meinen armen Jungen ordentlich zu begraben, denn wenn Gott vor dem Leid meines armen Hubert auch die Augen verschlossen hatte – ich konnte ihn nicht verlassen, nein! denn sein Körper hatte sich in Liebe mit meinem vereint.

Wir krochen durch das Gras, und ich führte Niklas an der Hand zum Ufer an eine Stelle, an der, wie ich hoffte, Hubert bald angespült werden würde. Aber dann sah ich etwas Weißes, das mitten im Fluß von einem jungen Baum festgehalten wurde, der halb unter Wasser stand. In dem schnellen Strom schienen Huberts Arme und Beine, die sich in den Zweigen verfangen hatten, ein eigenes Leben zu haben, sie schwenkten von einer Seite auf die andere, als wollten sie sich losreißen. In dem blauen Wasser sah sein nackter Körper weiß aus.

So wie Hubert von der Strömung eingefangen und hin und her geworfen wurde, so wurde ich von seinem Anblick in den schwarzen Zweigen gefangengehalten und herumgestoßen. Ich konnte nicht wegschauen, obgleich der Schmerz fast unerträglich war. Ich wollte an etwas denken, aber ich hatte vergessen, was es war.

»Gott«, sagte ich tonlos, »Gott.« Sonst nichts.

Ich konnte mich nicht bewegen, nicht einen Muskel, wie gelähmt war ich, als hätten mich diese Männer mit dem Streithammer niedergestreckt, ich wartete, daß etwas geschähe – daß die Männer fortgingen, stromaufwärts – ich konnte ihre Stimmen hören, ihr Gelächter, so daß ich noch warten mußte, ehe ich Hubert ans Ufer ziehen konnte.

Aber dann geschah etwas, das ich nicht aufhalten konnte.

Hubert hatte mit seinem Gewicht das dünne Bäumchen aus dem Boden gezogen, und jetzt schwamm es stromabwärts, bis es nach wenigen Augenblicken um eine Biegung des Flusses gewirbelt wurde. Aus der Ferne sah der kleine Baum wie eine Spinne aus, die mit ihren schwarzen Beinen etwas umklammerte, das in ihrem weißen Netz gefangen war. Dann wurde er weggespült und war verschwunden.

»Bleib hier«, sagte ich zu Niklas. »Weine nicht«, sagte ich zu ihm und fühlte, wie mir selbst die Tränen in die Augen stiegen. Seine Augen sahen mich groß an, waren aber trocken. An seinem Mund und an seinem Kinn klebte noch das Erbrochene. »Du darfst nicht weinen«, sagte ich mit strenger Stimme.

Ich kroch durch das Schilf zurück und kam wieder zu der Stelle, von der aus wir alles beobachtet hatten.

Zu meinem Schrecken hatten sie dicht neben dem blutigen Boden, dort, wo mein armer Junge erniedrigt und getötet worden war, ein Feuer angezündet. Sie hatten die anderen beiden Gänse ebenfalls geschlachtet, und jetzt hingen alle drei an Spießen über dem Feuer.

Ich blieb stumm sitzen und hörte zu, wie sich die Männer über das Wetter, die bratenden Gänse, den toten Jungen unterhielten.

»Er war fast so gut wie eine Frau«, sagte der Mann, der sich an ihm befriedigt hatte.

Als sie hämisch lachten – der Ritter auch, obgleich er für sich allein außerhalb des Kreises saß –, wünschte ich mir nichts mehr, als ein Mann zu sein. Ich stellte mir vor, ich sei bewaffnet und stark und spränge mit einer Streitaxt in der einen und einem Schwert in der anderen Hand aus dem Gras. Ich sah mich, wie ich über die erschrockenen Männer herfiel und sie in Stücke zerhackte. Ich hörte, wie ich vor Freude lachte, als der Kopf des Ritters in den Fluß rollte.

Bis zu diesem Augenblick hatte ich mir in meinem ganzen Leben noch nie gewünscht, ein Mann zu sein. Aber jetzt hätte ich alles dafür gegeben, ein Mann zu sein, es sei denn, unsere Eltern und Hubert wären wieder lebendig geworden. Mein Leben war sinnlos, wenn ich keine Rache üben konnte. Ich war von Verzweiflung und Entsetzen gepackt, so wie das kleine Bäumchen Huberts toten weißen Körper gepackt und festgehalten hatte.

Ich mußte unbedingt weg von hier, weit weg, damit ich die Männer nicht mehr hörte. Ich fühlte, wie Zorn in mir aufstieg, der sich in Stöhnen und Wimmern Luft machte. Ich grub meine Hände in die weiche Erde, grub mein Gesicht tief hinein, bis meine Nase und mein Mund voller Schlamm waren.

Aber ich weinte nicht. Wenn ich schon nicht fähig war, am Flußufer die Arbeit eines Mannes zu verrichten, dann wollte ich wenigstens nicht weinen.

Kurz darauf war ich wieder bei Niklas, der etwas in der Hand hielt. Als ich mich neben ihm in das feuchte Gras setzte, reichte er es mir. Es war ein Kreuz, aus zwei Stöcken gemacht, die ineinander gesteckt waren.

Ich nickte. »Ja, Bruder.« Ich stieß es fest in den Boden und sah Niklas an. »Keine Tränen. Gut. Die sollen sie nicht auch noch haben.«

Ganz in Gedanken öffnete ich die Tür des kleinen Holzkäfigs, in dem das Kaninchen saß, und nahm es in meine Arme. Sanft strich ich über sein Fell. Nach einer Weile entspannte es sich, und seine Nase zuckte in einem gleichmäßigen Rhythmus. Ich streichelte Kaninchen, streichelte es und streichelte es, während ich mit Niklas in den Fluß starrte.

21

Wir verbrachten die Nacht dort im Gras beim Fluß, irgendwie, und als ich am nächsten Morgen aufwachte, hatte ich die Arme verschlungen und die Knie bis zur Brust gezogen. Ich fühlte die Wärme der Sonne auf der einen Wange und kalte Erde an der anderen. Mein eines Auge sah auf hohes Schilf, das andere war fest zugedrückt.

Ich dachte an unsere Mutter und schloß beide Augen, um sie wieder vor mir zu sehen mit ihrem Haar, das morgens auf dem Bett ausgebreitet lag. Ich lief zu ihr und kroch zu ihr ins Bett, roch ihre Haare, spürte ihre sanften Wangen, und ich weinte, ohne aufzuhören, und sagte: »Halt mich fest, Mutter, ich bin verletzt, ich habe Angst, ich bin zu jung für das, was geschieht.«

Ich blieb lange so, sah unsere Eltern und die Mühle und das Wasserrad, bis es sich vor meinen Augen gleichmäßig wie die Teile einer Uhr zu drehen schien. Und dann sah ich nichts außer einem großen schwarzen Loch, und ich wußte, daß es die Zeit selbst war, und wollte hineinspringen, um nie wieder herauszukommen.

Nein, befahl ich.

»Nein«, sagte ich laut. »Steh auf.«

178

Mit Mühe öffnete ich die Augen und setzte mich hin, um mich umzusehen. Neben mir lag Niklas, auch zu einem Ball zusammengerollt. Ich kroch zu ihm und sah meinen Bruder durch meine Tränen hindurch an. Ich war mir nie sicher gewesen, was Niklas fühlte außer den Schmerzen anderer und außer seiner Liebe zu mir. Manchmal hatte sein langes tiefes Schweigen das Geheimnis einer Welt eingehüllt, die nur ihm und Gott bekannt war, und das hatte mir Angst gemacht. In solchen Augenblicken hatte ich ihn in Gedanken weggestoßen, armer Bruder. Ich war nicht immer gut zu ihm gewesen.

Während er schlief und im Schlaf wimmerte, strich ich über seine weißen Haare. Die Wangen meines Bruders waren noch immer rund wie bei einem Kind. Aber nicht mehr lange, und er würde so groß wie ein Mann sein. Was würde die Welt ihm antun, wenn er das Mannesalter erreichte, Huberts Alter? Ich dachte an Hubert, daran, was die Welt ihm angetan hatte, und ich schwor mir, mich niemals von meinem Bruder zu trennen. Niklas würde bei mir bleiben, und ich würde mich um ihn kümmern, bis wir starben.

Ich saß lange neben ihm. Schließlich machte er die klaren blauen Augen auf und sah mich an.

»Niklas«, sagte ich, »wir werden nicht weinen.«

Mein Bruder sah mich nur groß an.

»Denn er war ein Ritter, und Tränen wären ihm peinlich. Er will, daß wir mutig sind. Ich habe ihn geliebt, Bruder.« Und dann holte ich tief Luft und fügte hinzu: »Und du hast ihn auch geliebt. Wir werden an dem Kreuz beten, das du gemacht hast.«

Wir gingen hinunter zum Flußufer und fanden das Kreuz, das er aus Zweigen gemacht hatte, im Boden. Ich faltete meine Hände, und Niklas faltete seine auch.

»Herr im Himmel«, betete ich, »nimm unseren liebsten Freund in deine Obhut, vergib ihm seine Sünden, und schenke ihm deine Liebe. Amen.«

Den ganzen Tag saßen wir am Flußufer und sahen ins Wasser. Wir hatten nichts zu essen, und mir fiel ein, daß mein Geldbeutel in Huberts Satteltasche gewesen war. Der Ritter und seine Männer hatten also alles genommen — das Pferd, die Rüstung, das Geld.

Nur weil ich die Rolle mit den Zeichnungen auf meinem Rücken getragen hatte, war sie nicht auch verlorengegangen.

Wenigstens würde der Ritter nicht auch noch eine Uhr haben, die nach meinen Zeichnungen gebaut war. Das war ein Trost.

Wir suchten Beeren am Ufer und fanden auch ein paar Handvoll. Sie schmeckten schwarz und bitter, und wir spülten sie mit dem kühlen Wasser aus dem Fluß herunter. Dann schliefen wir wieder ein und wachten erst am nächsten Morgen auf, als die Sonne schon hoch am Himmel stand.

»Niklas, jetzt gehen wir«, sagte ich.

Er sah mich nur an.

»Wir gehen in die Stadt. Steh auf, Bruder.«

Er hatte die Beine übereinandergeschlagen und saß auf dem sumpfigen Boden. Seine Tunika war mit Schlamm beschmiert, auch sein Gesicht, und seine bloßen Füße (die Schuhe waren in der Satteltasche geblieben) sahen an den Zehen ganz weiß aus, als wären sie zu lange im Wasser gewesen.

»Steh auf, Bruder. Hier können wir nicht bleiben.«

Er schien nachzudenken, bevor er aufstand, als sei er sich nicht sicher, ob er überhaupt irgendwohin gehen wollte. Schließlich stand er mit zusammengepreßten Lippen auf und folgte mir weg vom Ufer.

Ich drehte mich noch einmal um, um einen letzten Blick auf den Fluß zu werfen. Ich wollte ihn nicht als das reißende Ungeheuer, das mir meinen geliebten Mann fortgenommen hatte, im Gedächtnis behalten. Ich starrte ihn so lange an, bis er kühl und glatt und blau aussah. Dann machte ich mich auf den Weg und winkte Niklas, mitzukommen.

Wir gingen den ganzen Nachmittag, fragten immer wieder nach dem Weg in die Stadt. Weil die Wege zerfurcht und steinig waren, riß sich Niklas die bloßen Füße auf, und sie begannen zu bluten, aber wir konnten nicht anhalten, wir mußten weitergehen. Ich riß vom Ärmel meines Mieders Streifen, wickelte sie ihm, so gut es ging, um die Füße, und dann gingen wir weiter.

Wir erbettelten zwei kleine Rüben von einem Fuhrmann, der einen ganzen Wagen voll hatte, und aßen sie auf dem Weg.

»Siehst du«, sagte ich zu Niklas, »es gibt auch gute Menschen auf der Welt«, aber selbst wenn er meine Worte verstanden hatte, war ich nicht sicher, ob er sie glaubte.

Die Nacht verbrachten wir im Wald, und am nächsten Morgen standen wir auf und tranken kühles Wasser aus einem Bach, aber am Mittag war mir schwindlig vor Hunger und Niklas sicherlich auch.

Und als ich schließlich in dem diesigen Sonnenlicht vor uns einen kleinen Wald mit kahlen Bäumen sah, der in der Ferne über den Feldern aufragte, glaubte ich zunächst, daß ich es mir nur einbildete. Aber als wir uns ein Stück weiterschleppten, merkte ich, daß es keine Einbildung war − nur waren es keine Bäume. Es waren Türme, ein ganzer Wald von Türmen.

»Jetzt wird alles gut«, versicherte ich Niklas, »bald sind wir in der Stadt.«

Und schon nach einer Stunde hatten wir ihre Tore erreicht. Wir gingen unter einem Steinbogen hindurch, und als ich hinaufsah, begegnete ich den Blicken der Wachen, die aus den Wachtürmen auf uns heruntersahen. Einer der Männer, ein ziemlich junger, winkte mir zu. Überall waren Menschen und Wagen und Esel, aber ich wollte nichts sehen. Der Hunger trieb mich an − den Uhrenturm und den Goldschmied, der ihn baute, zu finden.

Wenn jemand lange genug stehenblieb, um eine Frage beantworten zu können, fragte ich nach dem Uhrenturm. Niemand wußte auch nur, was das war.

Wütend sagte ich zu Niklas: »Sie wissen nicht, was eine Uhr ist, Bruder. Aber eines Tages werden sie es wissen.«

Wir gingen über eine Holzbrücke, die auf Steinpfeilern stand und über einen Kanal führte. Neben der Brücke waren Läden, in denen Essen verkauft wurde, so daß sich mein Magen noch leerer anfühlte. Ich sah zwei hübsche Frauen in blauen Kleidern, die an einem Stand Schweinskeulen aussuchten. Die eine der beiden sah mich mißbilligend an, als sich unsere Blicke begegneten, wahrscheinlich sah ich in meinem abgetragenen Mieder und dem schmutzigen Rock wie eine Bettlerin aus, die gleich auf sie zukommen würde.

Hinter der Brücke war ein Gewirr von engen Gassen, über denen der scharfe Geruch von Innereien hing, der aus den Gerbereien kam. Und hinter den Gerberhütten, in denen die Kadaver in großen Kesseln gekocht wurden, waren die Fleischerläden, und mein leerer Magen wollte sich umdrehen, als ich die fein zerlegten Schweine und Schafe sah, die dort zum Greifen nahe an Haken aufgehängt waren. Wir gingen schnell weiter, so schnell es die vollgepackten Maultiere zuließen. Einmal stieß mich ein Maultier, das mit Körben beladen war, zur Seite, und ich trat in eine Abflußrinne. Schnell zog ich meinen Fuß wieder aus dem schwarzen Wasser und den Fleischresten, die die Fleischer weggeworfen hatten. Das trieb mich noch schneller voran, bis wir das Ende der Gasse erreicht hatten und schon fast rannten.

Vor uns lag plötzlich ein offener Platz, auf dem ein Uhrenturm stand — erst halb fertig auf einem Gelände, das früher eine kleine Wiese mitten in der Stadt gewesen sein mußte. An den Mauern waren Gerüste und um sie herum Schuppen, in denen Holz zugeschnitten und Eisen geschmiedet wurde. Auf der Wiese wimmelte es von Steinmetzen, die Steine meißelten, und Männern, die Gips und Mörtel anrührten. Der Boden war mit Eisenhaken und Keilen und Beilen, mit Kübeln und Spaten und Sieben übersät. Die Luft war erfüllt von den donnernden Schlägen der Hämmer, die auf Granitstein einhieben. Schleifsteine kreischten. Bei soviel Lärm und Betriebsamkeit vergaß ich meinen Hunger.

»Niklas«, sagte ich, »ich glaube, hier ist der Mittelpunkt der Welt.«

Als ein Mann vorbeikam, der ein Mörtelsieb und eine Kelle trug, fragte ich ihn nach dem Goldschmied — dem Gildemeister —, aber er runzelte nur die Stirn und ging weiter. Dann fragte ich einen anderen Mann nach Justin, aber mit dem gleichen Ergebnis. Das passierte jedesmal, wenn ich jemanden fragte. Die Männer warfen mir nur einen kurzen Blick zu und gingen dann weiter. Einer von ihnen sah mich begierig an und murmelte etwas. Ein anderer schnauzte mich an, weil ich ihm im Weg stand.

Ich sah Frauen, die Holzbalken schleppten, die zum Abstützen des Gerüsts verwendet wurden. Ich ging zu ihnen, weil ich hoffte, bei ihnen mehr Glück zu haben, aber auch sie guckten verächtlich auf mich herab. Eine sagte — unter dem allgemeinen Gelächter der anderen —, daß ich zu den Zelten gehen solle, das sei der beste Platz für solche wie mich. Sie zeigte in die Richtung, in der die Steinmetzen arbeiteten.

Es müssen über hundert Leute gewesen sein, die dort arbeiteten, aber niemand, der uns geholfen hätte.

Ich sah Niklas an, der Kaninchens Käfig mit beiden Händen fest umklammert hielt. Vielleicht hatte er Angst vor dem Lärm. Überall wurde geschrien, und vor der Hütte eines Zimmermanns kreischte eine riesige Säge, die das Holz zuschnitt.

Ich wollte meinen Bruder beruhigen, denn hier würde unser Zuhause sein. Würde es das wirklich sein? Was, wenn ich den Goldschmied in dem grünen Umhang nicht fand, so wie ich ihn in Erinnerung hatte, mit nur einem Auge und dem anderen wie ein Klumpen verbranntes Fleisch? Oder was würde geschehen, wenn ich ihn fand, meine Zeichnungen aber nicht länger benötigt wurden, weil Justin schon hiergewesen war? Und falls sie nicht benötigt wurden, würde der Gildemeister einem Mädchen helfen, das einen Bruder mit weißen Haaren hatte, der nie ein Wort sprach?

Schubkarren wurden an uns vorbeigeschoben, und die Maurer schimpften, weil wir ihnen im Weg standen. Aber ich blieb stehen mitten in dem Lärm und Tumult, entschlossen, mir alles ganz genau anzusehen.

Steinmetzen trieben Keile in Granitblöcke und zerteilten sie in kleinere Stücke. Andere bearbeiteten den Stein mit Spitzhacken und brachten sie in eine Form mit klaren geraden Linien. Andere Männer schleppten die fertigen Blöcke zum Turm, der bereits hoch aufragte.

Der lange Arm einer Seilwinde hängte ein Seil über die Mauer. Zwei Männer befestigten den Stein in einer Netzschlinge daran. Aus dem Inneren des Turms hörte ich das Knallen einer Peitsche.

Ich ging näher hin, Niklas folgte mir, er umklammerte krampfhaft den Käfig. Vom Eingang aus sah ich, daß drei Ochsen mit Peitschen angetrieben wurden und um eine Plattform herumgingen, auf der der Kran stand. Dabei wickelten sie ein dickes Seil auf eine Winde. Wenn sich die Trommel drehte, kreischten Hanf und Holz, als würde ein großer Baum gefällt. Als sich das Seil spannte und an der Rolle zog, die hoch oben hing, wurde der schwere Stein vom Boden in die Luft gehoben. Er begann, wie eine graue Wolke im Wind zu pendeln. Die Männer, die oben auf der Kante der Mauer standen, schrien dem Mann, der die Seilwinde bediente, Anweisungen zu. Sie griffen zu und packten den Stein und zogen ihn an die Stelle, an der sie ihn haben wollten.

»Laß das Seil aus! Laß es aus!« schrien sie hinunter. Langsam wurde der Stein niedergelassen.

Ich spürte, wie mir der Schweiß in die Augen tropfte vor Erwartung und Angst, als der Stein mitten in der Luft hing. Die Maurer betteten den Stein in Mörtel ein.

Als sie fertig waren, drehte ich mich zu Niklas um. »Hast du das gesehen?« fragte ich. »Hast du es gesehen? Hast du es gesehen, Bruder? Hast du? Hast du es gesehen?«

Ich wollte ihm durch die Flut meiner Worte meine Erregung mitteilen und ihn selbst daran teilhaben lassen. Aber er sah finster, blaß, klein aus. Er war hungrig. Erstaunt erinnerte ich mich an meinen eigenen Hunger.

»Jetzt gehen wir etwas essen«, sagte ich zu ihm, zuversichtlich, als wüßte ich, wo wir etwas zu essen bekommen konnten. »Den Gildemeister werden wir später finden.«

Und ich führte ihn fort von der lärmenden Wiese und dem Turm, der von Gerüsten umgeben war.

Wir gingen in einen anderen Teil der Stadt. Als wir ein Stück in eine Gasse gegangen waren, schienen sich die Wände um uns herum zu schließen, schien die Sonne zu Schatten zu verblassen. Neben einer Taverne saßen Maultiertreiber mit Bierkrügen in den Händen, sie johlten und winkten mir zu, ihnen Gesellschaft zu leisten. Vor lauter Hunger und Durst hätte ich es fast getan. Über die Gasse waren Bänder gespannt, auf denen verschiedene Waren und Schmuck angepriesen wurden, und dahinter sah ich Schornsteine und Schindeldächer und graue Türme und Turmspitzen, die alle bis hoch hinauf in den Himmel ragten.

Wieder kamen wir zu einem offenen Platz, aber er war mit Pflastersteinen ausgelegt und von dreistöckigen Häusern umgeben, die aus Ziegelsteinen gebaut waren, mit roten Dächern und blaubemalten Fenstern. In der Mitte dieses Platzes stand die Bischofskathedrale, riesengroß ragte sie in den Himmel, als hätte sie sich vom Boden erhoben – und schwebte nun für einen Augenblick reglos in der Luft, bevor sie ihren Flug zum Herrn im Himmel fortsetzte.

Ich blieb stehen, um mir die Streben und Schnitzereien anzusehen. »Niklas«, sagte ich.

Aber dann vergaß ich, was ich hatte sagen wollen, denn vor uns saßen unter hohen Portalen zwei Reihen Menschen, über ein Dutzend auf jeder Seite, die einen Korridor bildeten, durch den jeder, der die Kathedrale betrat oder verließ, hindurch mußte. Ich sah, wie zwei Männer in Samtumhängen herauskamen und den Bettlern ein paar Münzen zuwarfen. Auf dem ganzen Weg streckten sich ihnen bettelnde Hände entgegen. Ich hörte einen lauten Chor: »Gebt uns ein Almosen! Almosen, Ihr Herren! Almosen! Im Namen des Gekreuzigten, Almosen!«

»Da werden wir hingehen«, sagte ich zu Niklas. »Wir werden uns zu ihnen setzen, und wenn wir genügend Geld haben, werden wir uns etwas zu essen kaufen.«

Wir gingen über den Platz und setzten uns sofort ans Ende der Reihe. Ich stellte Kaninchers Käfig hinter uns und lächelte der Frau neben mir zu, aber sie lächelte nicht zurück. Sie hatte um den Kopf und über dem einen Auge einen großen schmutzigen Verband.

Ein Mann, der einen Rosenkranz zwischen den Fingern drehte, kam näher, und als die anderen »Almosen!« schrien, schrie ich mit.

»Almosen! Almosen!« Ich beugte mich vor und streckte den Arm aus und nickte Niklas zu, damit er es mir nachtat. »Almosen!« schrie ich dem Vorüberkommenden nach und zog Niklas' Hand noch weiter nach vorn.

Ich zog noch immer an der Hand meines Bruders, als mich etwas in die Seite stieß.

Ich drehte mich um und sah in das rote Gesicht eines kleinen Mannes, der an diesem heißen Sommertag eine Kappe und eine mit Pelz besetzte Jacke mit bestickten Ärmeln trug.

»Was fällt dir ein, du dreckige, kleine Hure?« schrie er mich an und trat noch einmal mit dem Fuß nach mir, dann bückte er sich zu mir herunter, so dicht, daß ich die Adern in seinen Augen sehen konnte.

»Es ist alles in Ordnung«, sagte ich zuerst zu Niklas, dessen Mund vor Schreck weit offenstand. »Wir haben Hunger«, sagte ich dann zu dem kleinen Mann und hielt seinem wütenden Blick stand.

»Dumme Kuh. Wir haben alle Hunger«, sagte er.

»Aber wir wissen nicht, wie wir sonst zu Geld kommen sollen, um etwas zu essen zu kaufen.«

»Das weiß keiner.«

Wir starrten einander an.

Er richtete sich auf, sein Gesicht war jetzt nicht mehr ganz so rot. »Wir sind eine Zunft, Mädchen. Zuerst mußt du der Zunft angehören.«

Jemand von der anderen Seite begann zu lachen.

»Du brauchst gar nicht zu lachen«, sagte der kleine Mann und starrte ihn böse an. »Vielleicht ist es keine richtige Zunft, aber ich bin hier derjenige, der die Befehle erteilt.«

Er sah mich wieder an und sagte: »Wenn du es nicht glaubst, wirst du es bald merken. Wenn sich keiner darum kümmern würde und das Betteln unter Kontrolle brächte wie bei einer Zunft, dann würden sie sich bald über die ganze Stadt verbreiten, die Bettler, meine ich, und alles beschmutzen, bis der Herzog Soldaten schikken würde, um jedem einzelnen Bettler die Kehle durchzuschneiden. Auch deine, du kleine Hexe.«

»Dürfen wir vielleicht heute hier sitzen bleiben?« fragte ich. »Wir haben solchen Hunger.«

»Von mir aus kannst du eine ganze Woche hier sitzen. Aber zuerst mußt du deinen Beitrag an die Zunft zahlen.«

»Aber wir haben kein Geld. Wenn wir welches hätten —«

»Dann wärt ihr nicht hier. Klar. Aber Betteln ist in dieser Stadt ein gutes Geschäft, wenn du den Beitrag zahlst.«

»Dann müssen wir es irgendwo anders versuchen.«

Er schüttelte mit grimmigem Lächeln den Kopf. »Das wird nicht gehen, Mädchen. Überall, wo du hingehst, wirst du einen Zunftmeister wie mich finden. Und einen schlimmeren als mich. An manchen Plätzen verlierst du deine Hand, wenn du sie nur nach Almosen ausstreckst, und deine Augen dazu.«

»Bitte!« sagte ich.

»Du mußt geben, um was zu kriegen.« Er beugte sich zu mir herunter und zeigte mir grinsend seine gelben Zähne. »Du bist schmutzig, aber du bist jung, nicht wahr. Ich sag' dir mal was. Ich tu dir einen Gefallen. Dann kannst du das Geld vergessen. Komm mit rüber in die Gasse, wir beide. Dort kenne ich ein schönes Plätzchen.«

»Nein«, sagte ich.

Er seufzte und zuckte die Schultern. »Dich will sowieso keiner, du Dreckstück. Mach, daß du hier wegkommst«, schrie er.

Als wir aufstanden, fiel mir etwas ein. Außer den Zeichnungen und Kaninchen hatten wir ja noch eine Schnitzerei von Niklas.

»Wo ist sie?« fragte ich meinen Bruder und tastete seine Taschen ab.

Und tatsächlich fand ich in seiner Tasche ein hölzernes Kaninchen und hielt es dem Mann hin »Hier.«

Er kniff die Augen zusammen und riß es mir aus der Hand und drehte es zwischen seinen schwarzen Fingern hin und her. »Was soll das sein?«

»Ein Kaninchen.«

»Das weiß ich selbst. Aber wozu soll es gut sein?« Er sah von mir zu Niklas, dann wieder zu mir.

»Es ist eine Schnitzerei. Wir haben schon viel davon verkauft«, log ich.

Der Meister der Bettler wiegte den Kopf und spitzte die Lippen. »Natürlich weiß ich, was es ist. Er verkauft sie?«

»Er macht sie, ich verkaufe sie.«

»Das sehe ich. Er kann ja nichts verkaufen. Aber er macht sie?« Er sah Niklas nachdenklich an. »Also gut«, sagte er, »vielleicht bekomme ich was dafür. In dieser Stadt gibt es Leute, die alles kaufen.«

»Dürfen wir dafür heute hier sitzen bleiben?«

»Wenn ich für dieses Ding hier Geld kriege, könnt ihr eine ganze Woche hier sitzen«, sagte er. »Ich bin nicht hartherzig. Ich bin gerecht.« Er musterte mich und setzte ein Lächeln auf, das mir nicht gefiel.

»So sind die Regeln«, sagte er. »Man zahlt jede Woche. Wenn man nicht zahlen kann, kann man auch nicht hier sitzen. Ich bin hier der Meister, deshalb bestimme ich, was du zu zahlen hast. Und noch etwas: Bleibt hier am Ende der Reihe. Ich will nicht, daß ihr näher an die Tür rückt. Der beste Platz ist in der Nähe der Tür. Die Leute, die vom Gebet kommen, geben, wenn sie den ersten Schritt ins Freie tun, wenn sie überhaupt etwas geben. In der Nähe der Tür dürfen nur die sitzen, die ich schon lange kenne. Das ist die Regel. Und du«, fügte er noch hinzu, »du sitzt überhaupt nicht. Nur er.«

»Warum?« fragte ich.

»Weil du nicht krank bist und nicht blöde wie er. Vielleicht, wenn du eines Tages mal ein bißchen nett zu mir bist«, er lächelte, »dann zeig' ich dir vielleicht, wie man das Zittern kriegt. Übrigens — hat er das Zittern?«

»Nein.«

»Aber er ist verrückt, nicht wahr?«

»Nein.«

»Dann gib ihm rote Beeren zum Kauen und laß ihn den Saft ausspucken, wenn jemand vorbeikommt. Mach ihm einen Verband um den Kopf, der in rote Farbe getaucht ist, irgend so was. Gewöhnlich geben die Leute nichts, wenn jemand nur blöde oder verrückt aussieht. Aber wenn jemand blutet, geben sie was. Und nimm das Kaninchen weg. Wenn die Leute es sehen, werden sie sich fragen, warum ihr es nicht eßt. Setz den Jungen also hier hin, und du wartest da drüben.« Er zeigte auf eine Mauer neben der Kathedrale.

Ich ging dorthin und setzte mich auf den Boden. Hinter der Mauer hörte ich singende Stimmen. Es waren hohe Stimmen. Wahrscheinlich war es ein Kloster. Den ganzen Tag lehnte ich an der Mauer und beobachtete Niklas und die anderen, die die Arme ausstreckten, wenn die Gläubigen in die Kathedrale gingen und wieder zurückkamen. Mein Bruder erhielt keine einzige Münze. Und von den anderen bekam auch nur die Hälfte etwas.

Ich begann zu verzweifeln, und ich mußte an das geschnitzte

188

Kaninchen denken. Warum hatte ich nicht daran gedacht, es selbst zu verkaufen? Vielleicht, weil ich Niklas' Schnitzereien nie für wertvoll gehalten hatte. Würde der Meister der Bettler es wirklich verkaufen? Ab und zu dachte ich, während es schon zu dämmern begann, an Niklas' Messer. Vielleicht konnten wir es verkaufen. Später würde ich Niklas dann ein neues besorgen. Aber würde er es verstehen? Wenn ich sein Messer verkaufte, wäre es für ihn dasselbe, als würde ich sein Kaninchen verkaufen.

Ich grübelte noch darüber nach, als ich durch die Dämmerung Reiter näher kommen sah. Der eine hatte ein sonderbares Gesicht, mit dem irgend etwas nicht stimmte, und als sie über den Platz kamen, sah ich, daß dem Reiter das linke Auge fehlte.

An seiner Stelle war nur ein Klumpen Fleisch.

Ich stand auf und lief in seine Richtung und rief: »Hier, mein Herr! Gildemeister!« Verzweifelt sah ich, wie die Männer in meine Richtung sahen, ihren Pferden dann aber die Sporen gaben und davonritten. Ich lief ihnen nach und schrie über den Platz: »Albrecht Valens! Albrecht Valens!«

Der Mann mit dem einen Auge hielt sein Pferd an und wendete. Er kam zu mir geritten und beugte sich in der Dämmerung nach vorn, um mich zu sehen.

»Albrecht Valens!« rief ich noch einmal und griff nach hinten, um die Leinenrolle vom Rücken zu ziehen. »Ich habe seine Zeichnungen für Eure Uhr!« Und als sich sein narbiges Gesicht zu einem Lächeln verzog, lächelte ich zurück und mein Magen auch, das könnte ich schwören.

Dritter Teil

22

Justin war nie bis in die Stadt gekommen, aus welchen Gründen auch immer.

Vielleicht war er herumziehenden Soldaten in die Hände gefallen, oder vielleicht war er mit seinen Zeichnungen zu einem Edelmann gelaufen oder hatte sie sonst jemandem verkauft. »Er hat keinen Mut«, hatte unser Onkel gesagt. In einer Zeit, in der Gewalt vorherrscht, kann einem solchen Mann jedes Schicksal widerfahren.

Da Justins Zeichnungen nicht zur Verfügung standen, benötigte die Stadt also meine.

Eine Weile war ich mir nicht sicher, ob man mich auch benötigte, denn als Alderman Franklyn, Stadtrat und Gildemeister der Goldschmiedegilde, die Leinenrolle in den Händen hielt, schien er mich völlig vergessen zu haben.

»Gut«, sagte er dann von seinem Pferd herunter. Und dann zu einem seiner Begleiter: »Gib ihr eine Münze.«

»Mein Herr«, begann ich, wußte dann aber nicht, was ich sagen sollte.

Ich beobachtete den Alderman, als er die Leinwand auseinanderrollte, um sich die Zeichnungen anzusehen. Dann half mir mein Magen, die richtigen Worte zu finden.

Ich übersah die Münze, die mir der eine Reiter anbot, und sagte zu Alderman Franklyn: »Ich kann diese Zeichnungen lesen. Ich weiß, was sie bedeuten.« Denn er selbst hielt sie verkehrt herum.

Er sah mich nachdenklich an. »Ich erinnere mich an dich.«

»Ich bin die Nichte von Meister Valens. Ja, mein Herr. Er war gut zu mir. Er hat mir alles über die Uhren beigebracht. Ich habe diese Zeichnungen selbst gemacht, Herr. Mein Onkel hat es mir gezeigt. Und ich kann sie auch lesen.«

»Das können andere auch.«

»Aber ich habe sie gezeichnet. Ich kenne sie besser als jeder andere.« Er runzelte die Stirn wegen meiner Beharrlichkeit, schwenkte die Zügel hin und her. Und ich könnte schwören, daß mich der Klumpen Fleisch, wo früher ein Auge gewesen war, anstarrte.

»Du kennst sie besser als jeder andere«, wiederholte er. Es war schwierig, zu sagen, ob er sich über mich lustig machte oder ob er über meine Behauptung nachdachte.

»Ja, mein Herr. Es stimmt. Das könnt Ihr mir glauben. Ich kenne sie so gut, wie man sie nur kennen kann.«

Der Alderman rollte die Zeichnung in dem Leinen zusammen und schob sie sich unter den Arm. Dann sagte er: »Dann kannst du vielleicht von Nutzen sein. Komm morgen zum Turm.«

Ich drehte mich zu dem Mann um, der mir die Münze hingehalten hatte, und sagte: »Vielen Dank, mein Herr«, und streckte so lange die Hand aus, bis er sich vom Pferd beugte. Diesmal nahm ich die Münze und knickste, wie ich es von unserer Mutter gelernt hatte.

Am nächsten Morgen war ich schon früh am Turm und sah den Arbeitern zu, die mit vom Schlaf verquollenen Augen auf den Anger kamen. In den folgenden Monaten würde ich immer hier sein, würde neben der Mauer stehen, wenn sie am Morgen eintrafen. Und ich würde meinen eigenen Aufgaben nachgehen, denn ich sollte mithelfen, die Uhr zu bauen.

Ich sah Alderman Franklyn oft, wenn er kam, um sich mit dem obersten Meister zu beraten, einem stämmigen Eisenschmied aus dem Norden, der Eberhart hieß.

Die beiden standen auf der Wiese und beobachteten den Fortgang, den die Arbeit am Turm machte. Ich blieb in ihrer Nähe, falls sie mich brauchten, um sich von mir die Zeichnung erklären zu lassen, obgleich sie sich in jenen Tagen vor allem um den Turm kümmerten. Ich glaube, der Alderman stellte mir manchmal nur Fragen, um sich selbst zu bestätigen, daß er mich tatsächlich benötigte.

Ihm war vor allem daran gelegen, daß der Bau schnell voranging. Er wollte, daß der Turm fertig wurde und die Uhr eingebaut war, bevor andere Städte in der Umgebung auch eine hatten.

Ich hörte, wie er eines Morgens voller Zorn zu Meister Eberhart sagte: »Ihr kommt zu langsam voran. Wir bezahlen Euch dafür, daß Ihr diesen Turm fertig baut, daß Ihr ihn richtig baut und daß er bald fertig wird. Merkt Euch das. Entschuldigungen werden nicht akzep-

194

tiert. Wir sind eine Stadt mit rechtschaffenen Bürgern. Wir wollen bekommen, wofür wir bezahlt haben.« Sein einäugiges Gesicht sah furchterweckend aus.

Ich glaube, der Alderman konnte den Meister nicht leiden, weil er die meiste Zeit seines Lebens für Edelmänner gearbeitet hatte — in Schmieden, wo er ihre Pferde beschlagen und ihre Panzerhemden hergestellt und ihre Waffen gebaut hatte und wo er für ihre Landgüter Pflüge und Nägel und Radfelgen angefertigt hatte.

Wenn sie zusammenstanden und zusahen, wie der Turm wuchs, erinnerte Alderman Franklyn den Meister an die Steuern, die brave Bürger zahlten, um eine Stadtuhr zu haben.

Und wenn der Alderman das Gefühl hatte, daß die Arbeit langsamer voranging, erinnerte er seinen Meister daran, welche Mühsal und Härten die Bürger einer freien Stadt auf sich genommen hatten, um überhaupt frei zu sein. Sie hatten gutes Geld für ihre Rechte gezahlt, das der Herzog dazu benutzte, um seine Schulden zu begleichen, die er bei seinen großen Abenteuern während der Kreuzzüge gemacht hatte. Gute Bürger hatten sich ihre Befreiung vom Kampf mit der Waffe verdient, indem sie Besitzsteuer und Handelssteuer zahlten. Sie hatten auf den Gewinn verzichtet, den sie bei Jahrmärkten haben konnten — sie überließen all ihre Abgaben dem Herzog, damit er es nicht eines Tages vergessen möge und auf die Idee käme, seine Krieger zu diesen Wohltätern zu schicken. Und diese gottesfürchtigen Bürger hatten es ungerührt auf sich genommen, als ihnen der Bischof mit Exkommunizierung drohte, als er ihnen das Recht streitig machte, andere als kirchliche Gerichte Recht sprechen zu lassen. Das waren gute Menschen, diese Bürger, sie hatten sich den Edelleuten und der Kirche widersetzt, um ihre Freiheit zu bekommen. Und jetzt, nachdem sie sie hatten, mußten sie sie verteidigen, nicht nur gegen die alten Feinde, sondern auch gegen die neuen Rivalen — gegen andere Städte, deren Wohlergehen vom Ruin ihrer Nachbarn abhing.

»Hört mir gut zu«, warnte der Alderman den Meister. »Männer, die das getan haben, werden keine schlechte Arbeit dulden. Der Turm und die Uhr stehen für sie, für ihren Stolz, Meister Eberhart. Im Unterschied zu Euren Edelleuten wissen sie, welche Dinge einen Wert haben.«

Ich wußte wenig über die anderen Bürger, aber ich wußte, daß Alderman Franklyn in seinem Samtwams und mit dem verbrannten Fleisch in seiner linken Gesichtshälfte in der Tat den Wert der Dinge kannte. Wenn andere Kaufleute wie er waren, dann taten mir der Bischof und der Herzog leid — so gefährlich sie waren —, und mir taten auch die Bürger anderer Städte leid, die dieser Stadt bei ihrem Erfolg im Weg standen.

In Wahrheit stand ich auf der Seite des Aldermans, denn wir hatten etwas gemeinsam: Wir glaubten beide an die Uhr.

Was er über Städte sagte, war mir nicht wichtig. Es war mir egal, ob es stimmte, wenn er sagte, daß der Gewinn einer Stadt immer der Verlust einer anderen sei. Aber ich hörte Alderman Franklyn gern zu, wenn er darüber sprach, daß die Uhr Glück bringen würde, daß sie den Kaufleuten in fernen Landen sagen würde, was für eine große Stadt dies sei. Und daß sie, wenn sie von der Uhr hören würden, ihre Handelskarawanen hierher und durch diese Straßen lenken würden. Auch wenn der Bau des Turms und der Uhr höhere Steuern bedeutete und auch mehr Abgaben an die Kirche und das Herzogtum, glaubte Alderman Franklyn, daß sich die Kosten am Ende bezahlt machen würden. Ein solches Symbol für bürgerlichen Stolz stand für Fortschritt, und Fortschritt bedeutete mehr Handel und Geschäfte, und Geschäfte waren der Lebenssaft der Menschheit.

Was er über die Bedeutung der Uhr sagte, gefiel mir, auch wenn ich zugeben muß, daß es mir verhaßt war, seine schreckliche Narbe anzusehen, die seine Zuhörer wie ein offenes Auge anstarrte.

Der Meister aus dem Norden schien sich in der Gegenwart des Aldermans ebenfalls nicht wohl zu fühlen. Eberhart war Eisenschmied und außerdem Maurer. Ich entdeckte, daß er für diese beiden Dinge angeheuert war, daß er aber wenig von Uhren verstand. Er konnte die Stäbe und Räder anfertigen, aber ohne in Wirklichkeit zu verstehen, wozu sie da waren.

Daher mußte ich ihm beibringen, wie eine Uhr funktionierte.

Trotz seines muskulösen Wuchses war er scheu und zurückhaltend. Meister Eberhart kam immer von der Seite und stellte mir Fragen wie einem Mann, der ihm in die Augen sehen konnte. Es war sehr komisch. Ich hätte stolz sein müssen, aber seine Art veranlaßte mich eher, ihn mit Mißtrauen zu betrachten, anstatt ihn zu mögen. Und seine kleinen Schmeicheleien, mit denen er mich bedachte, wenn wir die Zeichnungen gemeinsam ansahen, machten mir keine Freude.

Wenn ich nicht bei Meister Eberhart war, schlenderte ich über die Wiese, um den Steinhauern zuzusehen, wie sie Holzformen über die zugeschnittenen Blöcke legten, damit sie alle dieselbe Größe hatten.

Obgleich es noch immer warm war, trug ich eine Mütze und weite Kleider, um meine Weiblichkeit zu verbergen. Manche Männer zwinkerten mir zu oder machten eine unanständige Bemerkung, wenn ich vorbeikam, aber da ich mit dem Meister zusammenarbeitete, wurde ich schließlich von den meisten Männern auf dem Baugelände akzeptiert.

Aber die Frauen, die die Karren zogen, riefen mir oft obszöne Worte nach, weil sie es nicht wahrhaben wollten, daß ich bevorzugt behandelt wurde, ohne meinen Körper hinzugeben. Sie führten ein schreckliches Leben. Mehr als eine von ihnen starb vor Erschöpfung. Sie hatten in ihrem Herzen nur noch Platz für ihre eigenen Schmerzen.

Die Zeit verging schnell in diesem Herbst und Winter. Ich verbrachte sie, indem ich zusah, wie der Turm wuchs. In der Nacht sah ich in meinen Träumen, was ich am Tage gesehen hatte: Schlegel aus Nußbaumholz und Hämmer und Meißel und Haken und Stecheisen. Ich träumte sogar von Meßmarkierungen an Steinblöcken, die die Steinmetzen anbrachten — eine doppelte 0 oder ein dreifaches X oder irgendeine andere Zahl, nach denen jeder Arbeiter seine Bezahlung bekam; die Zeichen flogen wie Vögel durch meine Träume.

Während der langen Wintermonate, in denen die Arbeit bei Eiseskälte weiterging, saß ich mit den Steinmetzen am Feuer und aß mit ihnen Zwiebeln und Gerstenbrot und Käse, und wir blickten durch das Schneetreiben hinauf zum Turm. An der Außenwand waren nur noch ein paar Lagen Steine nötig, bis sie fertig war. Die Innenwand war zur Hälfte fertig, und zwischen den Mauern waren schon ein paar Stufen aus Granit angelegt. Bald würde man über eine Treppe nach oben gelangen.

Einige Zimmerleute, die erst vor kurzem angekommen waren, saßen an eigenen Feuern von uns getrennt und beobachteten uns mürrisch. Sie waren nicht hier, um am Uhrenturm zu arbeiten, sondern an den Gebäuden, die um ihn herum stehen sollten: Lagerhallen und Stände und sogar ein Haus für die Weberzunft. Die Baustelle machte einen großen Bogen um den halben Turm herum auf der Mitte zwischen ihm und dem Rand der Wiese. Schon bald würden genauso viele Menschen an diesen Gebäuden arbeiten wie am Turm selbst. Ich sah zu den Mauern, die auf der Wiese emporragten, und dachte an die Uhr in ihrer Mitte wie an ein Herz, einen Puls, um den herum das Leben dieser Stadt wachsen und gedeihen würde.

Jeden Tag sahen wir Kaufleute in ihren Samtwämsern auf die Wiese kommen, die ebenso wie Alderman Franklyn die Bauarbeiten beaufsichtigten. Und es gingen auch Gerüchte um, daß komplizierte Abmachungen nicht nur zwischen dem Alderman und anderen Kaufleuten der Gilde getroffen worden waren, sondern auch zwischen reichen Händlern und Kirchenmännern und Vertretern des Königs. Sie teilten sich die Wiese vor dem Uhrenturm. Diese Gerüchte erinnerten mich an Kerzen in einem großen kalten Raum und an Männer, die an Tischen saßen, auf denen Gold aufgestapelt war.

Da inzwischen auch das Eisen für das Uhrwerk geschmolzen wurde, blieb ich dicht beim Meister, um seine Fragen zu beantworten. Meister Eberhart wußte nicht genau, wie groß die Räder und Stäbe sein mußten, denn er hatte weder Übung mit Zahlen noch Erfahrung mit der Bewegung von Gußformen. In diesen Tagen dachte ich oft an unseren Onkel, der mir so viele Dinge beigebracht hatte.

Die Gießerei war vergrößert worden und lag neben dem Laden eines Goldschmieds (wir erfuhren, daß er für Alderman Franklyn gebaut wurde). Wenn ich morgens durch den Schnee stapfte, blickte ich zuerst immer hinauf zum Turm, aber wenn ich dann als nächstes die flache Schmelzhütte und die Holzkohlenhütte dahinter sah, schlug mein Herz höher. Innerhalb dieser Mauern aus Lehm und Holz würde jedes Teil der Uhr erhitzt, geformt, bearbeitet werden — und eines Tages würde alles dort oben in dem großen Turm aufgestellt werden. Eine Uhr über der Stadt. Genauso die Uhr unseres Onkels wie die Uhr der Stadt. Und auch meine Uhr.

23

Während dieser Zeit wohnten Niklas und ich in einem Haus, das Meister Dollmayr gehörte. Ein Bediensteter des Aldermans brachte mich dorthin, nachdem er beschlossen hatte, daß ich beim Bau der Uhr mithelfen sollte. Der Alderman würde für unser Zimmer und die Verpflegung bezahlen und mir außerdem jeden Monat zwei Münzen zusätzlich geben.

An dem Tag, an dem wir zu Meister Dollmayrs Haus gingen, erzählte mir der Mann, der uns begleitete, daß in der vergangenen Woche ein alter Zimmermann gestorben sei, der dort gewohnt hatte.

»Deshalb bekommst du das Zimmer«, erklärte er. »Der alte Mann hat für Alderman Franklyn gearbeitet.« Er war selbst alt. »Und nach dem, was er immer erzählt hat, würde ich sagen, daß es dir dort nicht gefallen wird. Billig ist es ja. Und das ist das einzige, was für den Alderman zählt. Reiche Männer wie er geben kein Geld für Jungen mit weißen Haaren und Mädchen wie dich aus, auch wenn du dich mit Uhren auskennst. Und Meister Dollmayr wird dir auch nicht gerade gefallen.«

Meister Dollmayr war der Vorsteher der Künstlergilde. Alle Mitglieder dieser Gilde, Maler und Holzschnitzer, arbeiteten in seinem Haus, wohnten aber nicht dort.

Sein Haus war ein schmales dreistöckiges Gebäude aus Eichenholzbalken, die an den Ecken durch Bleibänder verstärkt und durch Holzdübel miteinander verbunden waren. Derartige Einzelheiten der Baukunst waren mir aus der Zeit bekannt, in der ich noch hinter Vater herlief, während er die Arbeiten in der Mühle verrichtete. Jedesmal, wenn ich ein gutgebautes Haus wie dieses sah, mußte ich an die Mühle denken, an Vaters große Hände, die den Hammer oder die Säge hielten.

199

Jedes Stockwerk ragte über das untere hinaus bis weit in die Straße, so daß die Fenster im dritten Stock, in dem die Herrin des Hauses hinter verschlossenen Fensterläden wohnte, fast die Fenster auf der anderen Straßenseite berührten. Hinter dem Haupthaus war eine Werkstatt für die Holzschnitzer und dahinter ein Gemüsegarten, der zu weiteren Gebäuden führte: Küche, Lagerraum, Holzschuppen, Latrine. Noch weiter hinten auf dem Anwesen waren ein kleiner Hühnerhof und ein Schweinestall und dahinter ein Stall für zwei Pferde.

Obgleich das Haus von der Straße aus groß und hell wirkte, war jeder Raum in ihm düster und leer. In Meister Dollmayrs Büro im ersten Stock stand nichts weiter als ein kleiner Tisch, ein Stuhl und eine Bank.

Im Eßzimmer stand ebenfalls eine Bank, außerdem eine Tischplatte auf Böcken und eine Vitrine mit einem Vorhängeschloß.

Ich mußte an den großzügigen Lebensstil unseres Onkels denken — die Pokale, die Kerzenständer, die flackernden Feuer, der lange Tisch, der mit Speisen beladen war, die wie für einen König angerichtet waren.

An Meister Dollmayrs Tisch herrschte nie gute Stimmung. Die Essensportionen waren nie groß, weder für ihn noch für sonst jemanden. Die Serviermädchen stellten — aus Angst vor Clotilda, der Wirtschafterin — nie Leckerbissen für sich auf die Seite, wie es die Mädchen im Haus unseres Onkels getan hatten. Und sie hoben nie die Reste auf, nicht einmal für sich selbst. Nach den Anweisungen der Wirtschafterin wurden die Reste — allerdings gab es in diesem Haus nur selten welche — im Essen für den nächsten Tag verwertet. Jeder, auch der Meister, lebte die meiste Zeit von Haferbrei.

Oben war ein langer Raum, ein Atelier, das von zwei Malern und ihrem halben Dutzend Gehilfen benutzt wurde.

Im dritten Stock waren drei kleine Schlafzimmer. In dem einen hielt sich den ganzen Tag lang die Hausherrin auf. Der Meister schlief in einem anderen Zimmer. Das dritte Schlafzimmer, das zwischen diesen beiden lag, gehörte Clotilda, der Wirtschafterin. Ihr Zimmer war genauso groß wie die andern beiden, aber es war gemütlicher, weil sie eine bunte Decke über ihrem Bett hatte.

Clotilda war eine junge Frau, groß und mit breiten Knochen, sie hatte ein schmales Gesicht und schwarze Haare, die hinten zu einem Knoten verschlungen waren. Vom ersten Tag an war sie unzufrieden mit uns.

Als ich vor dem Büro des Meisters stand, hörte ich sie sagen: »Kinder im Haus bringen Ärger.«

Der Meister antwortete nicht gleich — wahrscheinlich dachte er nach.

»Ja, nun«, sagte er schließlich. »Das verstehe ich. Aber das Mädchen ist eigentlich kein Kind mehr.«

»Um so schlimmer.«

Lange war es still.

»Ein Werk des Teufels«, sagte sie schließlich.

»Hm.«

»Ein Werk des Teufels. Denkt doch mal an die Männer in diesem Haus. Sie könnte sie reizen und verderben, und dann werdet Ihr den Schaden haben.«

Wieder herrschte lange Zeit Schweigen.

»Du hast ja recht, Clotilda. Aber Alderman Franklyn hat sie mir geschickt, deshalb muß ich sie aufnehmen. Und es wird ja für sie bezahlt.«

»Aber es gefällt mir einfach nicht. Warum nimmt sich der Alderman ihrer an — einer kleinen Hure wie sie und eines Jungen, der nicht sprechen kann?«

»Das Mädchen weiß über Uhren Bescheid, wie man mir sagte.«

»Und deshalb sorgt er für sie? Es will mir einfach nicht gefallen.«

»Hab ein Auge auf sie.«

»Es will mir nicht gefallen.«

»Vielleicht ist sie trotz allem unschuldig.«

Clotilda lachte verächtlich.

»Es bleibt uns nichts anderes übrig«, sagte der Meister jetzt mit festerer Stimme. »Es ist Gottes Wille.« Und dabei beließ er es.

Der Meister war mittelgroß und hatte ein weiches rundes Gesicht. Seine Augen standen vor, seine Lippen teilten sich zu einem Lächeln, das nie verschwand. Niemals, solange ich ihn kannte. Er hatte glatte braune Haare, die dicht an seinem Kopf

201

anlagen. Selbst bei heißem Wetter trug er eine pelzbesetzte Jacke. Sie ließ sich auf eine neue Art schließen, die jetzt Mode war — nicht mit Bändern, sondern mit Knöpfen, und er knöpfte sie bis zum Kinn zu. Dadurch sah er noch kleiner aus, als er in Wirklichkeit war.

Täglich kamen Bevollmächtigte der Gilde und Kunstkäufer ins Haus, so daß ich mich an das bunte Treiben im Haus unseres Onkels erinnerte. Aber sonst gab es kaum Ähnlichkeiten. Das Atelier der Künstler zum Beispiel. Die Männer in diesem Raum verhielten sich so leise! Sie mischten Farben, säuberten Bürsten, sie bewegten sich so leise wie Katzen.

Ich weiß noch, wie ich am ersten Tag mit Niklas in der Tür stand. Wir sahen zu, wie einer der Künstler Farbtupfer an der Schulter von Christus, dem Gekreuzigten, anbrachte.

»Das ist Unser Herr im Himmel«, erklärte ich Niklas.

Er starrte auf Jesus, der an ein Holzkreuz genagelt war.

»Wir sind Seine Kinder, und Er ist für uns gestorben.« Natürlich war es nicht das erste Mal, daß ich meinem Bruder die Kreuzigung unseres Herrn erklärte, aber noch nie zuvor schien er daran so interessiert gewesen zu sein. Ich mußte ihn regelrecht fortziehen. »Es ist so still da drin«, sagte ich mit leichtem Unbehagen.

Selbst in der Holzschnitzerei war es still. Meißel schnitzten fast geräuschlos das Tannenholz, und Hämmer aus Hickoryholz schlugen dumpf gegen Eichenholz. Sogar das Schaben der Feile schien gedämpft, als würde jedes Geräusch von Sägemehl zugedeckt.

Die quietschenden Wasserräder und die dumpfen Schläge der Mühlhämmer, neben denen ich aufgewachsen war, hatten mich auf lautere Töne vorbereitet — ich sehnte mich nach der betriebsamen, lärmenden Wiese beim Turm. Aber als Niklas an der Tür zur Werkstatt stand und dem leisen Schaben einer Feile lauschte, fragte ich mich, ob es ihm hier nicht vielleicht besser gefiel als in einer Schmiede, weil die Arbeit ruhiger vor sich ging. Ich wußte, daß er manchmal beide Hände vor die Ohren legte, wenn die Schläge von Metall auf Metall zu laut wurden. Als Niklas vor der Holzschnitzerei stand, sah er aus, als könnte er sich da drinnen zu Hause fühlen. Aber ich zog ihn weg, denn ich hatte Angst, daß die

Handwerker einen Jungen, der nicht sprechen konnte, schlecht behandeln würden. Hier hatten wir keinen Onkel, der uns beschützte.

»Bruder«, sagte ich, »das ist nichts für dich.«

Jeden Morgen, wenn ich die Augen aufschlug, dachte ich als erstes an die Steinmetzen und die Zimmerleute, die am Turm sein würden, wenn ich hinkam, und laut nach Werkzeugen und Handlangern schreien würden. Ich dachte an den Lärm und an die Unruhe. Es trieb mich an, aufzustehen. In unserer winzigen Kammer unter dem Giebeldach hatten Niklas und ich, zwei Decken und Kaninchens Käfig Platz.

»Wenigstens gehört es uns«, sagte ich zu Niklas, als wir unser Zimmer zum erstenmal sahen. »Eine Küchenmagd hat mir erzählt, daß die Bediensteten in vielen Häusern keinen eigenen Raum haben, sondern in dieser oder jener Ecke auf einem kalten Herd ohne Decken schlafen. Aber wir haben Decken und ein eigenes Stück Boden, auf den wir sie legen können. Und wenn wir auch keine Fenster haben — das ist nicht schlimm. Dann kann wenigstens der Wind nicht hereinblasen, und wir müssen nicht frieren.«

Aber es war trotzdem kalt. Das ganze Haus war kalt, den ganzen Winter. Der Meister gab nie Geld für Holz aus. Das Feuer unten im Haus wurde nur ganz selten angezündet. Und doch sah der Meister, der in Pelz gehüllt war, nie aus, als wäre ihm kalt. Und Clotilda glaubte, daß Menschen, die dicht beim Feuer standen, seine Hitze aufbrauchten. Daher war es verboten, in die Küche zu gehen und sich an den Herd zu stellen, während darauf etwas kochte. Den ganzen Winter war mir nicht ein einziges Mal warm.

In der Nacht rückten mein Bruder und ich unter den dünnen Decken eng aneinander. Oft wurde ich durch Geräusche unter uns wach gehalten (mein Bruder hatte nie Mühe einzuschlafen). Unter uns hörte ich Dielen knarren, als ginge jemand auf und ab, oft bis zum Morgen. Das war die Herrin des Hauses.

Tagsüber sah ich sie nur ganz selten, sie war sehr dünn und kaum größer als mein Bruder. Mit ihren grauen Haaren und dem verbissenen Gesicht sah sie älter aus als ihr Mann. Manchmal saß sie ganz allein im Eßzimmer am Tisch und aß eine kleine Schale Suppe. Ihr

Rosenkranz lag neben der Schale. Wenn die Perlen nicht auf dem Eßtisch lagen, drehten sie sich in ihren mageren, nervösen Händen. Auch wenn sie die Treppe hinaufging, glitten die Perlen unaufhörlich durch ihre Finger, und ihr Mund bewegte sich, aber ohne Worte zu bilden, die andere Menschen hören konnten. Und wenn sie einmal etwas sagte, dann war ihre Stimme leise, weit entfernt wie verhaltenes Schluchzen. Sie sah besorgt aus, oft erschreckt.

Als ich ein Hausmädchen nach dem Grund fragte, erfuhr ich, daß sich die Herrin vor dem Eintreffen des Antichrist fürchtete, dem Ende der Welt. So ging sie jede Nacht in ihrem Zimmer auf und ab und brachte die Dielen mit der gleichmäßigen Bewegung eines Uhrwerks zum Knarren.

Manchmal, aber nicht so oft, hörte ich auch noch andere Geräusche von unten.

Sie kamen aus Clotildas Schlafzimmer. Die Geräusche begannen langsam, schwach — zuerst leise, gedämpfte Stimmen. Und dann andere Geräusche, ungenau, als würde sich etwas drehen, rascheln, aber sie wurden immer lauter, während sie schneller wurden, und dann konnte ich deutlich schweres Atmen hören und harte gleichmäßige Schläge wie von einer Trommel. Danach Stöhnen und Seufzen, während ich selbst die Luft anhielt, und am Ende mündete alles in einem kurzen leidenschaftlichen Aufschrei. Dieser Schrei drang zu mir wie eine Erinnerung an dunkle Wälder und Hubert und die Leidenschaft, die ich in seinen Armen gespürt hatte. Dann berührte ich mich schamlos zwischen den Beinen, bis sie vor Erregung zuckten, während ich wortlos immer wieder Huberts Namen rief.

Eines Morgens stand ich früher als gewöhnlich auf und stieg die Leiter vom Dachboden hinunter. Ich hoffte, den Koch dazu überreden zu können, mir ein Stückchen Brot zum Frühstück zu geben.

Als ich den Fuß im dritten Stock von der Leiter setzte, sah ich den schmalen Gang entlang und sah dort den Meister stehen, der in einen dicken Umhang gehüllt war. Er streckte gerade die Hand aus, um die Tür zu seinem Schlafzimmer aufzumachen. Und Clotilda beugte sich im Nachthemd, aber ohne Schlafhaube aus ihrer Zimmertür und sah in den Gang. Sie lächelte ihm zu, aber ihr Lächeln verschwand, als sie mich sah. Ich lief schnell die Treppe hinunter, um mich ihren Blicken zu entziehen, aber ich spürte in meinem Rücken, wie der Meister und Clotilda mir nachstarrten.

Am selben Tag bemerkte ich, als ich von der Latrine kam, daß die Tür zur Vorratskammer offen stand. Ich hörte jemanden weinen. Ich stieß die Tür ein wenig auf und sah Clotilda, die sich über ein Mädchen beugte, das ich nicht kannte.

Das Mädchen lag zusammengekrümmt am Boden und wimmerte. Von ihren Lippen lief Blut, und auf ihrer Wange war ein roter Striemen. Ihre Haare, die sich gelöst hatten, fielen ihr über die Schultern — sie bewegten sich bei jedem ihrer mitleiderregenden Schluchzer auf und ab.

Die Wirtschafterin stand über ihr, die Hände in die Hüften gestemmt. Als mich Clotilda in der Tür stehen sah, verzog sie das Gesicht zu einem hämischen Grinsen.

»Aha, noch ein Mädchen, das sich besonderer Gunst erfreut«, sagte sie. »Na, gefällt dir, was du siehst?«

Ich wich einen Schritt zurück.

»Nein, nein. Komm nur. Neugier muß befriedigt werden. Ein bevorzugtes Mädchen wie du muß doch belohnt werden. Vor allem eins, das mit Männern zusammenarbeitet und Kaninchen im Zimmer hält. Komm rein, komm rein. Komm und sieh dir an, wie das Glück mit einem Mädchen umgeht, das sich besonderer Gunst erfreut! Die hier«, Clotilda sah hinunter zu dem Mädchen vor ihren Füßen, »hatte einen Messerschmied zum Liebhaber. Ein prächtiger, kecker Bursche. Habe ich nicht recht, meine Liebe?« fragte sie das Mädchen voller Spott. »Der verstand sein Handwerk. Und war so großzügig. Das Geld, das er verdiente, blieb nicht in seinen Taschen stecken. Nicht wahr, meine Liebe? O nein, ganz und gar nicht. Er gab es aus, um für dich Kleider zu kaufen. Um für dich Schleckereien zu kaufen.«

Clotilda warf mir einen Blick zu. »Wenn sie von ihm kam, dann wie eine Dame mit ihrem Brusttuch und den spitzen Schuhen. Was für eine Schönheit sie war! Was für eine feine Dame! Und als ich sie warnte, mit ihm davonzulaufen, wollte sie nicht hören. Was? Doch nicht auf mich! Eine einfache Haushälterin. Viel zu ungehobelt für eine feine Dame wie sie. Rühr dich nicht vom Fleck, du kleine Hure«, schrie Clotilda das Mädchen an, das sich aufgerichtet hatte.

Das Mädchen ließ sich wieder auf den Boden sinken und kauerte dort wie ein Hund.

»Eine wie die hört doch nicht auf eine einfache, dumme Haushälterin«, fuhr Clotilda fort. »Dazu war sie viel zu fein und hübsch. Aber jetzt kommt der interessante Teil der Geschichte. Als dieser gutaussehende Messerschmied seine Schneide lange genug an ihr gewetzt hatte, was glaubst du, hat er da getan? Sag. Na, sag's, meine Liebe. Was hat er getan?« fragte Clotilda mit falscher Freundlichkeit und beugte sich über das Mädchen.

Dann sah sie mich an und sagte: »Er hat sie zurückgeschickt. Hatte genug von der feinen Dame. Er hat sie direkt hierher zurückgeschickt. Und da haben wir sie. Unsere feine Dame ist heimgekehrt. Plärrend und heulend. Und nun bettelt sie um Arbeit«, fügte Clotilda hinzu und schlug mit ihrer großen kräftigen Hand auf das Mädchen ein. »Um Arbeit betteln willst du, was? Steh auf!« schrie sie. »Mach, daß du hier rauskommst!«

Das Mädchen lag noch immer wimmernd zu Clotildas Füßen, als ich weglief.

»Vergiß es nicht!« schrie mir die Wirtschafterin mit ihrer kreischenden Stimme nach. »Du hast gesehen, was mit Mädchen passiert, die sich besonderer Gunst erfreuen!«

»Niklas«, sagte ich an jenem Tag. »Geh der Wirtschafterin aus dem Weg. Sie ist böse.«

Ob er mich verstand? Er schien an nichts anderes zu denken als ans Holzschnitzen. Wenn wir vom Turm zurückkamen, lief er zur Werkstatt und sah den Holzschnitzern bei ihrer Arbeit zu, bis sie ihre Werkzeuge einpackten und nach Hause gingen.

Einer der Holzschnitzer, ein alter Mann, der eine Tonpfeife rauchte, hielt mich eines Morgens an, als wir auf dem Weg zum Turm waren.

»Laß den Jungen heute mit mir kommen«, sagte er.

Ich sah Niklas an, der mit der einen Hand sein Messer und mit der anderen meine Hand festhielt. »Er sollte bei seiner Schwester bleiben«, sagte ich.

»Wir kümmern uns schon um ihn«, versicherte mir der Holzschnitzer. Als ich in seine freundlichen alten Augen sah, glaubte ich,
daß er es ehrlich meinte.

Trotzdem sagte ich: »Niklas sollte bei mir bleiben.«

»Ich habe gesehen, wie er schnitzt. Ich kann aus ihm einen guten
Holzschnitzer machen.«

Wir sahen uns prüfend an, dann drehte ich mich zu Niklas um.
Verstand er, was vor sich ging? In seinen Augen war nichts zu
erkennen. Aber als ich sagte: »Geh mit diesem Mann, Niklas«, ließ er
sofort meine Hand los und streckte den Arm aus, um die Hand des
alten Mannes zu ergreifen.

Ich sah ihnen nach, wie sie Hand in Hand zum Haus zurückgingen.

Ich spürte Tränen in den Augen. Im Haus unseres Onkels waren
wir oft unsere eigenen Wege gegangen, aber mit nur wenigen
Schritten hatte ich immer bei meinem Bruder sein können. In der
Mühle waren wir auch immer zusammengewesen. Wir hatten uns
niemals getrennt, in unserem ganzen Leben nicht. Die Erkenntnis,
zum erstenmal von ihm getrennt zu sein, brannte in meinem Herzen
wie heiße Kohle.

Aber der alte Holzschnitzer hatte recht. Niklas mußte etwas
lernen. Denn eines Tages würde er zum Mann heranreifen und der
Welt gegenüberstehen, so wie Hubert der Welt gegenübergestanden
hatte. Was würde geschehen, wenn ich ihn nicht beschützen konnte?
Mir kam der ungewöhnliche und schreckliche Gedanke, daß Niklas
sich vielleicht würde selbst beschützen müssen.

24

Ich arbeitete in jenem Winter viel mit Barnabas zusammen.

Er war der Meister in der Gießerei und kam auch aus dem Norden,
wo er in Schlössern für die Feuerstellen die Einfassungen gebaut
hatte. Barnabas hatte Übung im Umgang mit großen Eisenstücken
und war für diese Arbeit gut geeignet, obgleich er anfangs nicht an die
Uhr glaubte.

Er verschränkte seine mächtigen Arme und blickte finster unter seinen dicken schwarzen Augenbrauen hervor. »Die Kirche sagt uns, wann wir beten sollen. Das genügt vollkommen. Aber die Glocke da drüben sagt uns, wieviel Stunden wir benötigen.«

Und tatsächlich ertönte jeden Tag die Glocke von der Kathedrale und verkündete donnernd die sieben kirchlichen Stunden, als wollte sie damit ausdrücken, daß sie das, was nur ein paar Schritte von ihren geschnitzten Türen entfernt entstand, mißbilligte.

Ich erklärte Barnabas, daß unsere Uhr, wenn sie einmal fertig sei, jede Stunde läuten würde und daß die Strecke zwischen jeder vollen Stunde das ganze Jahr über gleichbleiben würde.

Barnabas schüttelte den Kopf. Ihm gefiel der Gedanke nicht, daß Sommer und Winter gleich sein sollten, da doch jeder wußte, daß es nicht stimmte. Die Wintertage seien kürzer, erklärte er. Etwas anderes zu denken war gegen die Natur — und vielleicht sogar gegen Gott. Er überlegte auch immer, ob sich eine Uhr nicht auf den Lohn auswirken würde. Die Menschen erhielten im Sommer mehr, weil sie länger arbeiteten. Aber was würde geschehen, wenn nun die Uhr mit ins Spiel kam?

Aber allmählich lernte er die Uhr besser kennen. Ich erklärte sie ihm anhand meiner Zeichnungen. Ich bemerkte, wie sich sein großes breites Gesicht aufhellte bei dem Gedanken an eine Waag, ein Schlagwerk, ein Gehwerk, ein Antriebsgewicht. Und umgekehrt brachte er mir bei, wie man das Schleifrad in Gang setzte (in der Schmiede unseres Onkels hatte ich die Werkzeuge nie angerührt), wie man die Tretkurbel und das Fußpedal bediente. Obgleich ich ein Mädchen war, ließ mich Barnabas Schneiden und Bohrer schärfen. Er zeigte mir, wieviel Schmirgel und Talg man auf das dicke Leder des Rads aus Nußbaumholz geben mußte. Er führte meine Hand, damit ich die Werkzeugkante im richtigen Winkel ansetzte. Und er lachte, wenn es mir gut gelang.

Ich erzählte ihm von der Zugfeder, an der unser Onkel gearbeitet hatte, damit wir eines Tages einmal kleinere Uhren bauen konnten — so klein, daß man sie in einer Hand halten konnte. Aber das ging Barnabas denn doch zu weit. Er lachte spöttisch.

Mir gefiel seine langsame schwerfällige Art, und er behandelte mich mit Respekt. Vielleicht war er aber auch nur freundlich, weil mir der Meister in seiner Gegenwart Fragen stellte. Barnabas hatte die Angewohnheit, die anderen Frauen, die Holz und Steine karrten, auf dem Bauplatz anzuschreien.

Eines Tages bemerkte ich, wie sich Barnabas das Kinn rieb und mich nachdenklich anstarrte.

Als sich unsere Blicke trafen, sagte er: »Wie alt bist du, Anne?«

»Achtzehn.« So alt würde ich bald sein.

»Und du hast von deinem Onkel gelernt, wie man die Uhr zeichnet?«

»Von ihm und einem anderen Mann, der Justin hieß.«

»Trotzdem«, sagte er. »Du bist zu jung, um soviel zu wissen.«

Es hatte keinen Zweck, ihm zu erzählen, wie alt ich mich in Wirklichkeit fühlte.

»Ich glaube, du machst dich älter«, sagte er ernst, »weil du dir die Dinge genau ansiehst. Du siehst genau hin. Du siehst genauer hin als jeder, den ich kenne. Ich glaube, deshalb wirkst du so alt.«

Er meinte es gut mit mir, deshalb konnte ich ihm nicht erzählen, was das genaue Hinsehen mir angetan hatte. Daß ich durch genaues Hinsehen manchmal Dinge sah, die ich besser nicht gesehen hätte. Es verging kein Tag, an dem ich in meinen Gedanken nicht an das Gemetzel bei der Mühle und an das Abschlachten von Hubert gedacht hätte. Ich sah alles genau vor mir, jede Einzelheit, bis ich zu zittern begann. Und oft wünschte ich mir, nie wieder etwas sehen zu müssen von dem, was in der Welt geschah. Damit ich mich nicht daran erinnern müßte.

An solchen Tagen blieb ich den ganzen Tag in der Gießerei und atmete die heiße Luft der Blasebälge ein. Die Erinnerung verfolgte mich selten bis zu den Rädern, den Flaschenzügen, den Zangen und Federn, den Drillbohrern, den Drahtmessern, den Stiften und Nägeln und Schneidegeräten und Haken und Schraubstöcken und Klemmen und Gleitbändern und Ketten und singenden Ambossen und heißen Eisenstangen, so flüssig wie Wasser. Bei den Schmiedefeuern konnte ich die Vergangenheit vergessen.

Und mit meiner Strumpfmütze und den weiten sackartigen Kleidern verrichtete ich die Arbeit eines Mannes. In Gegenwart der

Männer sagte ich in der Schmiede selten etwas, aber unser Onkel hatte mich darauf vorbereitet, ihnen, wenn nötig, entgegenzutreten. Ich fühlte mich sicher, wenn ich bei dem Eisen war, das einmal eine Uhr sein würde. Vielleicht fühlte ich mich dort so sicher wie jeder andere Schmied. Ich fühlte mich begnadet. Ich bemühte mich, dieses Gefühl vor den Männern zu verbergen, aber wegleugnen konnte ich es nicht. Innerhalb der Mauern der Gießerei überkam mich ein merkwürdiges Gefühl. Wenn sich geschmolzene Erzklumpen in Räder und Stangen verwandelten, war ich nicht mehr ein Mädchen von siebzehn Jahren, sondern jemand, der von den anderen nicht zu unterscheiden war und neben Männern wie unserem Onkel stand und zusah, wie aus Feuer und Getöse eine Uhr entstand. In dieser heißen, lärmenden Welt glühte mein Herz vor Stolz — wie Eisen, das im Schmiedeofen erhitzt wird.

Das machte die Uhr mit mir. Es machte mich stolz, sie zu bauen, und ich glaube, daß Gott meine Überheblichkeit erkannt und mich dafür bestraft hat.

Als der Schnee auf der Wiese zu schmelzen begann, war der Turm fertig.

Ich sah den Zimmermännern zu, die über den obersten Steinen ein Holzdach errichteten. Das Dach würde an seinen vier Ecken auf dicken Balken liegen. Die Zimmermänner klammerten sich dort oben wie Katzen an die Steine und das Holz, und von unten sah es aus, als würden sie der luftigen Höhe sorglos wie Dämonen trotzen, als sie dort herumspazierten und das Holz zuschnitten und mit Hämmern bearbeiteten.

Jeden Morgen stiegen sie über die Steintreppe hinauf, und jeden Abend kamen sie auf demselben Weg wieder herunter, womit der innere Teil des Turms seinen Zweck erfüllte. Was ich von außen sah, war mehr als ein großer Bau aus behauenen Steinen: Der Turm war wichtig, er hatte eine Aufgabe zu erfüllen.

Als Barnabas die Eisenstange, an der die Glocke hängen sollte, fertig hatte, trug ein halbes Dutzend Männer sie zum Turm. Sie wurde vom Flaschenzug neben den Steinmauern hochgezogen. Sie war an dicke Seile gebunden, die sie daran hinderten, beim Hinaufziehen hin und her zu schwingen. Auf der Wiese hörten alle zu arbeiten auf, um den Männern zuzusehen, die oben auf dem Turm standen. Niemand rührte sich, gebannt starrten alle nach oben, als sie die Arme ausstreckten und die Stange unter das Holzdach zogen.

Ich erinnere mich genau daran: Die Männer standen am Rand der Steine und hielten die dicke Stange mit den Händen fest, dann hoben sie sie in Träger, die kreuzweise unter dem Dach angebracht waren. Und ich weiß auch noch genau, was dann passierte: Als das linke Ende der Stange an seinem Platz war, verlor einer der Männer, der sie noch einmal zurechtschob, das Gleichgewicht und stürzte vom Turm. Er drehte sich ganz langsam zweimal um sich selbst, bevor er auf dem Boden aufschlug.

Wir liefen alle zu ihm. Ich sah in sein junges Gesicht, in zwei weit aufgerissene, erschrockene Augen. Sein Körper war seltsam verrenkt. Ich wandte mich ab und ging weg und spürte kaltes Entsetzen, denn das junge Gesicht des Toten erinnerte mich an Hubert, meinen geliebten Hubert.

Ich hörte, wie jemand hinter mir sagte: »Na ja, sie ist eben nur ein Mädchen. Hat noch nicht viel vom Tod gesehen.«

»Niemand kann fünf Jahre in dieser Welt leben, ohne den Tod kennengelernt zu haben.«

»Ich meine einen Tod wie diesen.«

»Hast du ihn gekannt?«

»Er war Steinmetz. Hat mit Tobias zusammengearbeitet. Kennst du Tobias?«

»Der große Bursche aus dem Süden?«

Dann merkte ich, daß ich weinte, und lief schnell fort.

Aber am nächsten Morgen ging ich wie üblich zum Platz. Niemand sagte etwas über das Unglück, und im stillen dankte ich ihnen dafür.

Der Schmiedeofen war heiß, und in meinen Ohren dröhnte die wilde Musik eines Eisenhammers. Ich prüfte die Maße eines Rads, das zum Gehwerk gehörte, und verglich sie mit meinen Zeichnungen. Es konnte sein, daß es zu klein war, aber das würden wir erst wissen, wenn wir das Gehwerk zusammengesetzt hatten. Vom Schuppen der Gießerei aus beobachtete ich Männer, die eine Grube

211

aushoben. An jenem Nachmittag kam ein Kupfergießer, um den Guß der großen Turmglocke zu beaufsichtigen. Zuerst baute er aus Ziegelsteinen ein Gehäuse – ähnlich wie eine Dolchscheide –, in das die Lehmform für die Glocke kam.

Ich ging hinaus und sah zu, wie er selbst ein Wachsmodell der Glocke anfertigte. Es war so groß wie ich. Diese Form aus Wachs wurde in eine andere Lehmhülle gesetzt und dann in das Gehäuse hinuntergelassen.

Jeden Tag saß ich, sooft ich Zeit hatte, auf dem Rand der Grube, um zuzusehen. Der Kupfergießer, der ein rotes Gesicht hatte und ziemlich klein war, war nett zu mir. Er sah von seiner Arbeit auf und erklärte mir jeden einzelnen Schritt des Formens.

Eines Tages wurde in der Grube ein großes Feuer gelegt und am Tag darauf die Wachsform in einem Bett aus glühenden Kohlen erhitzt, bis sie weich war und zerrann. Als das Wachs völlig ausgelaufen und das Feuer ausgegangen war, stülpte der Kupfergießer mit seinen Gehilfen das Ziegelsteingehäuse um. Es war eine langwierige Arbeit, und die Männer stöhnten und schwitzten, und ihre Gesichter waren rot vor Anstrengung.

Ich kroch noch dichter an die Grube heran, als zwei Männer eine glühendheiße Flüssigkeit in die Lehmhülle schütteten.

»Was ist das?« fragte ich.

»Kupfer und Zinn«, sagte der Gießer, und mit einem Augenzwinkern fügte er hinzu: »Das Blut meines Lebens.«

Aus dem eisernen Tiegel rann das spritzende flüssige Metall an die Stellen, die vorher das geschmolzene Wachs ausgefüllt hatte. Es floß so zäh und träge wie ein Strom, der Eis mit sich führt.

»Siehst du das, Mädchen?« fragte der Gießer. »Wie gefällt es dir?«

»Es ist wunderschön.«

Er lachte und drehte sich zu seinen Gehilfen um. »Sie sagt, es ist wunderschön. Wunderschön!« Und dann lachten sie auch alle.

Als sie den äußeren Mantel, nachdem er abgekühlt war, abschlugen, kam unter den zerbrochenen Lehmstücken eine aschgraue Metallglocke zum Vorschein – wie ein Küken, das aus seinem Ei schlüpft.

»Ist das schön?« fragte mich der Gießer.

Ich nickte.

Am nächsten Morgen meißelte er etwas in die fertige Glocke, dann winkte er mich zu sich. Ich kletterte in die Grube, in der die Glocke auf einem Holztisch stand. Dicht am Messingrand hatte er drei Glocken eingeritzt, sein Gießerzeichen, und einige Worte dazugeschrieben.

»Kannst du lesen?« fragte er.

Ich nickte stolz und beugte mich vor, um zu lesen, was er in die Glocke geritzt hatte.

Ich zerstreue die Wolken am Himmel.

Und darunter stand sein Name.

Dann schlug er mit einem Hammer gegen die Glocke. Sie hatte einen tiefen dunklen Ton, der an der Luft anschwoll.

»Hörst du das? Ist das nicht schön?« fragte der Gießer. Er hatte ein verschwitztes rotes Gesicht mit einer großen Nase. Sein Kopf wirkte zu groß auf seinem kleinen drahtigen Körper.

Wieder schlug er gegen die Glocke und sah zu den Männern, die neben der Grube standen. »Gut, nicht wahr?« sagte er und stieß einen Seufzer aus.

Sie nickten zustimmend.

Er blinzelte mir zu und sagte: »Wir nennen das einen jungfräulichen Klang. Weißt du, warum wir es einen jungfräulichen Klang nennen, Mädchen? Mädchen sollten wissen, warum.« Er blinzelte den Männern hinter mir zu. »Weil noch niemand in ihr drin war. Verstehst du? Sie ist völlig intakt. Wenn ich eine Glocke baue, braucht hinterher keiner reinzukriechen, um sie zu schleifen, damit sie einen besseren Klang kriegt. Meine Glocken sind immer jungfräulich. Sie brauchen nicht gestimmt zu werden. Der Klang meiner Glocken ist in ihnen selbst. Dieses Talent hat Gott mir gegeben. Hier.« Er reichte mir einen Meißel.

»Wenn du lesen kannst, was ich auf die Glocke geschrieben habe, dann kannst du auch selbst Buchstaben machen«, sagte er. »Stimmt's?«

»Ja.«

»Dann schreib deinen Namen.«

213

Und so saß ich neben der schlanken Glocke und ritzte meinen Namen in sie ein: ANNE, schrieb ich. Das Metall fühlte sich kalt an, als ich es berührte, aber als ich fertig war und mit der Hand über meinen Namen strich, fühlte es sich an, als ob etwas Lebendiges in einem Fluß schwimmt – etwas, das sich in den nassen kühlen Tiefen ein ganz klein wenig bewegt.

Während ich den Namen einritzte, hatte ich völlig vergessen, daß ich nicht allein war, aber als ich den Meißel weglegte, hörte ich ringsherum Beifall, und ich sah in die lächelnden Gesichter der Steinmetzen, Gießer und Schmiede. Sogar ein paar Frauen standen dabei, die jetzt auch lächelten.

Die Glocke trug also meinen Namen. Das würde ich nie vergessen. Ich legte die Arme um den Messinggießer, um mich bei ihm zu bedanken, und fühlte, wie mir Tränen über das Gesicht liefen.

Ein paar Tage darauf wurde die Glocke angebracht.

Aber bevor sie durch den Turm hinaufgezogen wurde, kam ein Priester, um sie zu segnen. »Custos campanilis et pulsator horarum noctibus et diebus«, sagte er. Der Priester war noch sehr jung, groß und gut aussehend. Obgleich er dunkle Haare hatte, erinnerte er mich an Hubert. Er hatte dieselbe Würde in seinem Gesicht.

Während die Handwerker Ochsen vor den Schlitten spannten, der die Glocke zum Turm ziehen sollte, ging ich zu dem Priester und sagte: »Erlaubt Ihr mir, Euch eine Frage zu stellen, Vater?«

Einen Augenblick lang sah er mich nur an. Ich wußte, daß er meine braunen Haare betrachtete, die unter der Mütze hervorsahen. Seine Augen weiteten sich, als er merkte, daß ich ein Mädchen war. »Natürlich, mein Kind.«

»Woher kommen diese lateinischen Worte?«

»Sie bedeuten –«

»Was sie bedeuten, weiß ich. Oder jedenfalls die meisten. ›Hüter des Glockenturms –‹«

»›Wächter des Glockenturms‹«, korrigierte er und sah mich erstaunt an.

»›Wächter des Glockenturms, der du bei Tag und bei Nacht die Stunden anschlägst.‹«

»Sehr gut. Sehr, sehr gut, mein Kind«, sagte er mit einer Begeisterung, die überhaupt nicht zu seinem ernsten Gesicht paßte.

»Das sind schöne Worte.«

»Von mir«, sagte er bescheiden mit einem Schulterzucken, dann drehte er sich schüchtern auf die Seite.

»Wenn Ihr so schöne Worte dafür findet, muß Euch die Uhr gefallen.«

»Ich mag Glocken, aber keine Uhren. Die Glocken rufen uns zum Gebet.«

»Diese Glocke wird jede Stunde läuten und auch die Stunden fürs Gebet«, erwiderte ich.

»Ja, leider. Wie ich gehört habe, ist das so.«

»Warum leider? Dazu ist eine Uhr da, daß sie das tut.«

Er runzelte die Stirn, und ich merkte, daß ich zu kühn gewesen war. Diese Kühnheit kam, weil ich soviel Zeit mit Männern verbracht hatte. Beschämt biß ich mir auf die Lippen.

Dann sahen wir dem Ochsengespann zu, das sich bemühte, die Messingglocke aus der Grube zu ziehen. Der Schlitten, der laut quietschte und ächzte, glitt über eine Holzrampe.

»Mein Kind«, sagte der Priester und wandte sich wieder mir zu. »Was tust du denn an einem solchen Ort?«

Ich erklärte ihm meine Arbeit an der Uhr.

Er hört mir mit ernster Miene zu, preßte die Lippen aufeinander, sah mich von der Seite an aus Augen, die so groß waren wie die eines Mädchens.

Es dauerte noch den ganzen Tag, bis die Glocke aufgehängt war. Nachdem das Ochsengespann den Schlitten zum Turm gezogen hatte, übernahm eine große Gruppe Arbeiter die Glocke. Sie schoben sie durch ein großes Loch, das in der Innenwand offengelassen war. Früher in der Mühle hatte ich oft den Ameisen zugesehen, die ähnlich vorgingen, wenn sie einen großen Gegenstand in ihr Nest transportierten. Die Glocke bewegte sich ganz langsam voran. Manchmal fiel einer der erschöpften Männer einfach um, und ein anderer übernahm seinen Platz.

Innen wurde die Glocke an einer großen Trosse gesichert und dann von den Ochsen über eine Rolle, die an dem Balken unter dem

Dach befestigt war, nach oben gezogen. Außer dem Ochsentreiber, der sein Gespann mit einer Peitsche antrieb, war alles still auf dem Platz.

Als die Glocke oben angekommen war, drehte ich mich um und sagte: »Seht doch!« Aber der Priester war nicht mehr da.

Lange stand ich noch mit den anderen da und sah den Männern zu, die oben auf dem Steinrand balancierten und die Glocke an der Stange befestigten, die sie halten sollte. Ich mußte an den Mann denken, der abgestürzt war, und wie er sich in der Luft gedreht hatte und dann auf dem Rücken am Boden liegengeblieben war mit den aufgerissenen, erschrockenen Augen und dem bleichen Gesicht, so jung und so schön, und wieder packte mich das Entsetzen über Huberts Tod, daß ich am ganzen Körper zitterte und mich ganz elend fühlte.

Ich weiß nicht warum, aber dann mußte ich an meinen Bruder in der Holzschnitzerei denken. Ich konnte ihn nicht fragen, ob er die Handwerker mochte, ob ihm gefiel, was er tat. Was würde meinem Bruder widerfahren, wenn er so alt sein würde, wie Hubert gewesen war? Meine Gedanken verfingen sich in dieser Frage, so wie sich Huberts Körper in dem Baum im Wasser verfangen hatte.

Die Männer um mich herum brachen in Jubel aus. Die Glocke hing sicher an ihrem Platz. Ich riß mir die Mütze vom Kopf und schwenkte sie durch die kühle Luft des ersten Frühlings und fiel in den Jubel der anderen ein.

Als ich an jenem Abend die Wiese verließ, trat jemand in der Dämmerung auf mich zu.

Es war der junge Priester. Er wollte etwas sagen, aber er brachte nur ein leises »Ah« über die Lippen.

Er lächelte mich an, und wir gingen zusammen weiter. Er gab mir zu verstehen, daß es nicht seine Absicht gewesen sei, etwas gegen Uhren zu sagen. Deshalb sei er zur Wiese zurückgekommen — um es mir zu erklären.

Ich sah ihn an. Er war ungefähr so groß wie Hubert, aber viel dünner. Trotz der weiten Robe konnte ich erkennen, wie schlank er war.

Als habe er lange Zeit auf diese Gelegenheit gewartet, redete er, ohne anzuhalten. Seiner Meinung nach würde eine Uhr gut sein für die Kirche. Mit ihrer Hilfe konnten die Gottesdienste genauer eingehalten werden. Das hatte auch der Bischof kürzlich gesagt, deshalb würde die Kathedrale eines Tages wahrscheinlich auch eine bekommen.

Ich erzählte ihm, daß der Bischof eine Uhr wolle, damit die Glocke pünktlich geläutet werden könne. Das bedeutete, daß die Gottesdienste genauer eingeläutet würden, daß die Uhr aber nicht dazu verwendet würde, den Menschen zu sagen, welche Stunde des Tages es sei.

Er schien an den Zielen des Bischofs weniger interessiert als an meinem Wissen darüber. Ich fühlte, wie er nachdachte, während wir schweigend nebeneinander gingen.

Plötzlich sah ich, daß wir schon ganz in der Nähe des Hauses waren.

Ich hatte Angst, daß mich Clotilda in Gesellschaft dieses gutaussehenden jungen Priesters sehen könnte, deshalb blieb ich stehen. Es war fast dunkel, und ich konnte nur die Konturen seines langen schmalen Gesichts sehen.

Eine Weile standen wir verlegen da. Dann erzählte ich ihm von Niklas und was für ein lieber Junge er sei, obgleich er nicht sprechen könne.

Der Priester schwieg. Ich spürte, wie mich seine Augen in der Dunkelheit durchbohrten.

Ich erzählte ihm, daß Niklas das Holzschnitzen lerne, damit er vielleicht später einmal Arbeit bekäme. Dann schwiegen wir wieder eine lange Zeit.

Schließlich sagte der Priester: »Gott wacht über Kinder wie deinen Bruder und beschützt sie.«

Wieder herrschte Schweigen. Die Menschen, die an uns vorübergingen, duckten sich in dem kalten Wind.

»Ich muß jetzt gute Nacht sagen, Vater.«

»Mein Kind«, begann er und kam plötzlich näher. Er ergriff meine Hand und drückte sie mit aller Kraft, daß ich zusammenzuckte.

»Mein Kind«, sagte er. »Junge Frau. Das ist das erstemal, daß ich jemanden, eine Frau, so — als wenn —, aber das ist es nicht, nein, ganz bestimmt nicht. Es hat mir nur Freude gemacht — was wir gesprochen haben. Ich habe gespürt —«

Dann drehte er sich um und floh in die Dunkelheit, und ich stand verwundert inmitten der Menschen, die von der Arbeit nach Hause eilten. Seine Hand hatte mich so voller Gefühl gedrückt! Aber was für ein Gefühl war es gewesen? Einsamkeit? Verzweiflung? Oder Liebe? Unmöglich. Nicht Liebe. Oder das Verlangen eines Mannes? Nein, unmöglich. Das konnte ich nicht glauben.

Ich schob meine befremdlichen Gedanken von mir und ging nach Hause.

Trotzdem wußte ich ganz sicher, daß er nie wieder zum Turm kommen würde.

Nachdem wir an jenem Abend unseren Haferbrei gegessen hatten, nahm ich Niklas und das Kaninchen in seinem Käfig mit zur Wiese. Wir ließen das Kaninchen frei, damit es an den winzigen Gräsern nagen konnte, die von den Arbeitern noch nicht zertreten waren. Ich stand mit Niklas im Mondschein und hielt seine Hand. Wir sahen auf die mächtigen Holzbauten, die rund um den Turm standen.

Der Turm selbst wirkte riesenhaft vor dem Sternenhimmel. Ich stellte mir vor, eine große Hand risse ihn aus der Erde und schleudere ihn in den Himmel. Wir sahen ihn an, wie er durch die Luft flog.

Ich konnte die Glocke unter dem Holzdach nicht sehen, aber ich wußte, sie war da, und in sie eingeritzt war mein Name. Es war wie ein Wunder.

Ich blickte in den sternenerfüllten Himmel und überlegte, wo Gott war. Hatte Er es für mich getan? Hatte ich ein solches Glück verdient? Mußte ich jetzt dafür bezahlen?

Aber diese Fragen verblaßten in dem fahlen Mondlicht, das wie weißes Wasser über die Wiese strömte.

»Sieh nur, wie wunderschön der Mond ist«, sagte ich zu Niklas.

Wir sahen zu, wie er über den Himmel glitt und bis zum Turm

gelangte. Erst verschwand er, und dann brach er entzwei, ein Bogen auf jeder Seite der dunklen Steinsäule. Wir warteten, bis der Mond wieder ganz und rund an der anderen Seite erschien.

Ich sah mich um, um das Kaninchen zu suchen, und drückte die Hand meines Bruders.

»Niklas«, sagte ich, »jetzt haben wir einen Turm und eine Glocke. Als nächstes werden wir der Stadt eine Uhr geben.«

25

»Der Meister sagt immer: ›Das müssen wir Gott überlassen.‹ Damit meint er, daß wir es ihm überlassen sollen. Denn er weiß immer, was gut für ihn ist, für ihn und für ihn allein.«

Ich saß in der Holzschnitzerwerkstatt und hörte zu, wie sich die Männer bei ihrer Arbeit über Meister Dollmayr unterhielten.

Einer zog eine kleine Elfenbeinstatue aus seiner Tasche. »Das machen sie jetzt oben im Norden. Ich hab' es vom Markt.« Ein paar Männer versammelten sich um ihn und betrachteten das kleine Stück. »Wir könnten so was aus Holz machen, aber er sagt nein. Er sagt, die Leute wollen Heilige und sonst nichts. Ich glaube aber, daß sich ein Ritter oder eine schöne Dame genausogut verkauft.«

»Überlassen wir es Gott«, sagte jemand.

Alle lachten, und einer der Männer drehte sich halb zu mir um und blinzelte mir zu. Sie akzeptierten mich wegen Niklas.

Der alte Schnitzer erzählte mir von meinem Bruder, als wir ihm eines Tages zusahen, wie er sich über ein Stück Holz beugte und es mit einem Hohleisen und einem Hickoryhammer bearbeitete.

»Er kann nicht sprechen, und er hat weiße Haare«, sagte der alte Mann lächelnd, »aber er kann schnitzen. Der Meister sagt, er kann nur bleiben, weil die Seuche die halbe Gilde hinweggerafft hat und wir zuwenig Leute haben. Aber das ist nicht der Grund. Der Meister sucht nur eine Entschuldigung, um ihn nicht als Lehrburschen bezahlen zu müssen. Denn der Junge gehört hierher, ob Seuche oder nicht. Aus ihm wird einmal ein großer Holzschnitzer.«

»Dann kann er also wirklich lernen?«

»Ich zeige ihm etwas, und er sieht mich nur an. Kann keine Fragen stellen, kann nicht sagen, ob er verstanden hat oder nicht. Aber ich vertraue ihm. Denn wenn ich ihm etwas sage, tut er es ganz genauso, wie ich es ihm gesagt habe — nicht gegen die Maserung schnitzen, keine großen Schnitte, die Oberfläche nicht zu stark bearbeiten. Ich zeige ihm, wie man das Hohleisen ins Holz hineintreibt, etwa so weit, wie der Fingernagel seines kleinen Fingers lang ist, und wenn er es dann tut, sehe ich ihm zu, und er tut es genauso: so lang wie der Nagel seines kleinen Fingers, nicht mehr und nicht weniger. Er tut, was ich ihm sage und zeige.«

Wir beobachteten, wie Niklas zuerst die Form grob herausarbeitete. Schnell und leicht fielen die Holzspäne und brachten einen betenden Heiligen zum Vorschein.

»Siehst du?« sagte der alte Mann zufrieden. »Er geht mit Meißel und Feile um, als hätte er sein Leben lang nichts anderes getan.«

Aber Clotilda war vom Wert meines Bruders nicht so überzeugt. Ich traf sie eines Tages oben auf der Treppe des dritten Stocks, sie stand da und musterte mich. Ich blieb stehen und wartete.

»Der Junge«, sagte sie nachdenklich. »Er ist nicht richtig im Kopf.«

»Er kann schnitzen.«

Die große grobknochige Frau tat meine Bemerkung mit einer Handbewegung ab. »Das ist mir egal. Er kann nicht sprechen, er hat weiße Haare. Er kommt aus einer anderen Welt. Hast du von dem Basilisken gehört?«

»Ja, in Predigten.«

»Das heilige Buch sagt: ›Tritt auf die Otter und den Basilisken.‹ Der Blick von einem Basilisken verwandelt dich in Stein.«

»Dann kann mein Bruder keiner sein. Er hat in diesem Haus noch niemanden in Stein verwandelt«, sagte ich.

»Vielleicht wollte er noch nicht. Vielleicht wartet er nur auf irgend etwas.«

»Worauf denn?«

»Auf das Ende der Welt. Die Herrin sagt, es käme bald. Du bist ein kesses Ding.«

»Wieso?«

»Mir zu sagen, daß er in diesem Haus noch niemanden in Stein verwandelt hat. Das ist kühn. Aber das Rad des Glücks dreht sich. Selbst für ein begünstigtes Mädchen wie dich. Einmal oben, einmal unten. Einmal Glück, das nächste Mal Unglück«, sagte Clotilda mit einem Lächeln, das mich frösteln ließ. »Auf jeden Fall stimmt was mit dem Jungen nicht.«

Dann hörte ich von jemand anderem ein Urteil über meinen Bruder. Er hieß Werimbold und war ein Kunsthändler.

Nach dem, was die Holzschnitzer über ihn erzählten, machte ich mir folgendes Bild von ihm: Er hatte auf dem Bauernhof seines Vaters gelebt, bis er alt genug war, sich allein durchzuschlagen. Dann zog er durch die Lande, nahm Almosen von Klöstern, verdingte sich bei der Ernte, ließ sich in Kriegszeiten als Soldat anheuern. Er schloß sich Handelskarawanen an, segelte auf Frachtschiffen, wurde Strandläufer und plünderte gestrandete Schiffe aus, bis er genügend Ware hatte um sich als Kaufmann zu etablieren. Er machte gute Gewinne, verlor dann wieder alles und konzentrierte sich schließlich auf den Verkauf von Kunstwerken. Werimbold kaufte von der Gilde ganze Ladungen mit Holzschnitzereien, die er auf Jahrmärkten verkaufte.

Bei den Holzschnitzern war er beliebt, weil er rauh, aber herzlich war, weil er nicht so tat, als wäre es ein frommer Akt, die Heiligen und die Jungfrau zu verkaufen.

»Er erntet auf der Erde«, sagte jemand über Werimbold, »als würde er für immer bleiben.«

Eines Tages, als ich vom Turm zurückkam, traf ich ihn, als er gerade das Haus verließ.

»Warte«, sagte er. Werimbold war ein kleiner dicker Mann, er trug Beinkleider aus Leder und eine ärmellose Jacke mit ausgefransten Schultern. Aber am auffälligsten war der verschlungene Turban aus Seide, den er auf dem Kopf hatte. Was konnte ein solcher Mann von mir wollen? Er sagte: »Warte, Anne Valens.«

»Mein Herr?«

»Du hast doch einen Bruder?«

»Ja.«

»Sieh dir das hier einmal an.«

Ich betrachtete die Statue, die er aus einem Beutel zog und mir gab. Es war die heilige Madonna mit ihrem Kind.

»Hat das mein Bruder gemacht?« fragte ich.

»Ja. Er ist sehr gut. Er hat Gefühl.« Werimbold schlug sich vor Begeisterung mit der Hand an die Brust. »Wenn er älter ist, werde ich ihn einem großen Bildhauer empfehlen.« Er beugte sich vor zu mir und sagte leise: »Er gehört mit besseren Leuten zusammen als denen hier. Die schnitzen doch Tag für Tag das gleiche. Sie sind nicht von Gott auserwählt so wie er. Mach dir keine Sorgen. Ich werde mich um seine Zukunft kümmern.«

An jenem Abend sagte ich zu meinem Bruder, als wir im Dunkeln auf den Decken lagen: »Niklas, ich habe heute mit einem sehr wichtigen Mann gesprochen. Er glaubt an dich so wie ich. Aber er weiß mehr übers Holzschnitzen als ich, daher ist das, was er denkt, wichtiger, als was ich denke. Er will, daß du später einmal bei einem großen Holzschnitzer arbeitest. Ich bin stolz auf dich, Bruder.«

Zwei Tage später traf ich Werimbold wieder, aber es kam mir so vor, als wäre es kein Zufall. Ich war gerade in unsere Straße eingebogen, als er auf dem Vorplatz erschien, seinen Turban abnahm und mich grüßte, wie ein Edelmann eine Dame grüßt.

Ich lachte verlegen.

Noch einmal schwenkte er seinen Turban durch die Luft. »Meine Dame, gestattet mir ein Wort.« Dabei tat er so ernst und feierlich, daß ich wieder lachen mußte.

»Wunderschöne Schwester eines großen Künstlers«, sagte er in gesalbtem Ton, »gewährt mir die Ehre, ein Glas Wein mit Euch zu trinken. Gewährt mir diese Ehre, und ich werde zufrieden sterben.«

Als ich wieder lachte, lachte er mit. Ohne weiter nachzudenken, folgte ich ihm, denn Werimbold hatte mich zum Lachen gebracht.

Als wir in die Taverne kamen, verlangte er einen eigenen Raum. Ich sagte nichts, denn ich war von seinem Benehmen angetan. Bald saßen wir in einem kleinen Raum hinter geschlossener Tür an einem Tisch mit großen Bechern Wein vor uns.

Werimbold nahm den Turban ab; sein Kopf war fast kahl. Ich sah, daß er älter war, als ich geglaubt hatte.

Er begann, von der Künstlergilde zu erzählen. Die Männer waren unzufrieden, und er glaubte, daß einige von ihnen bald fortgehen würden, um eigene Geschäfte zu machen.

»Können sie das denn?«

»O ja. Die Stadt gehört nicht mehr dem Herzog und der Kirche. Der Bischof exkommuniziert die Arbeiter nicht mehr, die einen höheren Lohn verlangen. Der Herzog erhält seine Steuergelder, ohne den Gilden zu drohen. Es herrscht jetzt Freiheit. Sogar für Frauen«, sagte er. »Für schöne Frauen wie dich.«

Aus der Art, wie er mich ansah, schloß ich, daß es nicht leicht sein würde, den Raum ohne sein Einverständnis zu verlassen.

»Wie ich höre, arbeitest du an der Uhr mit«, sagte er. »Das kann man sich bei einem so hübschen Ding nur schwer vorstellen. Wie kommt das?«

Ich erzählte ihm von unserem Onkel und meiner Lehrzeit in der Schmiede, aber Werimbolds Augen verrieten mir, daß ihn mein Anblick mehr interessierte als alles, was ich sagte. Und tatsächlich unterbrach er meine Erzählung von den Uhren plötzlich.

»Bitte, schöne Dame, nehmt Eure Kappe ab.«

Ich tat es, ohne zu zögern, und spürte, wie mir die Haare über die Schultern fielen.

Ohne weitere Einleitungen als sein bewunderndes Stöhnen beugte sich Werimbold vor und riß mich an sich. Seine Lippen brannten auf meinen Lippen, als er mich küßte. Dann fuhr er grob mit der Hand unter mein Mieder.

Als ich zurückwich, runzelte er die Stirn und richtete sich auf.

»Was ist los, Mädchen? Gefalle ich dir nicht?« Seine Stimme klang rauh und ungeduldig.

»Mein Herr«, begann ich, schwieg dann aber verlegen.

»Na, komm schon, du dummes Ding. Du arbeitest doch mit Männern zusammen, oder?«

»Ja, mein Herr.«

»Dann sag mir die Wahrheit. Sei ehrlich, Mädchen. Haben die dich nicht auch schon gehabt? Wenigstens ein paar von denen?« Er beugte sich wieder zu mir und sah mich lüstern an.

Ich sprang auf und rannte aus der Taverne und die Straße

hinunter. Er machte keine Anstalten, mir zu folgen. Nach einer Weile wurde mir klar, wie enttäuscht ich darüber war. Wäre er mir nachgekommen, wäre ich ganz bestimmt mit ihm zurückgegangen. Ich konnte es fühlen. Er sah nicht gerade gut oder sympathisch aus, und er hielt mich für ein leichtes Mädchen, trotzdem hätte ich ihm diesen Fehler verziehen, wenn er mir nachgelaufen und mir wieder geschmeichelt hätte, wenn er von Leidenschaft gesprochen hätte.

Sah ich wirklich wie ein leichtes Mädchen aus? Diese Frage ließ mich nicht los, während ich die Straße hinunterlief.

Ich mußte an den jungen Priester denken, der mich vom Turm nach Haus begleitet hatte. Wie er mit der plötzlichen Verzweiflung eines Liebenden meine Hand ergriffen hatte. Hätte er es getan, wenn ich ihn nicht ermutigt hätte? Hatte ich ihn ermutigt? Aber wie? Lag etwas an meinem Benehmen oder in meinen Augen, das Werimbold ermutigt hatte, sich mir zu nähern? Betrübt sah ich den Männern nach, die mir auf der Straße begegneten, und überlegte, ob sie mich auch für ein ungezügeltes, liebestolles Weib hielten, wie die Priester manchmal Frauen von der Kanzel herunter beschrieben.

Ich fühlte mich wie eine Sünderin, ohne gesündigt zu haben.

Nach meinem Erlebnis mit Werimbold mußte ich aber außer an die Sünde an etwas anderes denken. Ich fürchtete um die Zukunft meines Bruders, weil mir klar wurde, daß sich Werimbold seiner nur annehmen wollte, weil ihn nach meinem Körper gelüstete.

Jede Nacht, wenn ich in der Dunkelheit Niklas' Atemzügen lauschte, stellte ich mir die Frage, ob es außer dem alten Holzschnitzer irgend jemanden gäbe, der meinem Bruder helfen würde.

26

Es lag Unheil über der Stadt und auch Unheil über mir.

Es begann, als wir in der Gießerei Zahnräder und Stäbe zusammentrugen, Maße und Gewichte prüften, Teile, die nicht paßten, neu gossen und formten. Die Mauern hallten wider vom Feilen und Bohren der Radzähne und Bohren der Löcher für die Laternentriebe.

Meister Eberhart kam täglich, um zu sehen, wie die Arbeit voranging. Ich konnte immer von seinen Lippen ablesen, ob er gescholten worden war, weil wir nicht schnell vorankamen. Wenn Alderman Franklyn unzufrieden war, dann waren Meister Eberharts Lippen schmale Striche in seinem breiten Gesicht.

Die Handwerker erzählten über ihn, daß er immer in den Tavernen säße und zuviel tränke und sich mit kleinen Jungen abgäbe. Denn Meister Eberhart war trotz seiner Körpergröße schüchtern und unsicher. Wenn er die Uhr nicht gemocht hätte, hätte ich ihn auch nicht gemocht. Aber seine Begeisterung schien genauso groß wie meine eigene, als das Uhrwerk in der Schmelzhütte endlich greifbare Formen anzunehmen begann, und aus dieser Stimmung der gemeinsamen Bewunderung für die Uhr unseres Onkels heraus versprach ich ihm, auch für ihn Zeichnungen für eine eigene Uhr anzufertigen.

»Aber sag dem Alderman nichts davon«, bat er. »Er würde es nicht wollen. Er ist mit nichts zufrieden.«

Er sagte es leise und aus dem Mundwinkel wie ein Verschwörer. »Nichts, was er tut, gefällt den anderen. Hast du das schon gehört?« Er vertraute mir wie einem Mann. »Der Stadtrat hat die Steuern erhöht. Damit die Glocke bezahlt werden kann und die große Tür, die gebaut werden soll, und auch das Pflaster für den Platz. Die Kaufleute sind wütend auf ihn. Er ist einer von ihnen, aber er erlegt ihnen zu hohe Steuern auf. Das erzählt man sich in den Tavernen. Sie haben an den Herzog weniger gezahlt, als die Stadt noch als königliches Lehen unter seinem Schutz stand.« Eberhart lächelte, während er gleichzeitig mißbilligend den Kopf schüttelte.

»Alle sind gegen Alderman Franklyn«, fuhr er fort. »Und schließlich war die Uhr ja auch seine Idee, nicht wahr? Das sagen jedenfalls alle. Das erzählt man sich in den Tavernen. Und der Bischof ist auch böse auf ihn, weil die Kirche keine eigene Uhr hat.« Eberharts Gesicht leuchtete auf bei dem Gedanken an einen wütenden Kirchenfürsten. »Der Bischof könnte den Alderman sogar exkommunizieren. Ja, das soll wahr sein. Schließlich ist es eine Sünde, wenn die Stadt eine Uhr hat, bevor die Kirche eine hat. Jedenfalls sagt das der Bischof, und viele stimmen ihm zu. Und wir, was ist mit uns? Das ist die Frage, nicht wahr? Wir werden einen neuen Schmelzofen bauen und eine zweite Uhr für die Kathedrale bauen — das ist kein Gerücht, das ist bereits beschlossene Sache. Hast du es nicht gehört? Schließlich leistest du gute Arbeit und kennst dich mit den Zeichnungen aus, nicht wahr? Ich finde, man sollte dir diese Dinge mitteilen. Was sagte ich? Keine große, sondern eine Uhr, egal wie groß, kostet Geld, und dieses Geld wird der Alderman auf den Tisch legen müssen.«

Eberhart lachte in sich hinein und wackelte mit dem Kopf. »Ja, er wird es *aus seiner eigenen Tasche* bezahlen müssen. Der Rat wird nicht für eine Uhr zahlen, die nicht der Stadt gehört. Warum sollte er das tun? Denn die Verantwortung trägt einzig und allein der Alderman. Er wird sie der Kirche geben, weil er fromm ist. Das sagt er jedenfalls. Ich habe es gehört, alle haben es gehört. Die Wahrheit ist, wenn der Bischof unzufrieden ist, wird er den König und den Adel zusammenrufen, und dann wird die Stadt vielleicht vor ein kirchliches Gericht gestellt — glaub ja nicht, daß ich das nur so dahinsage —, und uns wird man daran hindern, die Uhr anzubringen. Jedenfalls habe ich so was in den Tavernen gehört, und was man dort zu hören bekommt, ist gewöhnlich wahr. Der Alderman ist also gezwungen, noch eine Uhr zu bauen, die außer dem Wächter im Glockenturm der Kathedrale niemand wird schlagen hören.« Eberhart brach in schallendes Gelächter aus. Er hatte ungeheuren Spaß daran, wenn andere in Schwierigkeiten waren.

»Stimmt genau. Nur der Glöckner wird diese neue Uhr hören. Denn der Bischof meint, daß eine Uhr nur zum Läuten verwendet werden sollte und zu sonst nichts. Sie sollte wie eine Reliquie bewacht werden, die ganz tief drinnen im Schoß der Kirche aufbewahrt wird.« Diese Vorstellung gefiel Meister Eberhart, und er lachte laut und schlug sich auf die Schenkel.

»Die Uhr des Bischofs wird der Stadt also nicht helfen, sie wird keine Karawanen hierherbringen. Der Alderman ist außer sich vor Zorn.«

Ich hatte Meister Eberhart noch nie glücklicher gesehen. »Und dann wäre da noch das Problem der Stadtuhr, die die Stunden verkündet — wie oft am Tag soll sie denn schlagen? Nur während

226

der Tageszeit oder alle vierundzwanzig Stunden? Jede Gilde scheint anderer Meinung zu sein. Ich habe gehört, wie sie sich in den Tavernen darüber gestritten haben. Und dann das größte Problem — die Löhne.«

Eberhart bewegte den Kopf von einer Seite zur andern und rollte die Augen. »Löhne, Mädchen! Löhne, Löhne, Löhne. Für die Kaufleute ist das ein größeres Problem denn je, glaube mir. Die Seuche hat die Hälfte aller Männer dahingerafft, und trotzdem verweigert man denen, die übriggeblieben sind, eine bessere Bezahlung. Warum? fragt man sich. Ist das keine berechtigte Frage? Du solltest hören, wie sie in den Tavernen darüber schimpfen.« Meister Eberhart lächelte und sah zur Tür der Gießerei, als könnte Alderman Franklyn jeden Augenblick hereinkommen mit der ganzen Stadt auf den Fersen.

»Ich sag' dir mal was, Anne, der Alderman ist in diesen Tagen nicht gerade froh.« Eberhart strahlte. »Ich möchte nicht in seiner Haut stecken, glaube mir. Als er mir sagte, daß ich die Uhr für den Bischof bauen solle, hab ich ihm ganz offen gesagt — du weißt ja, wie ich bin —, da habe ich ihm gesagt: ›Alderman Franklyn, ich werde sie bauen, aber wer wird sie bezahlen?‹ Du hättest sein Gesicht sehen sollen — rot wie ein Schmiedeofen —, als er sagte, das würde sein Geschenk an Gott sein. Außer sich vor Zorn war er, er war absolut außer sich vor Zorn. Aber weiß er denn nicht, daß man dafür zahlen muß, wenn man Macht haben will? Jeden Tag geht er herum und schreit seine Anweisungen und spricht über den Stolz der Stadt und stellt sich zur Schau. Nun, dafür muß er eben bezahlen.« Eberhart spitzte zufrieden die Lippen.

»Wie ich hörte, hat er sein Haus in eine Festung verwandelt. Eine Schar Söldner kampiert in seinem Hof, verdreckt alles mit ihren Feuerstellen und bedroht seine Dienerschaft. Die Leute schimpfen ihn einen Feigling. Aber ich kann es ihm nicht verübeln. Wenn ich in seinen Schuhen steckte, würde ich mir auch Sorgen machen um mein Leben. Ganz zweifellos!« erklärte Eberhart und stieß einen triumphierenden Seufzer aus. »Er hat die Kirche verärgert und genauso seine Freunde unter den Kaufleuten. Trotzdem würde ich an seiner Stelle denen allen noch immer lieber gegenübertreten, als

227

mich ungeschützt zwischen die schimpfenden Arbeiter auf den Platz zu begeben. Ich würde den Platz meiden, wenn ich er wäre.«

Die Leute waren dazu übergegangen, die Wiese als Platz zu bezeichnen. Die Wiese hatte sich bis zur Unkenntlichkeit verändert, seit ich den Turm zum erstenmal gesehen hatte und allein in ihrer Mitte gestanden war. Die Wiese schien kleiner geworden zu sein. Hinter der ersten Gebäudereihe, die den Turm umgab, war eine zweite gebaut worden und dann noch eine. Überall an den Straßen, die zur Stadt führten, schossen die Gebäude aus dem Boden. Sie überragten das Rathaus, die Taverne und die Stände wie ein großes Netz aus Steinen, das größer war als die halbe Stadt. Läden von Schneidern und Kerzenmachern und Sattelmachern und Faßbindern und Stoffhändlern drängten sich hier zusammen — wie fromme Menschen um einen Heiligen.

Seit Monaten — seit die Bürger begriffen hatten, wofür der Turm gebaut war — hatten sich Handwerker und Männer aus allen Handelszweigen auf der Wiese eingefunden, um an dem Turm hinaufzusehen. Und alle stellten sie dieselbe Frage: Würde ihnen die Uhr Reichtum und Wohlhabenheit bringen?

Die Männer von der Gilde hatten zwar keine Ahnung, wie das vor sich gehen sollte, aber die Größe des Turms und das Geheimnis der Uhr, die in ihm schlagen würde, vermittelte ihnen das Gefühl, daß mit der Stadt etwas Merkwürdiges und vielleicht Wunderbares oder möglicherweise Schreckliches geschehen würde — und was immer geschehen würde, es würde ihre Taschen leeren oder füllen. Und dann wurde diese Frage inmitten der milden Frühlingstage so laut, so fordernd, daß tatsächlich etwas geschah.

Wir waren auf dem Platz, Niklas und das Kaninchen und ich. Es war Sabbat, und es sah so aus, als hätten sich alle Bewohner aus der Stadt und vom Land hier versammelt. Der Platz war jetzt mit Pflastersteinen ausgelegt, und ich beobachtete, wie die Spaziergänger auf den rauhen harten Boden starrten, über den sie in ihren Sandalen gingen.

Es war heiß, daher hielt ich einen Weinhändler an und kaufte einen Becher für Niklas und mich. Mein Bruder lächelte, als der

Verkäufer einen Stöpsel aus der Lederflasche zog und die dicke rote Flüssigkeit in den Becher goß.

Als wir getrunken hatten, sagte ich: »Niklas, wir sind endlich daheim.«

Ich gab dem Händler den Becher mit einer Münze zurück und sagte: »Vielen Dank«, aber er hörte mich nicht. Er pries schon wieder mit lauter Stimme seinen Wein an, der so gut schmecke. Und das tat er auch.

Wir schlenderten weiter, wurden von einer Menschenmenge angezogen, die sich an der Westseite des Turms versammelt hatte. Über ihren Köpfen konnten wir einen Mann sehen, der wild die Arme schwenkte und eine Rede hielt. Als wir näher kamen, sahen wir, daß er auf einer Tonne stand.

Der Mann war klein und schon älter, aber er hatte große Hände, zu groß für seinen Körper, mit breiten Handballen und knotigen Gelenken.

»Seht ihr das dort, seht ihr es?« rief er, als wir zu den Zuhörern traten.

Die beiden großen Hände zeigten nach Westen. »Dorthin fließt tagaus, tagein das Blut meines Herzens. Ich bin ein Tuchwalker, ich walke den ganzen Tag lang – schlage das Tuch und presse es und schlage es und presse es. Viele von uns üben ihre Arbeit keine dreißig Meter von hier aus.«

Ich wußte, daß es stimmte. Die Gilde der Tuchmacher hatte ihre Werkstätten hierher verlegt, sie nahmen fast die ganze Westseite des Platzes ein.

»Ich bin hier, um über diese Uhr zu reden«, rief er in die Menge, und jemand schrie zurück: »Wir brauchen sie nicht! Weg mit ihr!«

Der Mann auf dem Faß kniff die Augen zusammen und beugte sich nach vorn. »Wer war das? Wer hat das gesagt?«

»Ich«, meldete sich ein Mann. »Wer will schon über die Zeit nachdenken? Gott nimmt uns früh genug zu sich.«

Die Zuhörer lachten.

»Glaubt ihr etwa, die Uhr sei dazu da, um euch an den Tod zu erinnern?« fragte der Walker mit grimmiger Stimme.

»Ich tu meine Arbeit, ich esse, ich schlafe. Warum soll ich mir den ganzen Tag lang sagen lassen, daß ich jeden Augenblick näher ans Grab rücke?«

Der Mann auf dem Faß lächelte. »Du bist ein Narr. Ihr seid alle Narren, wenn ihr nicht die Wahrheit erkennt«, sagte er und ließ den Blick über die Menschenmenge schweifen. »Dieses Ding dort oben, das die Stunden zählt, kann euch helfen — kann uns allen helfen.«

Sein Blick schweifte weiter über die Menschenmenge, während er ihnen erzählte, daß sie nach den Stunden bezahlt werden konnten, wenn sie gezählt wurden. Und nicht nach der Anzahl der Stücke, die sie fertiggestellt hatten, wie die Wollkämmer und Weber im Tuchhandel. Jetzt könnten sie danach bezahlt werden, wie lange sie gearbeitet hatten. »Das bedeutet, daß die Meister euch nicht zwingen können, mehr zu arbeiten, als ihr selbst wollt. Jetzt ist nämlich euer Meister die Uhr.«

»Wer soll verstehen, was ihr da sagt?« rief jemand. »Wie sollen wir von den reichen Kaufleuten bessere Bezahlung bekommen?«

Aus der Menge kam Beifall. Ich bemerkte einen Mann, der mich anlächelte, mir zuzwinkerte, bevor ich mich wegdrehte.

Der Mann auf der Tonne versuchte weiter, es ihnen zu erklären. Er sagte, ein Kaufmann kann euch anheuern, einen Tag lang für ihn zu arbeiten, aber wenn es ein Sommertag ist, dann arbeitet ihr ein ganz schönes Stück länger — seht euch die Färber und Walker im Tuchhandel an. Aber was, wenn ihr euch für genau zehn Stunden verdingt, für zehn Schläge der Glocke im Turm und nicht mehr? Denkt darüber nach. Auf diese Weise bekommt ihr Sommer wie Winter gleich viel bezahlt.

So versteht er also die Uhr, dachte ich.

Aber jemand stieß ihn von der Tonne und nahm seinen Platz ein. Es war ein großer Mann, der eine lange Sense hielt. Er mußte vom Land sein.

»Hört mir zu!« Seine Stimme hallte donnernd über den Platz. »Nur die Armen sind redlich, und am Tag des Jüngsten Gerichts werden sie vor den Reichen stehen und sie für ihre Sünden auf Erden zur Rechenschaft ziehen. ›Warum habt ihr uns das Brot von unseren Mündern genommen? Damit ihr in schönen Häusern leben konntet? Warum habt ihr euch an Kaufleuten bereichert, an Krämern? Warum habt ihr euch an Steinmetzen bereichert? Warum habt ihr uns auf dem Land so arm gemacht, daß unsere Töchter hierherkommen müssen, um sich in Tavernen zu verkaufen?‹ Und die Reichen werden am Tag des Jüngsten Gerichts rufen: ›O diese Menschen, die nichts waren, sitzen jetzt zu Füßen des Herrn!‹«

»Runter! Weg da!« riefen die Leute ungeduldig. Trotz seiner Stärke und der Sense wurde er weggezogen, und ein anderer stieg auf die Tonne.

Durch die Menschenmenge ging eine schlangenhafte Bewegung, und für einen Augenblick verspürte ich schreckliche Angst, als würde in einem reißenden Fluß das Wasser über die Ufer treten und den Platz überfluten. Aber dieses Gefühl ging vorüber. Ich schob Niklas weiter.

»Komm, wir wollen uns die Türen ansehen. Du hast sie noch nicht gesehen.«

Wir gingen um den Turm herum, bis wir zum Eingang kamen. Die Türen aus getäfeltem Holz waren von weit her gekommen. In jedes Paneel war ein Bild eingeschnitzt, das zeigte, wie gut Gott die Welt regierte. Da waren Prälaten und Ratsherren auf den Knien vor dem Ewigen Thron. Die Armen nahmen Almosen entgegen. Ochsengespanne zogen Karren, angefüllt mit Waren, durch Straßen, die mit Kirchen und Zunfthäusern gesäumt waren. Männer gingen mit Spaten über die Felder. Und die Engel blickten voller Wohlwollen von oben aus dem Himmel auf sie herab.

Während ich mir die Scharniere und Eisenteile ansah, die mit Schnörkeln und Mustern verziert waren, trat Niklas ganz dicht an die geschnitzten Figuren auf der Holztäfelung heran, um sich jede einzelne genau anzusehen.

»Eines Tages wirst du so etwas auch schnitzen können«, sagte ich. »Nicht nur kleine Holzstücke wie für Meister Dollmayr, sondern auch große Arbeiten wie die hier. Die Menschen werden von weit her zu dir kommen, genauso wie die Menschen dieser Stadt weit gegangen sind, um den Mann zu finden, der diese Tür geschnitzt hat. Und solche Männer, Niklas, werden dich bitten, etwas für sie zu schnitzen. Denn du kannst schon jetzt genauso schöne Falten schnitzen wie diese hier.« Ich deutete auf das Muster, das an der einen Seite des Paneels verlief. »Eines Tages wirst du unseren Herrn Jesus Christus am Kreuz schnitzen.«

Am späten Nachmittag gingen wir durch die Stadt und erreichten bei Sonnenuntergang den Fluß. Der beißende Geruch der Gerbereien, an denen wir vorbeikamen, stieg in unsere Nasen – brennendes Eichenholz und Kleie und der Taubendung, mit dem die Häute weich gemacht werden. Am Fluß sahen wir uns die Boote an, die an den Anlegeplätzen festgemacht waren.

»Manche kommen aus dem Osten«, sagte ich zu Niklas. »Riechst du es? Das sind Gewürze aus dem Osten. Eines Tages werden wir beide auch dorthin gehen und die Menschen mit drei Köpfen sehen und die Löwen, die durch die Luft fliegen. Ich werde eine Uhr bauen, und du kannst ihnen Figuren für ihre Kirchen schnitzen, denn es heißt, daß sogar die Heiden beten.«

Als wir durch die Dämmerung vom Fluß zurückgingen, sah ich über den Dächern Rauch aufsteigen. Und nach ein paar Schritten hörte ich einen Schrei, daß ich erstarrte. Ich ergriff die Hand meines Bruders und umklammerte sie fest.

Dann zerrte ich ihn mit einem Ruck an eine Mauer, denn um eine Ecke und direkt auf uns zu kamen Männer und Jungen mit Knüppeln und Messern und Beilen und Mistgabeln und Sicheln. Sie taumelten und schwankten und schrien: »Tötet sie! Tötet sie!«

Als sie vorbeikamen, drückte ich mich flach an die Mauer und hielt Niklas' Hand fest umklammert. Ich spürte die Gewalt, die von ihnen ausging, und ihr Schrei »Tötet sie!« dröhnte mir in den Ohren.

Ein Junge, kleiner als Niklas, mit einem rostigen Dolch in der Hand kam vorbei. Ich hielt ihn am Arm fest.

»Was ist los?« fragte ich.

Seine großen erschrockenen Augen starrten mich an, ohne mich zu sehen. »Tötet sie«, sagte er.

»Tötet sie? Wen?«

Er riß sich los und schrie mit gellender Stimme: »Die Kaufleute!«

Langsam ging ich mit Niklas an der Hand weiter die Straße entlang. Als wir um eine Ecke bogen, brachte mich das, was ich dort sah, mit einem Ruck zum Stehen. Ein dreistöckiges Haus stand in Flammen, und aus dem Erdgeschoß drangen Schreie. Von den Schreien wußte ich, was dort geschah, bevor sich eine Frau aus dem Fenster lehnte, blutüberströmt mit nackten Brüsten. Und im nächsten Augenblick hob ein Mann sie hoch und warf sie auf die Straße, nackt, sterbend.

Einige Männer auf der Straße hielten jemanden, flach auf den Boden gedrückt, fest. Als wir uns vorbeidrängten, sah ich, wie der am Boden liegende Mann eine Spitzhacke umklammerte, die einer seiner Peiniger ihm immer tiefer in den Bauch rammte.

»Wer bist du?« fragte mich einer der Zuschauer, dem mein Blick begegnet war. Er hielt einen goldenen Becher in der Hand und hob ihn hoch, um daraus zu trinken.

Im selben Augenblick rannte ich mit Niklas an der Hand los.

Auf dem ganzen Weg begegneten wir Männern, die Möbelstücke und Wandteppiche auf der Schultern trugen. Manche trugen elegante Handschuhe über den breiten Händen und prächtige Umhänge über ihren verschwitzten Westen, Winterkleider aus Kamelhaar und lange Perlenketten. Sie lachten und schwenkten Goldkaraffen und Silberkelche. Einer hielt ein Bündel Schleier in verschiedenen Farben in seiner großen Hand — wie eine Magd, die ihrer Herrin welche zur Auswahl bringt.

»Komm her«, schrie jemand, und mir blieb fast das Herz stehen, als ich sah, wie drei Männer mit Äxten in der Hand und mit Weinkrügen über die Straße auf uns zugetorkelt kamen.

Ich lief blindlings in eine Gasse und zog Niklas hinter mir her. Wir liefen in die zunehmende Dunkelheit, prallten einmal mit jemandem zusammen, der in die andere Richtung lief, und liefen von einer Gasse zur anderen, bis mich Niklas an der Hand zog und wir schließlich stehenblieben.

Niklas war völlig erschöpft und konnte nicht weiterlaufen.

Ich sah einen schmalen Durchgang. Wir liefen hinein, und es war gerade noch hell genug, um etwas sehen zu können. Am Ende des Durchgangs waren ein paar Fässer aufgestapelt, hinter die wir krochen, um uns dort am Boden zusammenzukauern. Der ölige Geruch von eingelegtem Fisch umgab uns, während es Nacht wurde. Wir blieben dort inmitten dieses Geruchs und hörten die ganze Nacht Angst- und Schmerzensschreie, daß ich am ganzen Körper zitterte, und wütendes Schimpfen und knisterndes Feuer und zusammenstürzende Häuser. Und ich sagte zu Niklas: »Das ist das Ende der Welt.«

Im Morgengrauen sah ich Niklas an, der während der ganzen Nacht keinen einzigen Augenblick Kaninchens Käfig losgelassen hatte.

»Es ist also doch nicht das Ende«, sagte ich zu ihm. »Wir müssen jetzt versuchen, nach Hause zu kommen.« Wir standen langsam auf und gingen um die Fässer herum in den schmalen Durchgang. Es regnete, und der Boden war matschig.

Bevor ich sie kommen sah, blickte ich, glaube ich, gerade auf meine Sandalen, die von Schlamm bespritzt waren.

Es waren zwei Männer.

Der eine von ihnen, der kleiner war, hatte einen Helm auf dem Kopf, schief auf die Seite gerückt. Sie sahen wie Arbeiter aus, wahrscheinlich hatten sie den Helm beim Plündern oder bei noch Schlimmerem erbeutet. Der andere hielt eine Flasche, die er durch die Luft schwenkte, so daß der Wein herausspritzte. Ich erinnere mich noch gut daran. Ich habe es nicht vergessen.

»Wer bist du?« fragte der Große mit betrunkener Stimme, während sie näher kamen.

Es gab keine Möglichkeit, ihnen auszuweichen.

»Ich arbeite am Turm.«

»Wo?« fragte der Mann mit dem Helm.

»Wo die Uhr hinkommt.«

»Ziehst du Steine?«

»Ja«, sagte ich.

»So kräftig siehst du gar nicht aus.« Er grinste zuerst mich, dann seinen Kameraden an.

Ich sah Niklas an, der die Gefahr erkannt haben mußte, denn er hatte den Käfig mit beiden Armen umschlungen.

»Wo gehst du hin?« fragte der Mann mit dem Helm.

»Nach Hause.« Ich roch die starke Ausdünstung von Leder.

»Nein das wirst du nicht.«

Und dann waren sie auch schon über mir. Bevor ich zu Boden stürzte, sah ich noch, wie der Größere Niklas, der sich zwischen uns werfen wollte, niederschlug. Ich schrie.

Ich schrie und schrie, ich weiß nicht, wie lange, bis mir einer von ihnen einen Schlag versetzte, daß ich fast die Besinnung verlor. Dann lag ich nur noch da und rührte mich nicht und sagte etwas. Ich glaube, ich sagte: »Tut uns nicht weh, bitte, tut uns nicht weh«, selbst dann noch, als der eine meinen Rock hochriß und mir weh tat.

Er bohrte sich tief in mich hinein wie ein Drillbohrer in Eisen, während der andere meine Arme festhielt und auf meinem Kopf saß, so daß ich mein Gesicht auf die Seite drehen mußte, um atmen zu können.

Dann war ich still, vielleicht sogar geduldig. Ich wartete geduldig darauf, daß es vorbei war. Ich wartete und spürte nichts außer dem starken Geruch von Leder. Er schien von der Stelle meines Körpers zu kommen, an der sich der Mann mit dem Helm in mich hineinbohrte. Ich gab keinen Laut von mir. Aber in meinem Kopf schrie eine Stimme: »Dieb! Dieb!«, als würde jemand die Zeichnungen meiner Uhr stehlen, denn sie waren alles, was ich besaß, alles außer dem Körper, den mir diese ächzenden Männer wegnahmen. Nur die Stimme in mir schrie, nicht mein Mund. Ich hatte die Zähne fest aufeinandergebissen, daß sie keinen Ton herausließen, nur einen schweren Luftstoß, jedesmal, wenn der Mann mit dem Helm und seinem nach Leder riechenden Körper in mich hineinstieß und hin und her rüttelte, was mir zu gehören schien, wie ein Laden, der geplündert wird — das Fleisch einer Frau.

Dann kam der andere an die Reihe.

Als er sah, daß ich still lag, machte sich der Mann mit dem Helm gar nicht erst die Mühe, meine Arme festzuhalten, sondern setzte sich mürrisch neben uns und starrte die Mauer an, während ich ihn anstarrte, ohne jedoch seine Aufmerksamkeit auf mich zu ziehen.

Als der zweite fertig war, standen sie auf und gingen weg. Wortlos torkelten sie in den heraufdämmernden Tag. Ich richtete mich auf und sah mich nach Niklas um. Er lag noch an derselben Stelle, an der er hingefallen war.

Seine Augen waren weit geöffnet. Er sah mich an. Ich stand auf, sein Blick machte mich verlegen. Sie hatten mir mein Mieder nicht zerrissen, hatten in ihrem Eifer, zwischen meine Beine zu gelangen, kein Interesse für meine Brüste gehabt. Ich zog den zerknitterten Rock herunter und stand auf und ging zu Niklas.

Dann sah ich, warum er noch nicht aufgestanden war. Als die Männer ihn niederschlugen, war sein Käfig hingefallen und zerbrochen. Das Kaninchen war herausgekommen und zu Niklas gegangen. Zusammengekauert und zitternd drückte es sich eng an die Brust meines Bruders.

Als ich ihn fragte, ob mit ihm alles in Ordnung sei, sah er mich nur an.

»Es ist schon gut«, sagte ich zu ihm, und meine Stimme klang ganz klein. »Gott hat uns beschützt. Schau — dem Kaninchen ist nichts passiert. Wir müssen weg von hier. Wir müssen hier heraus.«

Ich führte ihn durch die von Rauch erfüllten Straßen und Gassen, vorbei an Leichen und glimmenden Feuern und Männern, die ans Tageslicht taumelten.

Am Fluß sagte ich zu Niklas, daß er auf mich warten solle. Dann ging ich bis zum Rand des Wassers — der Fluß sah an diesem grauen Morgen wie Metall aus — und hob meinen Rock hoch und ging langsam in den eisigen Strom bis zur Hüfte. Dann wusch ich mich gründlich ab und war froh, noch am Leben zu sein und die beißende Kälte an den Beinen und zwischen ihnen zu spüren.

Nachdem ich wieder ans Ufer gegangen war und mich mit meinem Rock abgetrocknet hatte, lief ich zu meinem Bruder, der mit dem Käfig und Kaninchen am Ufer wartete.

Ich bemühte mich, meiner Stimme einen ruhigen Ton zu geben, als ich sagte: »Jetzt gehen wir nach Hause. Es ist alles wieder gut, Gott hat uns beschützt. Wir drei sind zusammen.«

27

Der nächste Tag war das Fest des heiligen Martin, aber die Stadt schien es nicht zu wissen. Ich lag auf der Decke in unserer dunklen Dachkammer und hörte aus der Ferne menschliche Schreie anstatt der Glocken von der Kathedrale, die einen Festtag einläuteten. Ich hatte die Augen geschlossen und spürte hin und wieder die weichen gepolsterten Pfoten des Kaninchens, die meine Hüfte, meine Arme, meine Stirn berührten, wenn es herumhoppelte, um den Regentropfen auszuweichen, die durch die Ritzen im Dach fielen.

Niklas stand schon früh auf, um wie üblich in die Holzschnitzerwerkstatt zu gehen und seine tägliche Arbeit zu verrichten, obgleich an diesem Tag bestimmt niemand von den Schnitzern kommen würde. Bestimmt hatten sie sich alle irgendwo in Sicherheit gebracht, weit weg von den Unruhen, von denen Schreckensschreie und wütende Rufe bis zu uns drangen.

Ich selbst hörte nur wenig davon. Die Geräusche von Kämpfen und Gemetzel kamen gegen die Erinnerung an den gestrigen Tag nicht auf. Seit wir nach Hause gekommen waren, lag ich zusammengerollt da, die Knie bis ans Kinn gezogen. Ich versuchte zu vergessen, aber es gelang mir nicht, auch nur die kleinsten Einzelheiten auszulassen. Manchmal schlief ich ein, aber dann war es am schlimmsten, denn dann wurde ich in meinen Träumen von bekannten und unbekannten Dämonen heimgesucht. Die bekannten Dämonen kamen aus der Vergangenheit — der Soldat mit den Fäustlingen aus Schafsfell, der unsere Mutter abgeschlachtet hatte, der bärtige Ritter auf dem Pferd, die beiden Männer, die mir in der Morgendämmerung in der kleinen Gasse den Weg versperrt hatten. Und obgleich ich meinen Körper von diesen Männern gereinigt hatte, indem ich mich in dem eisigen Wasser des Flusses zwischen den Beinen und überall abgerieben hatte, hatte ich noch immer den irdenen Geruch von Leder in der Nase. Ich erinnerte mich an alles ganz genau, wach und auch im Traum.

Wie würde ich morgen die Welt ansehen?

Zweimal in meinem Leben hatte ich nur mitansehen müssen, wie Gewalt geübt wurde. Gestern war ich selbst das Opfer und hatte die Gewalt am eigenen Körper erfahren. Wie konnte die Welt weitergehen wie bisher? Nicht nur für mich, sondern auch für alle anderen? Gott selbst mußte Zeuge gewesen sein von dem, was geschehen war, und wenn er mich wirklich liebte als sein Kind, würde er dann nicht jetzt die ganze Welt in meine Schmerzen einbringen? Würde er nicht sagen: »Eines meiner Kinder, wie gering auch immer, hat Schmerzen erduldet? Es kann nicht so weitergehen wie bisher«, würde er zur Welt sagen. »Weil ein Kind gelitten hat, wird das Leben aller für ewig verändert sein.«

Aber wenn es so wäre, hätten wir alle längst vor dem Unglück, das mir widerfahren war, das Leid der anderen erkannt und geteilt. Diese Gedanken gingen mir durch den Kopf wie Mäuse, die zwischen den Dachsparren herumklettern.

Aber diese Gedanken veranlaßten mich auch, von meinem Lager aufzustehen. Ich stand auf, um sie abzuschütteln, und merkte zu meiner Überraschung, daß ich Hunger hatte. Ich wußte also, daß mein Leben weitergehen würde.

Als ich nach unten ging in die Küche, stand Clotilda plötzlich vor mir. Sie sah mich neugierig an und fragte, warum ich nicht bei der Arbeit sei.

Die Köchin drehte sich um und zog die Augenbrauen hoch. »Welcher anständige Mensch geht heute hinaus auf die Straße? Wer will schon sterben?«

Clotilda kniff die Lippen zusammen und sah mich prüfend an. »Was ist los mit dir?« fragte sie.

»Was soll denn los sein?« sagte ich.

»Du hast doch gehört, was ich gesagt habe. Irgend etwas stimmt nicht. Was ist passiert?«

»Nichts.«

»Irgend etwas stimmt nicht.«

»Das Mädchen ist verschreckt«, sagte die Köchin. »Laß sie in Ruhe!« Und dann drehte sie sich zu mir um und sagte sanft: »Der Meister hat vor dem Haus eine ganze Bande kräftiger Männer mit Schwertern und Kriegshämmern postiert. Sie sehen genauso stark aus wie Soldaten. Hier sind wir in Sicherheit.«

»Irgend etwas stimmt nicht«, wiederholte Clotilda und starrte mich an.

»Und der Herzog hat seine Männer hergeschickt«, sagte die Köchin und schwenkte einen Kochlöffel. »Bevor der Tag zu Ende ist, werden noch viele dran glauben müssen.«

»Bist du krank?« fragte Clotilda scharf.

»Nein«, sagte ich.

»Was ist es dann — Angst? Du siehst schrecklich aus.«

»Laß das Mädchen in Ruhe. Es ist eine schreckliche Zeit.«

»Was ist gestern geschehen?« fragte ich die Köchin.

Sie begann, mit dem Kochlöffel in einem großen schwarzen Topf zu rühren. »Auf dem Platz wurden Reden gehalten über Gerechtigkeit und Geld. Dann wurde in den Tavernen weitergeredet. Die Männer fühlten sich stark und zogen los, um die Kaufleute zu suchen. Eins kam zum anderen, schätze ich. Jeder, der wie ein Kaufmann aussah, wurde niedergemacht. Häuser wurden in Brand gesetzt, auch wenn gar keine Kaufleute drin wohnten. Einige Männer von der Gilde haben das Stadthaus angesteckt. Und die Frauen — du kannst dir ja vorstellen, wie es denen erging, wenn sie ihnen in die Hände fielen. Aber jetzt sind die Männer des Herzogs gekommen. Mach dir keine Sorgen, Mädchen.«

Clotilda war inzwischen hinausgegangen. Und während mir die Köchin etwas zu essen gab — großzügiger als sonst —, überlegte ich, ob Clotilda denn keine Angst hatte.

Am nächsten Tag ging ich zur Arbeit und erfuhr von den Männern in der Schmiede, daß es auf der Stadtbrücke ein großes Gemetzel gegeben hatte. Die Männer des Herzogs, alle zu Pferd und bewaffnet, hatten eine Gruppe aufrührerischer Arbeiter aufgescheucht, die in Panik geraten und geflohen waren und dann von den Soldaten mit Beilen und Schwertern von ihren Pferden aus niedergemetzelt wurden. Richtiggehend abgeschlachtet wurden sie. Hunderte waren umgekommen. Aber was kümmerte mich das? Was ich am eigenen Leib erfahren hatte, hatte mich für das Unglück anderer unempfindlich gemacht.

Als ich am nächsten Tag zum Platz ging, sah ich dicht bei der Kathedrale sechs Männer am Galgen. Den einen erkannte ich an seinen großen Händen wieder, die jetzt noch größer aussahen.

Ich starrte auf seinen aufgedunsenen Kopf, auf seine Zunge, die aus dem verzerrten Mund hing, auf seine großen Hände, die im Leben so begeistert durch die Luft gefahren waren, um seine Worte zu unterstreichen, wenn er davon sprach, welche Bedeutung die Uhr für die Arbeiter haben könnte.

Und in diesem Augenblick wurde mir etwas über mein eigenes Leben klar. Wenn ich mein Schicksal mit dem der meisten anderen Frauen verglich, die vergewaltigt worden waren, dann hätte ich nicht mehr am Leben sein dürfen. Aber die Männer waren einfach weggegangen, als sie fertig waren. Sie hatten mich nicht getötet — nicht nach eigenem Plan, sondern nach dem Plan von Ihm. Gott mochte meinen Leiden vielleicht gleichgültig gegenüberstehen, aber er hatte mich mit Absicht am Leben gelassen für irgendeinen Zweck.

Er hatte mir wegen der Uhr das Leben gerettet.

Und dann verstand ich es. Ich verstand, warum Gott so gehandelt hatte: Es war gar keine Gleichgültigkeit, sondern er verfolgte einen Plan. Genauso wie die armen Leute die Kaufleute haßten, weil sie reich waren, und wie die Kaufleute die armen Leute verachteten, weil sie machtlos waren — jeder aus eigenem Interesse —, genauso schaute Gott weder nach rechts noch nach links, wenn Er seine eigenen Interessen in der Welt verfolgte.

Das war ein seltsamer und erschreckender Gedanke, und er ging mir unaufhörlich durch den Kopf, als ich in den darauffolgenden Tagen die Teile der Uhr nachmaß und prüfte.

Und dann setzte sich ein weiterer, neuer Gedanke in meinem Kopf fest: Gott war wie eine Uhr. Jeder Augenblick der Zeit war von Gott geplant. Ihm war nur daran gelegen, daß die Uhr ging, und zwar in Seinem Takt.

So dachte ich damals. Wenn die Welt eine Uhr war, dann war Gott auch eine.

Das waren Gedanken, wie sie mein Onkel gehabt haben mochte in der Abgeschiedenheit seiner Werkstatt, und ich war froh darüber, denn sie verdrängten die furchtbaren Erinnerungen. Aber manchmal kamen die Erinnerungen doch zurück, und ich wurde ihre

Beute, wie ich es für die beiden Männer gewesen war. Wenn das geschah, schossen mir die Tränen in die Augen – so plötzlich wie ein Sturzbach beim Gewitter. Und manchmal brauchte ich gar nicht die Erinnerung. Ich brauchte nur die schweren Schritte meines Bruders auf der Leiter zu hören, die in unsere Kammer führte, und schon kamen die Tränen, und nichts konnte sie zurückhalten. Ich krümmte mich zusammen, biß die Lippen zusammen, aber es half alles nichts. Dann drehte ich mich schnell zur Wand und starrte auf die Dielen im Fußboden. Und spürte, wie er mich ansah mit tränenerfüllten Augen, und ich hätte alles gegeben, um seinen Blicken zu entkommen. Er hatte zugesehen, wie mich die Männer in der Gasse erniedrigt hatten. Und mein einziger Trost war, daß er noch nicht richtig erwachsen war wie Hubert und nicht versucht hatte, die Männer aufzuhalten, denn dann hätten sie ihn getötet.

Eines Nachmittags, als ich mich in die Ecke unserer Kammer kauerte und die Tränen unaufhaltsam aus mir herausquollen, hörte ich ihn hinter mir, und dann spürte ich seine Hand in meiner Hand. Ich drehte mich um, und er sah mich an, und ich wollte seinem Blick ausweichen. Aber er hielt mich fest und ließ meinen Blick nicht los. Ich umklammerte seine Hand, und er sah in meine Augen und in ihnen die Scham, die ich spürte, und seine Augen waren voller Liebe. Das fühlte ich. Und danach weinte ich nicht mehr so oft.

Einige Wochen nach dem Aufruhr sah ich einen der Männer, die mich überfallen hatten, auf der Straße. Er war der kleinere der beiden, der mit dem Helm, den er schief auf dem Kopf sitzen hatte.

Der kesse Helm war verschwunden. Statt dessen trug er einen Sattel über der Schulter. Er hielt ihn mit beiden Händen fest umklammert und ging mit schleppenden Schritten, während ihm die Riemen und Lascher gegen die Beine schlugen.

Ich stand auf der anderen Seite der Gasse, deren Boden mit Schlamm bedeckt war, und roch das Leder. Es war ein kräftiger Geruch, der von seiner Haut und dem Sattel kam, und er versetzte mich sofort und auf schreckliche Weise wieder zurück in das kleine Gäßchen, in dem ich ihnen ausgeliefert gewesen war. Er kam näher, unter dem schweren Gewicht gebeugt. Auf seinem breiten Gesicht standen Bartstoppeln. Seine Augen waren verquollen und von roten

Adern durchzogen. Ich hatte diesen Mann viel schrecklicher in Erinnerung, aber jetzt sah er unter dem großen Sattel fast hilflos aus.

Und doch wünschte ich mir, ein Schwert zu haben – um ihm damit in den Weg zu treten.

»Du!« würde ich schreien. »Warum hast du mir weh getan?« Und dann würde ich mit Armen, so mächtig wie die von Hubert, das Schwert schwingen und ihn töten.

Aber das wäre zu einfach. Er wäre sofort tot und würde nie wissen, wie sehr er mich verletzt hatte.

»Warum hast du mir weh getan?« würde ich schreien und ihm eine Hand abschlagen. Aber das hatten sie mit meinem Vater getan. Und ich würde es nie fertigbringen, niemals.

Schnell überlegte ich mir andere blutige Racheakte, aber da war er schon fast an mir vorbei.

Daher bückte ich mich, ohne zu denken, und griff mit der Hand zwischen meine Füße und hob eine Handvoll schwarzen stinkigen Schlamm auf.

Als ich ihn warf, spritzte er über den Sattel und quer über sein Gesicht. Er drehte sich um, und wir standen uns, nur ein paar Schritte voneinander entfernt, gegenüber. Sein Kinn klappte herunter, als er mich erkannte.

Ich machte den Mund auf, um etwas zu sagen, aber ich bekam kein einziges Wort heraus. Ich wollte ihn verletzen, wie er mich verletzt hatte, und ihn für immer auslöschen. Aber wir sahen uns nur stumm an, über sein stoppliges Gesicht rannen die Schlammspritzer. Er starrte mich erschrocken an, fast vorwurfsvoll, als hätte ich ihm tatsächlich weh getan. Dann setzte er langsam einen Fuß vor den anderen und ging mit dem schweren Sattel, an dem Eisenplatten und Metallstücke angebracht waren, davon. Ich sah ihm nach, bis er verschwunden war.

Ich hätte ihn töten sollen.

Ich starrte auf meine schmutzigen Hände und schämte mich. Nichts auf der Welt ist qualvoller als Hilflosigkeit. Auf dem Heimweg sprach ich in Gedanken mit meinem Bruder.

»Ich habe ihn getroffen, Niklas – den kleineren, den mit dem

Helm. Wenn ich ein Mann gewesen wäre, hätte ich ihn mit einem einzigen Schwertstreich getötet. Ich habe das Leder gerochen, und dieser Geruch hat mich rasend gemacht, und ich wollte sein Blut sehen. Aber ich habe ihn nur mit Schmutz von der Straße beworfen, und dann ist er weggegangen. Das ist also meine Rache. Und die Scham war geblieben. Und dieser komische Gedanke, daß Gott eine Uhr ist und daß Seine Welt eine Uhr ist. Aber wir, die wir in dieser Welt leben, funktionieren nicht immer wie Uhren. Manchmal sind wir zerbrochen und wissen nicht, was wir tun sollen. Aber wir leben in Seinem Uhrwerk. Wir leben in dieser Maschine, aber wir werden wie Staub durch die Luft gewirbelt. Das ist ein Geheimnis, das unser Onkel nicht würde lösen können.«

Aber ich wußte, daß ich meinem Bruder niemals solche verzweifelten Worte sagen könnte. Ich mußte lernen, mit der Scham zu leben, bis sie verging. Und was die Rache anging, so hatte ich getan, was einem Mädchen in dieser Welt möglich ist.

Als ich langsam die Leiter hinaufstieg, sah ich Niklas, der in einer Ecke der Kammer kauerte und etwas hielt. Als ich zu ihm ging, sah ich, daß es Kaninchen war, die Beine von sich gestreckt und ganz steif.

Kaninchen war tot.

Ich saß neben meinem Bruder und streichelte das kalte braune Fell des toten Tieres.

»Niklas«, sagte ich, »mein lieber Niklas.«

Eine Weile saßen wir schweigend da, dann sagte ich: »Vielleicht war es zu lange eingesperrt. Kaninchen brauchen Auslauf. Oder vielleicht hatte es Fieber. Kaninchen kriegen auch Fieber. Aber es hatte ein schönes Leben bei uns. Wir waren gut zu ihm. Das darfst du nie vergessen — wie glücklich es war. Das mußt du verstehen, Niklas: Kaninchen leben nicht so lange wie wir.«

Natürlich verstand er es nicht, und so saßen wir lange in der zunehmenden Dunkelheit, nur durch ein paar Ritzen im Dach fiel Licht herein. Und so saßen wir auch noch, als von der Kathedrale die Vesperzeit eingeläutet wurde. Niklas hielt das Kaninchen, und ich hatte die Hand auf seinen Arm gelegt.

Am nächsten Morgen, bevor es richtig hell wurde, gingen wir durch das Osttor aus der Stadt und begruben Kaninchen in einem niedrigen Wäldchen nicht weit von der Straße. Niklas schaufelte das Grab allein aus. Ich wartete, bis es groß genug war, dann ließen wir beide das Kaninchen in seinem Käfig hinunter in sein Grab.

»Heiliger Herr im Himmel«, betete ich, als wir das Grab mit Erde zugedeckt hatten und mit gefalteten Händen neben ihm knieten. »Bitte, nimm unseren Freund Kaninchen zu dir. Es hat niemals jemandem etwas zuleide getan. Wir haben es lieb gehabt, und wir hoffen, daß du es auch lieb hast.«

Ich erzählte Niklas nichts von dem dunklen Geheimnis, durch das diese Worte der Hoffnung zu einer Lüge in meinem Mund wurden. Mein Bruder glaubte bestimmt, falls er dafür überhaupt ein Verständnis hatte, daß Gott Liebe gibt. Jedenfalls hoffte ich das für ihn.

Als wir aus dem Wald zurück waren, blieb Niklas im Haus, und ich ging in die Schmelzhütte zur Arbeit. An diesem Tag wurde entschieden, daß die Teile alle so weit fertig waren, daß sie im Turm eingebaut werden konnten. Ich fühlte, wie ich zitterte. Wir mußten die Uhr an ihrem Platz prüfen. Wir mußten die Länge des Seils messen, das für das Gewicht benötigt wurde, das durch sein Steigen und Fallen der Uhr Kraft geben würde. Jeder Fehler, der von jetzt an passierte, würde bedeuten, daß wir die Uhr im Turm auseinandernehmen mußten, daß Verzögerungen entstanden, daß Alderman Franklyn uns beschimpfte. Und vielleicht würde es sogar bedeuten, daß uns die Arbeiter, die nicht daran glaubten, daß Uhren zu Wohlstand führen können, neue Schwierigkeiten bereiteten.

Die Zimmermänner hatten unter die Glocke einen Boden gelegt, so daß ich bis in die Spitze des Turms gehen und an der Brüstung stehen konnte, nur wenige Meter von der kühlen stummen Glocke entfernt, die meinen Namen trug. Wie Meister Eberhart mir erzählt hatte, war sich der Stadtrat noch immer nicht darüber einig, ob die Uhr jede Stunde des Tages schlagen sollte. Ich wünschte mir, daß sie alle 24 Stunden des Tages verkündete, denn obgleich ich Alderman Franklyn nicht mochte, teilte ich seinen Ehrgeiz. Wenn die Uhr jede volle Stunde der sonnenlosen Zeit schlagen würde, würde unsere Stadt die Dunkelheit besiegen. Und die Dunkelheit besiegen — das konnte nur im Sinne des Allmächtigen sein, denn jedes Lebewesen hat seinen Ursprung in Seiner göttlichen Erleuchtung, und die Geschöpfe Satans entstammen der Dunkelheit. Die Uhr stand für Gott selbst.

So dachte ich in jenen Tagen.

Vom Turm aus sah ich hinunter auf die roten Dächer, vergaß vorübergehend die Schmerzen und das schreckliche Leid der Menschen in den Häusern. Ich stand hoch oben über der Stadt, von Windstößen geschüttelt, und wußte, daß alles, was auf Erden geschah, Gottes Wille war. Wenn der erste klare Ton der Glocke über den Dächern erklang, würden wir wissen, daß es Gottes Stimme war.

28

Stück für Stück wurde das Uhrwerk auf die Spitze des Turms gebracht. Das polierte Metall schwang an einem Seil auf eine Rolle zu, die am Geländer der Brüstung befestigt war. Ich sah jedem Stab und jedem Zahnrad zu, das so hinaufbefördert wurde wie lebende Dinge, wie Kaninchen oder Fische oder kleine Jungen oder Vögel hoch, hoch, hoch in den Himmel hinein. Dann setzten wir die Uhr zusammen, stellten das Gehwerk und das Schlagwerk nebeneinander mit ihren Gewichten, die durch Löcher im Boden gelassen wurden. Zusammengesetzt würde sie höher sein als ich mit über dem Kopf ausgestreckten Händen, und sie würde dreimal so breit sein, wie mein Körper lang war. Als wir den Rahmen mit Bolzen an den dicken Bodenplanken befestigten und Räder und Stäbe verbanden, begann die Uhr wie ein glänzendes schwarzes Wesen auszusehen, wie ein kriechender Basilisk oder ein riesiges Ungeheuer, wie sie in der Heiligen Schrift beschrieben werden.

Aber sie war kein Ungeheuer; sie gehörte auf die Seite der Engel. Dessen war ich mir ganz sicher, auch wenn die Kirchenmänner sie für eine Maschine des Satans hielten — sie kamen die Treppe heraufgeklettert und starrten sie mit schmalen mißtrauischen

Augen an — und die Kaufleute sie fürchteten, weil sie Veränderungen mit sich bringen könnte, die ihren Gewinn schmälerten, und die Arbeiter, weil sie um ihren Lohn bangten. Ein Dutzend Männer war 14 Tage mit dem Zusammensetzen beschäftigt. Aber als alle Räder aufgesteckt und die Laternentriebe befestigt und die Hebel eingesetzt und die Seile über die zwei Trommeln gewunden und die Gewichte unten angehängt waren — als all das getan war und wir aufatmeten und einander zulächelten, da wollte sich die Uhr nicht in Gang setzen.

Es vergingen zwei Monate, bis sie es endlich tat.

Die Räder mußten wieder abgenommen werden. Neue Räder mußten gegossen, angekörnt und gebohrt, ihre Zähne mußten gefeilt werden. An beiden Uhrwerken wechselten wir die Steingewichte aus, verlängerten zuerst die Seile, an denen sie hingen, und verkürzten sie dann wieder.

Alderman Franklyn beobachtete alles genau, sein verschlossenes linkes Auge nahm eine wütende rote Farbe an. Er drehte den Kopf, um die Menschen mit diesem Auge, das gar nicht vorhanden war, anzustarren.

Die täglichen Beschimpfungen, die Meister Eberhart von dem Alderman entgegennehmen mußte, reichte er an mich weiter. Meister Eberhart, der sich nicht traute, seinem Arbeitsherrn entgegenzutreten, sah sich um und pickte sich das Mädchen unter der Männerrunde heraus. Die Handwerker folgten seinem Beispiel und begannen, nun auch mit mir zu schimpfen. Aus Gesprächsfetzen, die ich auffing, erfuhr ich, daß sie das fremde, ungewöhnliche Mädchen für die Schwierigkeiten mit der Uhr verantwortlich machten. Ihre Zeichnungen waren falsch. Sie war zu jung. Sie war eine Frau. Sie konnte vom Teufel geschickt sein. Auf jeden Fall hatte sie keinen Verstand und keinen Mut und darüber hinaus alles das nicht, war ihnen gerade einfiel.

Ich kümmerte mich nicht um sie, sondern dachte über die Uhr nach.

In der Abenddämmerung, wenn die andern heimgegangen waren, stieg ich die Treppe bis zur Spitze des Turms hinauf und beugte mich über die Brüstung — dort war die Luft klar und rein, und ich konnte meine Zweifel ausräumen. Die Zeichnungen stimmten. Wir wußten nur nicht, wie wir alles richtig zusammenfügen mußten. Wenn unser Onkel noch lebte, würde er eine Lösung finden, aber hier gab es niemanden, der die Zahlen gut genug verstand, um jede Schwierigkeit, die sich beim Zusammensetzen einer großen Uhr ergab, bewältigen zu können. Diese Erkenntnis tat mir gut.

Und deshalb wurde ich auch kühner, als wollte ich mich beweisen. Ich ging zu Meister Eberhart und unterbreitete ihm den Plan, den Anschlaghammer auszuwechseln. Vorher hatte die Uhr die Stunden mit einem einfachen Hammer angeschlagen, jetzt wollte ich eine menschengroße Figur, aus Holz geschnitzt, die auf einer Eisenschiene befestigt war. Ich schlug Meister Eberhart vor, daß wir an der Hand der Holzfigur eine Schlagkeule befestigten, damit ein Wächter der Stadt an Stelle eines einfachen Hammers die Stunden anschlagen würde. Dazu wäre nicht viel erforderlich, nur eine kleine mechanische Vorrichtung. Wir konnten sie an der vertikalen Welle des Schlagwerks anbringen. Die Welle war bereits eingebaut, sie reichte vom darunterliegenden Uhrwerk durch den Boden bis in die Glockenkammer. Es würde nicht schwierig sein, sie anzutreiben. Die Keule des Mannes würde durch ein horizontales Rad in Bewegung gebracht werden, das durch ein Zahnrad mit dem Schlagwerk verbunden war.

Meister Eberhart sah mich an, als hätte ich den Verstand verloren, dann drehte er sich um und ging weg.

Als sich die Arbeit dem Ende näherte, wurde ich sogar noch mutiger und ging mit der Idee zu ihm, draußen am Turm ein Zifferblatt anzubringen. Ich versuchte, mich daran zu erinnern, was mir mein Onkel über diese Möglichkeit gesagt hatte, und erklärte Meister Eberhart, wir könnten ein Loch in den Turm bohren, ein Seil und ein Zahnrad durchschieben und dadurch den Zeiger in Gang setzen. Wir könnten ein Zifferblatt mit sechs oder zwölf Zahlen verwenden.

Es würde ganz einfach sein, sagte ich.

Er ließ mich stehen, ohne ein Wort dazu zu sagen.

Dann kam der Tag, an dem wir die Uhr schlagen ließen. Die Gewichte an ihrem Seil waren ausgewogen und lieferten genau

soviel Kraft, wie nötig war; der Rhythmus der Waag, des pendeln-
den Balkens, war nach tagelangen Versuchen richtig eingestellt,
jedes Rad und jede Welle funktionierten mit der Präzision der
Sonne.

Als der Hammer gegen die Glocke schlug, klatschten wir alle
Beifall, sogar Alderman Franklyn.

Und doch kam ich mir an jenem Abend im Stich gelassen vor.
Würde Gott, nachdem sein Plan nun ausgeführt war, noch weiter
Verwendung für mich haben?

Jeden Tag kletterte ich nach den ersten Schlägen hinauf in die
Uhrenkammer und sah dem Metall bei seinen komplizierten Bewegungen zu. Die Zeit, das wurde mir jetzt klar, folgte nicht wie die
Sonne am Himmel einem gleichmäßigen, saumlosen Pfad. Die Zeit
war in Stücke geteilt. Sie war das Eins-und-Zwei und Eins-und-
Zwei von jemandem, der einen Fuß vor den anderen setzt. Oder sie
war wie ein Blatt, das nicht in einer weichen Bewegung fällt,
sondern ruckweise und bei jedem Zwischenhalt einen Augenblick
bewegungslos verharrt, bevor es weiter fällt. Ticktack — so flink im
Herbstwind, daß es aussieht, als schwebe es in einer einzigen
weichen, ununterbrochenen Bewegung dahin.

Wenn das, was ich glaubte, stimmte, dann war die Welt nicht,
was sie zu sein schien. Dann hatte Gott andere Pläne, die wir nicht
kannten.

War es das, was unser Onkel entdeckt hatte? Daß Gott die Welt
auf eine andere Weise sah als wir? Ich war mir jetzt ganz sicher, daß
sich die Welt immer nur stückchenweise weiterbewegte, von Rädern
und Wellen vorangetrieben. Ich überlegte, ob das, was Gott uns zu
sehen gab, gar nicht das war, was Er selbst sah, oder vielleicht sogar,
was Er mit der Schöpfung gemeint hatte.

Der Gedanke, hinter ein Geheimnis des Allmächtigen gekommen
zu sein, bereitete mir heimliches Vergnügen — ähnlich wie die
Sünde. Es erinnerte mich daran, wie ich mit Hubert auf dem
warmen Waldboden gelegen und ihn in meinen Körper aufgenommen hatte, ohne richtig verheiratet zu sein.

Nachdem die Glocke zum erstenmal angeschlagen hatte, wurde

auf dem Platz alles anders. Maurer und Stukkateure und Zimmerleute und die anderen Handwerker packten ihre Werkzeuge zusammen und zogen weiter. Fast war es so, als wären sie nie hiergewesen und als wäre der Turm von ganz allein entstanden. Ich war erleichtert, daß die Gießer blieben. Für sie gab es in der Stadt eine Menge Arbeit.

Und die Kaufleute lauschten dem Schlagen der Uhr. Sie nickten einander zu und sagten: »Zeit ist Geld.«

Es hörte sich irgendwie komisch an, wenn sie es sagten, aber da die Uhr jede volle Stunde schlug, pflanzten sich diese Worte fort. Die Ladenbesitzer öffneten und schlossen ihre Türen nach dem Uhrenschlag. Ob Regen oder Sonnenschein — sie richteten ihre Geschäfte nach der Uhr. So daß es stimmte: Die Zeit war tatsächlich zu Geld geworden.

Und ich begann, noch etwas anderes zu verstehen, was die Zeit betraf. Die Zeit hatte mit den Ereignissen der Stadt nichts zu tun, sie führte ihr eigenes Leben. Aber die Stadt richtete und veränderte sich nach der Zeit. Ihr Leben wurde von dem beherrscht, was im Turm geschah. In gewisser Hinsicht war die Uhr also nicht so sehr für die Stadt da, sondern die Stadt für die Uhr.

Wenn ich durch die Gassen ging und die Uhr schlagen hörte, dann spürte ich, wie unausweichlich die Stadt in ihrem Räderwerk gefangen war — wie ein Insekt in einem Spinnennetz.

War es gut, daß die Uhr soviel Macht besaß?

Diese Frage konnte ich nicht beantworten. Die Uhr hatte schon einmal einen Aufruhr verursacht. Es gab unter den Handwerkern ständig Unzufriedenheit, denn nun wollten sie nicht mehr für das bezahlt werden, was sie getan hatten, sondern danach, wieviel Zeit sie daran gearbeitet hatten.

Aber andere — die Steinmetzen zum Beispiel — waren gegen die Bezahlung nach der Zeit. Zeit, so argumentierten sie, sei ein Gleichmacher. Jeder Faulpelz könne die gleiche Anzahl Stunden herumbringen wie ein Mann, der etwas leistete. Uhren seien auf der Seite der Faulen, der Nichtskönner.

Die Räte der Gilde stimmten ihnen zu. Entlohnung nach Zeit würde zu schlampiger Arbeit in den Handwerkszweigen, bei denen die Qualität maßgeblich war, führen. Die Spinner und Weber stellten schon jetzt kein Tuch mehr her, das den Ansprüchen der Gilde gerecht wurde. Was würden sie erst produzieren, wenn die Qualität ihrer Arbeit nicht mehr so wichtig war wie die Zeit, die sie darauf verwendeten?

Aber andere Kaufleute der Gilde sahen es als nützlich an, den Lohn nach der Zeit zu berechnen. Denn im Winter würden die Leute genauso lange arbeiten wie im Sommer — und die Wintermonate waren länger.

Überall in der Stadt wurden diese Fragen diskutiert. Es war eine Welt, die meine Eltern nicht verstanden hätten. Was sie von der Zeit wußten, waren die Jahreszeiten, die die Arbeit in der Mühle beeinflußten.

Jeden Tag blickte ich hinauf zu der Glocke, die meinen Namen trug, und überlegte, was wir getan hatten.

Zumindest soviel war sicher: Wir hatten getan, was sonst ganz bestimmt jemand anderes getan haben würde. Die Uhr ließ sich nicht aufhalten. Wir hatten genau das gleiche getan wie Flüsse, die sich ihren Weg suchen und so fließen, wie sie fließen müssen.

Und wir hatten die Dunkelheit besiegt, wie Gott es gewollt haben muß, im Kampf des Guten gegen das Böse. Die Dunkelheit zu besiegen — das war sicherlich der Grund, weshalb Gott sich für unsere Uhr entschieden hatte. Wenn sie in Gang war, konnte sie uns von der Nacht befreien, aus dem Dunkel. Wegen ihrer gleichmäßigen Schläge wußten wir immer, wo wir standen in der Zeit, auch wenn die Nacht um uns herum vielleicht so schwarz war wie Pech und voller böser Dämonen wie in der Hölle.

Aber auch die Menschen hatten einen Grund für die Uhr. Aus Stolz hatte der Stadtrat beschlossen, die Uhr jede Stunde des Tages und der Nacht schlagen zu lassen. Unsere Stadtmauern standen fest — wie ein Felsen im Strom der Ewigkeit. Unsere Uhr pendelte hin und her wie eine Wiege, denn jetzt lebten wir in einer Welt, die eine Zukunft hatte.

Und von der Kathedrale ertönte zum Gebet das tiefe Läuten einer Glocke, die der unseren im Ton angepaßt war. Dank der Uhr, die der Bischof besaß, vermochte der Küster, seine Glocke zusammen mit unserer zu läuten, und die beiden Glocken hallten durch die Straßen — wie die frohen Klänge göttlicher Posaunen.

Dieses anhaltende, freudige Glockengeläut, das die Zeit verkündete, erinnerte mich daran, daß es noch viel zu tun gab für mich, daß ich noch andere, bessere Uhren bauen wollte.

Daher war ich froh, als ich erfuhr, daß Meister Eberhart in einer weit entfernten Stadt eine Uhr bauen sollte. Natürlich würde er mich mitnehmen, und ich würde Niklas mitnehmen, und die Welt würde weitergehen.

Aber als ich zu Meister Eberhart ging, um mit ihm zu reden, schien die Welt stehenzubleiben. Der Meister würde ohne mich gehen. Das teilte er mir ohne Umschweife mit. »Du kannst nicht mitkommen, Anne. Ich gehe allein.«

»Aber ich kann helfen.«

»Ich gehe allein.«

»Hab' ich denn meine Arbeit nicht gut gemacht?«

Er antwortete nicht.

Ich hatte mich daran gewöhnt, daß er Klatsch und Gerüchte liebte, und auch an seine Wutausbrüche und sein Gebrüll. Aber wie er sich jetzt gab, schien mehr zu seinem großen massigen Körper zu passen. Über Nacht war er langsam geworden, schwerfällig — nicht mehr wie einer, der sich mit kleinen Jungen abgab und in den Tavernen herumsaß und trank.

Als ich ihm sagte, daß er mich und meine Zeichnungen doch brauche, schüttelte Meister Eberhart den Kopf.

»Ich habe die Zeichnungen, die du für mich gemacht hast. Und ich kann sie jetzt selbst lesen.«

Und ich konnte ihn mir in diesem Augenblick gut vorstellen, wie er seine neue Arbeit beginnen würde — er würde in den Tavernen sitzen und damit prahlen, daß er die Zeichnungen für unsere Uhr selbst angefertigt hätte.

Neben einem Amboß standen zwei Leinensäcke. Und ich sah meine Zeichnungen, die zusammengerollt waren.

»Mein Onkel hat mir noch andere Dinge beigebracht«, sagte ich. »Du würdest es bestimmt nicht bereuen, wenn ich mitkäme.«

Trotz meiner Kühnheit fand ich keine Worte, um ihm zu sagen, daß das Haus meines Onkels etwas ganz Besonderes gewesen war, voller Wunder, und daß ich in seinen Werkstätten nicht nur etwas über Uhren gelernt hatte, sondern daß ich dort auch Dinge erfahren hatte, die mir noch gar nicht richtig bewußt waren, so gewaltig war die geistige Kraft meines Onkels gewesen.

»Wir waren doch Freunde«, sagte ich schließlich.

Eberhart zuckte die Achseln, als wäre es nicht wichtig.

»Auch wenn du mich angeschrien hast, wußte ich, daß es nur wegen der Arbeit war, damit wir fertig wurden. Es war wegen des Aldermans.«

»Was willst du damit sagen? Daß ich Angst vor ihm hatte?«

»Wir hatten alle Angst vor ihm.«

»Ich habe vor niemandem Angst — außer vor Gott«, begehrte Meister Eberhart auf.

Meine Zeichnungen lehnten am Amboß. Ich konnte sie nehmen und damit weglaufen. Aber was dann? Während ich darüber nachdachte, vergaß ich Meister Eberhart für einen Augenblick, bis sich sein stämmiger Körper an mir vorbeischob, als er zum Amboß ging.

Er bückte sich und nahm die Zeichnungen. Jetzt hatte er sie sicher in Händen.

»Es ist nicht richtig, was du tust«, sagte er.

»Was ist nicht richtig?«

»Meine Freunde haben über dich geredet —«

»Wo? In den Tavernen?«

»Sie haben gesagt, was ich auch sage: ›Frauen sollten kochen, putzen —‹«

»Und Steine schleppen«, sagte ich.

»Frauen bauen keine Uhr.«

»Doch, wenn sie es von einem Mann wie meinem Onkel gelernt haben. Was kann ich dafür, daß er mein Leben verändert hat?«

Aber Meister Eberhart hatte sich schon entfernt.

Als ich wieder auf dem Platz war, sah ich hinauf zum Turm und konnte noch immer nicht fassen, was mit mir geschehen war. Von einem Augenblick zum anderen war ich ohne Arbeit. Nicht einmal die Uhr konnte ich aufziehen. Dafür war der Eisenschmied Barnabas da, den die Stadt dafür bezahlte, daß er sich um die Uhr kümmerte. Mit mir hatte die Uhr nur nichts mehr zu tun. Ich war wie eine Fremde für sie. Aber Metallen war ich nicht fremd, dachte ich.

Ich ging zur Gießerei und sprach mit dem neuen Meister. Er war klein mit breiten Schultern, und er musterte mich von oben bis unten.

»Du willst also in der Gießerei arbeiten, hübsches Kind?«

»Ja. Ich kann gut mit Metallen umgehen. Das wissen hier alle. Ihr könnt sie fragen.«

»Zuerst mußt du doppelt soviel wiegen wie jetzt. Deine Arme müssen doppelt so dick sein. Dann kannst du wiederkommen, und dann werden wir sehen, was du am Amboß kannst. Und wenn das nicht klappt, werd' ich was anderes mit dir ausprobieren — ich weiß auch schon, was.«

Er lachte schallend, und die anderen Männer in der Gießerei lachten mit, obgleich mich die meisten kannten. Wir hatten uns zusammen über meine Zeichnungen gebeugt, und unsere Schweißtropfen waren auf das Papier getropft. Ich hatte mit ihnen viele Stunden vor dem glühenden Schmelzofen verbracht, und trotzdem lachten sie jetzt über mich.

Nicht weit entfernt hatte der Alderman seine Goldschmiede. Ich stand eine Weile davor und sah hinein. Ein Schmied hämmerte einen Schild, ein anderer schnitt ein Kreuz aus, und dahinter stand ein weiterer Schmied an einem Amboß. Ein Junge hob einen Blasebalg vom Haken. Auf einem langen Tresen lagen Greifzangen, Hämmer, Bohrer. Dann kam Alderman Franklyn aus einem Hinterzimmer. Als er mich sah, runzelte er die Stirn, kam aber zu mir.

Ich starrte auf sein totes Auge und fragte ihn, ob ich bei ihm in der Goldschmiede arbeiten könnte — als Lehrling.

Zuerst nickte der Alderman, und ich schöpfte schon Hoffnung.

Aber dann sagte er: »Du bist anmaßend. Ich habe dich schon immer für anmaßend gehalten.« Er sagte es ganz ruhig. »Wie kommst du darauf zu glauben, ich würde dich als Lehrling nehmen? Das würde die Gilde niemals zulassen. Und ich würde es auch gar nicht wollen. Es ist abwegig.«

»Aber —«

»Du hast uns die Zeichnungen deines Onkels gebracht. Du hast ein bißchen geholfen — dafür wurdest du bezahlt. Aber jetzt ist Schluß damit. Wenn du Arbeit brauchst, dann such dir eine Stelle als Magd in einem Haus, wie es sich für ein ordentliches Mädchen in deinem Alter gehört.«

Den ganzen Tag ging ich auf dem Platz von einem Kaufmann zum andern. Ich ging ziellos umher und suchte genauso nach einem Sinn im Leben wie nach Arbeit. Die meisten Kaufleute kannten mich schon lange, sie hatten mich nach der Uhr ausgefragt, sie hatten mich an der Seite von Alderman Franklyn und Meister Eberhart gesehen. Trotzdem las ich in ihren Gesichtern immer wieder dieselbe Botschaft: Ich war nur unter Männern geduldet gewesen, solange es sich als notwendig erwies. Aber jetzt bestand dazu kein Grund mehr. Also mußte ich Frauenarbeit verrichten.

Und das tat ich dann auch.

Ich ging nach Hause und bat Meister Dollmayr, mich in Dienst zu nehmen.

Zu meinem Erstaunen sprach sich Clotilda für mich aus, und damit war ich natürlich angenommen. Ich sollte Arbeiten im Haus verrichten.

Ich war nur die Tochter eines Müllers, aber ich konnte lesen und schreiben. Unser Onkel hatte mich bevorzugt behandelt, deshalb hatten mich auch die Erbauer der Uhr bevorzugt behandelt. Die ganze Zeit hatte ich auf Dienstboten und Mägde herabgesehen. Jetzt war ich selbst eine.

Als erstes nahm ich meine Strumpfmütze ab und löste meine Haare, um wie eine Frau auszusehen. Das gefiel Clotilda, als ich zu ihr ging, um mir Anweisungen für meine Arbeit zu holen.

Schon bald hatte ich täglich feste Aufgaben — Staub wischen, putzen, waschen, flicken —, Arbeiten, die ich von meiner Mutter gelernt hatte. Außerdem mußte ich Holz für das Feuer hereinbringen, wenn sich der Meister zögernd entschloß, es einmal anzuzünden. Ich arbeitete im Gemüsegarten, schlug und schüttelte Wolle, leerte Nachttöpfe, füllte das Wasserfaß in der Küche, legte frische Binsen auf die Fußböden und arbeitete im allgemeinen so lange und so oft die Uhr die Stunden anschlug bis auf fünf.

Schon nach einer Woche schickte Clotilda ein anderes Hausmädchen fort. Ich sollte ihre Arbeit auch übernehmen. Jetzt war auch klar, warum mich die Haushälterin hatte haben wollen — jetzt war ich völlig in ihrer Gewalt.

Aber ich war jetzt auch wieder näher bei Niklas. Zu wissen, daß er in meiner Nähe war in der Holzschnitzerwerkstatt, gab mir den ganzen Tag Kraft.

Ich mochte die Köchin und arbeitete oft für sie in der Küche. Sie konnte Clotilda auch nicht leiden, das verband uns. Sie redete ununterbrochen. Und wenn ich ihr zuhörte, während ich die Töpfe und Kessel scheuerte, verging die Zeit schnell.

»Meine vorige Herrin war gut«, sagte die Köchin oft mit einem Seufzer.

»Sie war immer darauf aus, auf dem Markt Betrügereien aufzudecken. Wenn sie jemanden dabei erwischte, hat sie ein schreckliches Gezeter gemacht. Dann liefen die Menschen zusammen, um ihr zuzuhören. Die Ladenbesitzer kriegten immer einen Schreck, wenn sie sie kommen sahen. Sie nannten sie die Geißel Gottes. Und das war sie auch. Sie hatte scharfe Augen und eine gute Nase! Mit mir war sie auch sehr streng, aber das machte mir nichts aus. Und das Essen in ihrem Haushalt! Diese Menüs! Nicht immer nur Gerstenbrot und Erbsenpudding und dicke Milch. In ihrem Haus habe ich herrliche Gerichte zubereitet — Hammelfleisch, in weißem Sud gekocht, gebratene Gans, Pflaumenkuchen. Und nicht diese gekochten Euter, die unserem Meister schmecken, weil sie billig sind. Dort gab es getrockneten Kabeljau und Wildbret im Teig. Nicht nur ein paar Hühner im Monat wie in diesem Hungerhaus hier. Dort habe ich immer Regenpfeifer in Gelee gemacht. Ich habe Fleisch mit einer würzigen Soße aus zerstoßenen Krabbenschwänzen und Mandeln gemacht.« Die Köchin stieß einen tiefen Seufzer aus und legte beide Hände auf ihren umfangreichen Bauch. »Es ist eine Schande. Beide, der Herr und die Herrin, wurden dahingerafft.«

»Von der Pest?«

»Natürlich von der Pest.« Bei der Erinnerung daran schüttelte sie den Kopf und fügte hinzu: »Du hättest das Essen sehen sollen, das sich die beiden auf ihre Teller häuften.«

Dank der guten Köchin brauchte ich in Meister Dollmayrs Haus nicht zu verhungern. Sie sorgte dafür, daß ich für die schwere Arbeit, die ich tun mußte, immer genug zu essen hatte. Sie steckte mir getrockneten Fisch mit Mostrich zu, gab mir viel mehr Bohnen, als Clotilda geduldet hätte, und manchmal ein Stückchen gekochte Zunge, wenn Clotilda etwas übrigließ — die Köchin kochte ihr manchmal heimlich etwas Gutes, denn der Meister war selbst bei seiner Geliebten nicht verschwenderisch.

Eines Tages putzte ich die Zimmer im dritten Stock. Als ich zum Zimmer der Herrin kam, klopfte ich an.

»Komm herein«, sagte sie.

Ich nahm meinen Eimer und die Seife mit ins Zimmer und kniete mich schnell auf den Boden, um mit der Arbeit zu beginnen. Die zierliche Frau stand am Fenster.

Als ich ungefähr die Hälfte des Bodens gescheuert hatte — im Zimmer stand nichts außer einem Stuhl, einem Bett und einer kleinen Kommode —, spürte ich ihren Blick auf mir. Ich sah sie an, und unsere Blicke begegneten sich.

»Heute«, sagte die Herrin mit abwesender Stimme, »denke ich an die Zahl Sieben.«

Und nach einer langen Pause fügte sie hinzu: »Hör mir zu.«

»Ja, Madame.«

»Es gibt in der Schöpfung sieben Tage, sieben in einer Woche, es gibt sieben Teile des Gebets unseres Herrn, sieben Kirchen in Asien, sieben Posaunen, sieben Seuchen, ein siebenköpfiges Ungeheuer und ein Lamm mit sieben Augen. Es gab auch sieben Siegel.«

Sie starrte mich an und wartete.

»Ja, Madame«, sagte ich.

»Der Himmel ist über uns, die Hölle unter uns. Rings um die Erde sind Schichten aus Luft und Feuer, die flammenden Mauern der Welt.«

Als sie wieder schwieg, sagte ich: »Ja, meine Dame.«

»Trägst du eine *Clavette?*«

»Bitte?«

»Einen Keuschheitsgürtel.«

»Nein, Madame.«

»Es gibt bestimmt Jungen, die deinen Schatz haben möchten. Du mußt ihn verschließen. Dann ist er sicher.«

Sie starrte mich an, und ich sagte: »Ja, Madame.«

»Denn das Ende ist nahe.«

»Ja, Madame«, stimmte ich ihr zu.

»Es wird ein Erdbeben geben, und die Sonne wird so schwarz sein wie Sackleinen, und der Mond wird wie Blut sein. Und die Sterne werden herunterfallen, und die Berge werden sich von ihrem Platz bewegen. Die Sünder werden sich vor Ihm verstecken, der auf dem Thron sitzt. Sie werden sich vor dem Zorn des Lammes verstecken. Denn der Tag des Zorns wird kommen. Und wer wird dann aufrecht stehen?«

Diesmal sagte ich nichts. Aber wir sahen uns lange an. Sie war blaß, hatte dünne Lippen, alles an ihr war düster. Dann bekam sie einen Hustenanfall und drehte sich wieder zum Fenster um. Sie konnte von dort nichts anderes sehen als die nackte Wand des Nachbarhauses.

Ich wischte weiter den Boden — um ihre Füße herum, die anscheinend Wurzeln geschlagen hatten.

Als ich fertig war, ging ich aus dem Zimmer und hörte nur noch, was sie mir nachrief: »Zieh einen Keuschheitsgürtel an!« rief sie mit ihrer heiseren Stimme.

Als ich die Treppe hinunterging, wäre ich fast über Clotilda gestolpert, als ihr Gesicht plötzlich dicht vor mir auftauchte.

Sie starrte mich lange Zeit an. Dann lächelte sie böse und sagte: »Du hast zuerst das weiße Brot gegessen, Mädchen. Jetzt wirst du dich an das dunkle gewöhnen müssen.«

29

Die Köchin hielt zu mir und ermöglichte es mir, ab und zu aus dem Haus zu gehen, um frische Luft zu schnappen. Bis dahin war ein Hausmädchen, etwas jünger als ich, immer einkaufen gegangen. Aber die Köchin beklagte sich bei der Wirtschafterin über sie und sagte, das Mädchen streune herum und kaufe immer die falschen Sachen (was tatsächlich stimmte), und es sei besser, mich zu schikken. Clotilda dachte eine Weile darüber nach und stimmte dann zu.

Dadurch hatte ich dreimal die Woche eine kleine Abwechslung und konnte mich von der Plackerei ein wenig erholen. Ich schlenderte auf dem Markt durch die schmalen Gassen und kaufte Eier, Salz, Zwiebeln und Essig. Ich kaufte Brot, denn laut Satzung der Gilde mußte Meister Dollmayr seinen Malern und Schnitzern täglich eine Mahlzeit geben. Ich blieb ohne Eile am Brotstand stehen und sah dem Bäcker zu, der die Laibe mit einem langen Schieber aus dem Ofen holte und mit seinem Stempel versah. Dann ging ich zum Gewürzladen weiter, um Nelken, Bergminze, Bohnenkraut und andere Gewürze zu erstehen, um die wäßrige Erbsensuppe, die es in unserem Haus zu essen gab, etwas schmackhafter zu machen.

Eines Tages sah ich zu meinem Erstaunen, als ich in eine Gasse einbog, Niklas am anderen Ende. Er trug etwas und schien es eilig zu haben.

Was machte mein Bruder hier auf der Straße? Fand er denn wieder nach Hause? Aber bis ich beschlossen hatte, ihm zu folgen, war er zwischen den Menschen auf dem Markt verschwunden.

Als ich nach Hause kam, ging ich sofort zu dem alten Holzschnitzer.

»Wo ist mein Bruder?« fragte ich besorgt.

»Ausgegangen wie üblich.«

»Wie üblich? Geht er denn oft aus?«

»Jeden Tag ein paar Stunden. Wenn er Lohn bekäme, wäre es etwas anderes. Aber wir lassen ihn kommen und gehen, wie es ihm gefällt. Aber der Meister weiß natürlich nichts. Warum fragst du?«

»Dann findet er also wieder nach Hause?«

»Natürlich.«

»Und wo geht er hin?«

Der alte Mann klopfte mir auf den Rücken. »Glaubst du, das erzählt er mir? Laß ihm ein bißchen Freiheit, Mädchen. Mach dir nicht soviel Sorgen.«

Aber ich machte mir Sorgen. Als ich Niklas fragte, erhielt ich die Antwort, die ich immer von ihm erhielt – einen kühlen geraden Blick aus seinen blauen Augen und einen zusammengekniffenen, stummen Mund. Fast hätte ich ihm verboten, das Haus zu verlassen, aber dann dachte ich noch einmal in aller Ruhe darüber nach und fand den Rat des alten Mannes vernünftig. Wenn mein Bruder aus dem Haus gehen und wieder zurückfinden konnte, dann sollte er dazu auch Gelegenheit haben.

Trotzdem hielt ich jetzt immer nach ihm Ausschau, wenn ich außer Haus Besorgungen machte. Und tatsächlich sah ich ihn dann eines Tages in Richtung des Osttors gehen.

Er hatte etwas bei sich.

Ich folgte ihm in ziemlicher Entfernung und konnte nicht genau erkennen, was es war – es war ein schwarzer steifer Gegenstand.

Er war mit Fell bedeckt.

Eine Katze.

Eine tote Katze.

Er trug eine tote Katze aus der Stadt.

Obgleich ich nicht viel Zeit hatte – denn ich durfte nicht zu lange wegbleiben –, mußte ich unbedingt herausfinden, was das alles zu bedeuten hatte.

Niklas ging mit gesenktem Kopf und hielt das tote Tier fest unter dem Arm. Draußen vor der Stadt marschierte er mit der Entschlossenheit eines Soldaten weiter, bis er zu einem Weg kam, der in einen kleinen Wald führte.

Endlich wußte ich, wo er hinwollte. Mein Bruder ging zu Kaninchens Grab.

Ich ließ ihn ein ganzes Stück vorausgehen, damit er im Unterholz nicht meine Schritte hörte, und folgte ihm bis zu den Büschen, bei denen wir das Kaninchen begraben hatten.

Bei dem Anblick, der sich mir bot, stockte mir der Atem.

Wo vorher nur ein einziger kleiner Erdhügel für Kaninchen

gewesen war, waren jetzt wenigstens ein Dutzend Hügel, und auf jedem stand ein Kreuz, ungefähr so groß wie mein Unterarm.

Ich stellte mich hinter einen Baum und beobachtete, wie Niklas mit einer Schaufel, die er sich mit einem Werkzeug aus einem Ast gemacht haben mußte, die nasse Sommererde aushob. Als das Loch groß genug war, legte er die tote Katze hinein und bedeckte sie dann wieder mit Erde. Mit einem stechenden Schmerz kam die Erinnerung an den Tag zurück, an dem wir unsere Eltern begraben hatten.

Ich bemühte mich noch, von dieser Erinnerung loszukommen, als Niklas etwas tat, was ich nicht erwartet hatte. Er ging hinter den kleinen Friedhof — ich folgte ihm in einiger Entfernung — an ein paar Büschen vorbei bis zu einem Baumstumpf, der ihm bis an die Hüfte reichte. Der Stamm konnte genauso von einem Blitz getroffen und verkrüppelt worden sein wie mein Bruder.

Ich war erstaunt, wie glatt die Oberfläche des Baumstumpfs war, bis mir klar wurde, daß Niklas sie geglättet haben mußte. Um die Kanten hatte er Holzplatten genagelt, die eine Einzäunung bildeten. Jetzt erkannte ich es — es war der Schraubstock eines Holzschnitzers.

Dann wühlte Niklas in einem Haufen aus Laub und Blättern und brachte einen großen Beutel aus Ziegenfell zum Vorschein. Bald lagen neben dem Baumstumpf ein kleiner Holzhammer und ein paar Meißel. Dann holte er noch ein Stück Holz aus dem Beutel. Geschickt befestigte er es in der Spannvorrichtung, und ohne eine überflüssige Bewegung begann er, mit dem Hammer auf den Meißel zu schlagen und ein Kreuz zu formen.

Die Arbeit dauerte nicht lange.

Als er fertig war, tat er alles in den Beutel zurück, den er wieder unter den Blättern versteckte. Alles außer dem Meißel, den er benutzt hatte. Den schob er unter den Strick, mit dem er seine Tunika zusammenhielt.

Ich sah ihm nach, als er in den Wald und dann zurück in die Stadt ging. Warum hatte er den Meißel mitgenommen? Wollte er seine Kante auf dem Schleifstein schärfen und ihn dann wieder hierher zurückbringen?

Das würde bedeuten, daß mein Bruder vorausplante, wenn es um seine Werkzeuge ging.

Ich ging noch einmal auf den Friedhof und kniete mich auf den Boden, um mir die Kreuze genauer anzusehen. In die Kreuze waren kleine Verzierungen geschnitzt — Ornamente, Blattmuster, Drachen. Auf jedem war Unser Herr am Kreuz eingeschnitzt. Und jeder einzelne drückte auf eine besondere Art Seine Leiden aus. Wie gut Niklas das Leid auszudrücken verstand. Die Dornenkrone, die Nägel an Füßen und Händen, die blutende Wunde. Niklas hatte nichts weggelassen, es war ihm gelungen, jede Einzelheit hervorzuheben — hier mit einem flachen Relief, dort mit einer tiefen Kerbe. Mein Bruder hatte an jedem Kreuz für jedes der Tiere lange und hart gearbeitet. Ich hatte noch nie etwas Derartiges gesehen.

Und das war noch nicht alles.

Ich sah mir die kleinen Gesichter von jedem gekreuzigten Christus einzeln an — den offenen Mund, die geschlossenen Augen, den gebeugten Kopf. Keines vor ihnen hatte das Gesicht Unseres Herrn, wie ich es von der Kirche her kannte. Jedes Gesicht war dasselbe Gesicht. Und es war vertraut.

Mein Bruder hatte jedem gemarterten Sohn Gottes das Gesicht von Hubert gegeben.

Als ich wieder ins Haus zurückkehrte, sah mich die Köchin düster an.

»Jetzt hast du es endlich geschafft«, sagte sie. »Du bist zu lange ausgeblieben. Clotilda hat dich gesucht. Sie sagte, das wäre das letzte Mal gewesen, daß du draußen Besorgungen machst. Was ist denn passiert?«

»Was passiert ist?«

»Du lächelst ja. Oder weinst du? Hast du gehört, was ich dir von Clotilda gesagt habe? Anne?«

Ihre erstaunte Stimme folgte mir durch die Küche. »Anne? Was ist denn bloß passiert?«

Es war also vorbei mit den kleinen Befreiungen von der täglichen Plackerei.

Ein Tag ging in den nächsten über, als wäre die Zeit in Wirklichkeit ein großer, kontinuierlicher Bogen, der durch keinerlei Ereignis unterbrochen wurde. Der Sommer ging in den Herbst über, der

261

Herbst in den Winter. Ich verwendete nicht mehr die Glockenschläge, um die Zeit zu zählen — ich verwendete dazu die Anzahl
Stufen, die ich hinauf- und hinunterstieg, während ich Körbe hob
und Wäsche schleppte. Wenn es zusätzlich Arbeit gab, verrichtete
ich sie, und das andere Hausmädchen, das sowieso schon dick war,
wurde immer dicker.

Dann wurde Meister Dollmayr eines Tages in den Stadtrat beru-
fen. Das war, wie er meinte, ein Ereignis, das gefeiert werden
mußte. Mit ungewöhnlicher Großzügigkeit wies er die Haushälterin
an, den Mädchen einen Nachmittag freizugeben. Bis zum letzten
Augenblick war ich davon überzeugt, daß Clotilda einen Grund
finden würde, mir dieses Privileg zu versagen, aber vielleicht war sie
zu sehr mit der ehrenhaften Ernennung des Meisters beschäftigt,
um an diesem Tag über ihre Mägde nachzudenken.

Ich hatte also frei.

»Komm, Niklas«, sagte ich, als ich den Kopf in die Holzschnitzerwerkstatt steckte. »Komm mit, komm!«

Er drehte sich von der Arbeitsbank zu mir um, legte mit ernstem
Gesicht eine Feile hin und kam zu mir.

Wir liefen zum Fluß, der zugefroren war. Von einem alten
Händler liehen wir uns Schlittschuhe.

»Weißt du noch, wie wir bei der Mühle immer Schlittschuh
gelaufen sind?« fragte ich Niklas, während ich Lederriemen an
seinen Füßen und Knöcheln festmachte, damit das Holzbrett nicht
abging.

»Weißt du noch, wenn das Wasserrad im Eis feststeckte? Und
unser Vater die Schlittschuhe hervorholte und wir alle, sogar Mutter, auf dem zugefrorenen Fluß fast bis zur Stadt liefen, und der
Wind schüttelte den Schnee aus den Bäumen am Ufer, während wir
auf dem Eis dahinglitten, und wie Mutter sich immer mit dem Stock
abstieß. Und Vater lief so schnell voraus, bis er nur noch ein
winziger Fleck auf dem blauen Eis war. Weißt du das noch, Niklas?«

Als die Riemen festsaßen, gingen wir auf den Fluß. Die Holz-
platte, die mit Eisen beschlagen war, bog sich vorn über unsere
Zehen, als wir über das Eis glitten, zuerst zögernd, aber dann
wußten wir wieder, wie es ging. Der frische Wind blies uns in die

Augen, daß sie tränten. Das Gesicht meines Bruders wurde so rot wie ein Apfel. Er lächelte — so fein, so selten, dieses Lächeln —, während wir uns immer weiter von den Landestegen entfernten.

Vom Ufer warfen ein paar Jungen mit Schneebällen nach uns, ich winkte, und Niklas lächelte wieder und winkte auch. Die Jungen konnten seine weißen Haare unter der Wollmütze nicht sehen. Sie hielten ihn für einen Jungen wie sie selbst und riefen uns scherzhafte Worte nach, als wir davonsausten.

Es war alles gut, dachte ich immer wieder und wieder. Alles war gut. Gott hatte uns am Ende doch nicht vergessen.

Vierter Teil

30

Das Leben in Meister Dollmayrs Haus ging weiter wie gewohnt. Der Meister stahl sich in das Schlafzimmer der Haushälterin, Clotilda durchstöberte das ganze Haus, um für mich Arbeit aufzutreiben, die Herrin kam manchmal nach unten und murmelte etwas vom Tag der Vergeltung, Kaufleute kamen, um die Kunstwerke der Gilde zu kaufen, die Maler malten im zweiten Stock dutzendweise kleine Madonnen, und in der Werkstatt hinter dem Haus stellten die Holzschnitzer einen hölzernen Heiligen nach dem anderen her.

Das dicke Mädchen hatte gemerkt, daß es sich bei der Haushälterin beliebt machen konnte, wenn sie mich der Faulheit bezichtigte, und tat es tagtäglich. Aber das erschwerte mir alles nur geringfügig. Ich hatte gelernt, das Leben in diesem Haus zu akzeptieren, wie es war, vor allem, weil Niklas beim Holzschnitzen so gute Fortschritte machte. Aber ich überlegte mir, ob er sich nicht überanstrengte. Er sah blaß aus, wurde immer schmaler, und einige Wochen nach unserem Schlittschuhausflug schlief er eines Morgens länger als sonst und hielt sich die Hand an die Stirn.

»Bist du krank, Bruder?«

Er sah mich nur an und ging etwas später in den Schuppen zur Arbeit.

Aber am nächsten Morgen schlief er wieder länger. Ich merkte, daß er sich kratzte, und als ich seine Hand wegzog und sein Hemd aufmachte, um mir seine Brust anzusehen, entdeckte ich eine große leuchtendrote Beule. Und er war auch heiß.

Diesmal fragte ich ihn gar nicht erst, ob er sich krank fühle. Ich ging zu dem alten Holzschnitzer und erzählte es ihm.

»Warte bis morgen«, sagte er. »Dann werden wir weitersehen.«

Aber am nächsten Morgen fühlte sich Niklas noch heißer an, seine Arme schienen sich zu verkrampfen, und seine Lippen zuckten vor Schmerz.

Der alte Holzschnitzer kam in unser Zimmer und sah sich Niklas an.

»Das gefällt mir nicht«, sagte er. »Es ist besser, wenn du einen Doktor holst.«

»Aber ich habe kein Geld.«

»Macht nichts. Komm nachher in die Werkstatt.«

Als ich zu den Holzschnitzern kam, drehten sich alle zu mir um und starrten mich an. Der alte Holzschnitzer schüttete Münzen in meine Hand.

»Woher ist das viele Geld?« fragte ich und sah mich in dem staubigen Raum um. Niemand sagte etwas.

Ich wickelte die Münzen in ein Tuch und lief zu einem Doktor, der ganz in der Nähe wohnte.

Seine Dienstmagd sah mich von oben bis unten an. Ich machte das Tuch auf, nahm eine Münze heraus und gab sie ihr. »Er wird die Bezahlung vorher wollen«, sagte sie und steckte die Münze in ihre Schürze.

»Ich habe Geld«, sagte ich stolz.

Sie machte die Tür zu einem Hinterzimmer auf und verschwand darin. Kurz darauf ging die Tür wieder auf, und ein Mann steckte neugierig den Kopf heraus.

»Hast du Geld?« fragte er. Er hatte ein rotes Gewand an und eine Pelzkappe und Lederschuhe.

»Ja, mein Herr, ich habe Geld.«

»Sag mir, was ihm fehlt.«

Als ich ihm Niklas' Krankheit beschrieb, nickte er ernst. Er war ein großer Mann, hager, aber sein Bauch war sehr dick und schob sich über einen breiten Gürtel aus Silberfäden.

Nachdem er für seinen Besuch einen Preis genannt und ich ihm das Geld gegeben hatte, gingen wir zu Meister Dollmayrs Haus.

Der Doktor hatte eine Tasche, aus der er ein Sandglas nahm. Er zählte den Herzschlag meines Bruders, bis der Sand in dem Glas von oben auf den Boden geronnen war.

Er seufzte und sagte zu mir: »Das Essen wird im Magen gekocht. Wenn der Magen zu voll ist, kocht er über wie ein Kessel.«

»Aber er hat seit zwei Tagen nichts gegessen.«

Der Doktor nickte. »Nein, natürlich nicht. Bring mir morgen seinen Urin.« Er stand auf und steckte das Sandglas wieder in seine Tasche. »Gib ihm eine Mischung aus Honig, Wasser, Pflanzensaft mit Ingwer, Pfeffer und Gewürznelken. Und mach ihm dann einen zweiten Trunk aus gezuckerter Milch und gekochten Mandeln. Wenn er sich später danach fühlt, gib ihm gekochten Kapaun. Gib zermahlene Mandeln und weißen Ingwer dazu und auch Granatapfelsamen, wenn du welchen auftreiben kannst.«

Ich hörte genau zu, prägte mir die einzelnen Zutaten im Gedächtnis ein. Sie würden ein Vermögen kosten.

»Was fehlt ihm denn?«

Der Doktor spitzte die Lippen. »Ein Ungleichgewicht der Körpersäfte. Zuviel schwarze Galle, würde ich sagen, nicht genug Schleim. Der Mond hat in den letzten Tagen zugenommen. Das sollte helfen, ihn wieder auf die Beine zu bringen. Bring mir morgen den Urin und mein Honorar.«

Als ich den Doktor hinuntergebracht und die Tür zugemacht hatte, stand plötzlich Clotilda hinter mir. Sie wollte wissen, wer bei mir gewesen war.

Als ich es ihr sagte, lächelte sie. »Krankheit ist die Strafe Gottes. Komm mit.«

Sie brachte mich zu dem Meister, der sich wegen meines Bruders ehrliche Sorgen zu machen schien, bis mir klar wurde, daß seine Sorge nur die Statuen betraf, die Niklas nun nicht schnitzte.

»Der Junge hat in letzter Zeit gute Sachen geschnitzt. Ich will, daß er wieder an seine Arbeit geht«, sagte er.

»Er wird bald wieder arbeiten«, versprach ich.

»Aber jetzt ist er krank«, sagte Clotilda.

Wir standen vor Meister Dollmayrs Tisch, auf dem Pergamentbögen ausgebreitet waren. Meister Dollmayr hatte eine Feder in der Hand und beugte sich über sie.

»Krank«, wiederholte er. Er war in Pelze gehüllt, die bis unters Kinn zugeknöpft waren, und sah klein und unwohl aus, obgleich er lächelte, wie er es immer tat.

»Der Junge wird größer«, sagte er nachdenklich. »Das läßt sich nicht leugnen. Und wir haben hier keinen Platz für Leute, die nichts tun.«

»Nein«, sagte Clotilda. »Und wenn die Käufer erfahren, daß wir einen Kranken im Haus haben, werden sie nicht mehr kommen.«

»Bitte«, sagte ich und sah das weiche runde Gesicht des Meisters durch meine Tränen an. »Ich verspreche Euch, so viel zu arbeiten, wie ich nur kann.«

»Gut«, sagte er und lächelte schon ein bißchen mehr. »Das ist ein Versprechen.«

»Mehr denn je«, sagte ich. »Ich werde für zwei arbeiten.«

»Gut«, sagte Clotilda. »In diesem Fall können wir dieses andere Mädchen, das so dick ist, wegschicken. Sie gefällt mir schon lange nicht mehr. Wenn die hier für zwei arbeitet, könntet Ihr, glaube ich, großzügig sein.«

»In der Tat«, sagte er. »Soll der Junge bleiben.«

Der Meister beugte sich vor, um mich besser ansehen zu können. »Aber achte darauf, daß du dein Versprechen auch hältst. In diesem Haus wird nichts vergeudet. Füll die Stunden gut aus. Zeit ist Geld.«

Vor dem Büro trat mir Clotilda in den Weg, daß ich nicht vorbei konnte.

»Gott hat jedes Lebewesen auf den Platz gestellt, der ihm gebührt«, sagte Clotilda in dem leisen, verhaltenen Ton, den ich fürchten gelernt hatte, da ihm nicht selten ein Fußtritt, ein Stoß, ein Schlag folgte. »Dein Platz ist niedrig, gemein, ganz unten. Bilde dir nie ein, ihn verlassen zu können. Du hast genug gesündigt. Und du hattest genug Vergünstigungen. Du bist da, wo du hingehörst.«

Und dann trat Clotilda zu meinem großen Erstaunen auf die Seite und ließ mich vorbei.

In der darauffolgenden Woche verbesserte sich der Zustand meines Bruders ein wenig, oder er blieb gleich. Das konnte ich schwer sagen, und obgleich der Doktor jeden Tag kam, um nach ihm zu sehen, sagte er es mir nicht.

Er sprach von den Sternen, die die Körpersäfte beeinflussen, von den drei Äskulapgeistern, die alle lebenden Dinge beherrschen, von dem Unterschied zwischen dem Fieber, das alle drei, und dem, das alle vier Tage auftritt, und von dem Andertagsfieber. Für diese täglichen Lektionen, die mich nur noch mehr verwirrten, bezahlte ich ihn.

Am Ende der Woche ging mein Geld zu Ende. Ich konnte die

Holzschnitzer nicht noch einmal bitten — sie hatten ihre Familien, die sie durchbringen mußten. Ich nahm meinen ganzen Mut zusammen und ging zu Clotilda und bat sie um einen Vorschuß auf meinen Lohn.

Sie musterte mich von oben bis unten. »Wenn Gott wollte, daß dir geholfen wird, würde dir der Meister helfen«, sagte sie. Das war ihre Art, nein zu sagen.

In dieser Zeit kam ein neuer Käufer von Holzschnitzereien ins Haus. Ich traf ihn im Flur und als sich unsere Blicke begegneten, erkannten wir uns wieder.

Als erstes erkannte ich die häßliche Geschwulst, die jetzt viel größer war, auf seiner linken Wange wieder. Er hatte sich ein schmutziges Tuch um den Hals gewickelt — vielleicht sogar dasselbe, das er schon in dem Gasthaus getragen hatte, in dem wir uns das erste Mal begegnet waren. Er war der Kaufmann, der Holzstatuen erwarb und der damals in dem Wirtshaus zu mir unter die Treppe gekommen war.

»Ich weiß«, sagte er und lachte. »Du hast deinen Onkel gesucht. Und die Ritter haben einen Kampf ausgetragen.«

»Ja. Der eine sagte, der andere sei auf einer Stute in die Schlacht geritten.«

»Und einer wurde getötet?«

»Ich hörte, wie sie den Sieger feierten.«

»Du hattest einen älteren Bruder«, sagte der Mann und lachte wieder. »Aber das hab' ich dir nicht geglaubt. Du hattest Angst.«

»Nein.«

»Du hattest Angst, aber ich war mir nicht sicher, wovor. Ich wollte dir nur einen Rat geben.«

Ich bemerkte, wie er mit beiden Händen das schmutzige Tuch um seinen Hals festhielt. Als würde er sich in einem reißenden Strom an einem Stück Holz festhalten.

»Allerdings bist du jetzt älter und hübscher. Damals warst du ziemlich dick, wenn ich mich recht erinnere. Aber was ist denn passiert? Du bist eine Küchenmagd? Was ist mit deinem Onkel?«

»Er ist tot, mein Herr.«

»Du kannst Gian zu mir sagen.«

Als ich an ihm vorbei wollte, hielt er mich am Arm fest. »Noch immer die große Dame?«

»Wie bitte?«

»Ich weiß noch, als ich nett zu dir sein wollte, da hast du die große Dame herausgekehrt.«

Ich riß mich los und lief schnell die Treppe hinauf.

Niklas hatte einen schrecklichen Hustenanfall, als ich in die Kammer kam. Ich hielt seinen Kopf, während er sich erbrach.

»Gott, ich bitte dich, hilf uns in unserer Not«, betete ich in Gedanken.

Ich nahm die Hand meines Bruders und drückte sie, aber er schien es nicht zu merken. Ich beugte mich zu ihm hinunter und roch an seinen Fingern. Sie hatten einen merkwürdigen Geruch – nach Fäulnis.

Ich mußte an den alten Mann in der Klosterhütte denken, in der wir auf unserer Reise in den Norden übernachtet hatten. Er hatte mit mir neben der Leiche einer Frau gestanden.

Der alte Mann hatte mir von der schrecklichen Krankheit erzählt, an der sie gestorben war – von dem Jucken, den leuchtendroten Beulen, von den tauben, fauligen Fingern, dem Erbrechen, von der Unruhe und dem Brennen, von dem Antoniusfeuer, an dem auch der Sohn des alten Mannes gestorben war.

Als am nächsten Morgen der Doktor kam, fragte ich ihn, ob es das Antoniusfeuer sein könnte.

»Unsinn«, sagte er und sah von oben auf mich herunter. Er streckte die Hand aus und sagte: »Mein Honorar.«

»Morgen werde ich es haben. Seid ihr sicher, daß es nicht das Feuer ist?«

Er hob mit der einen Hand seine Tasche auf und hielt sich mit der anderen die Pelzkappe an den Hals.

»Wenn du morgen mein Honorar hast, kannst du es mir bringen. Dann komme ich wieder.«

»Aber Ihr müßt ihm jetzt helfen! Bitte!«

Er sah mich unnachgiebig an. »Ich habe eine päpstliche Konzession. Du bist unverschämt.« Er bückte sich und kletterte die Leiter hinunter.

»Ist es nicht das Feuer? Seid Ihr sicher?« rief ich ihm nach.

Aber er war schon gegangen.

An diesem Tag behielt ich die Bürotür des Meisters im Auge. Und tatsächlich kam Gian mit seiner Geschwulst und dem schmutzigen Tuch um den Hals und seiner Tonpfeife heraus.

Als er mich sah, überzog ein breites Lächeln sein Gesicht. »Dieser Krieger in Waffen, der dein älterer Bruder sein soll, ist auch ein Holzschnitzer, wie ich höre. Ich habe fünf Figuren der heiligen Agnes gekauft und drei Marien und zweimal Christus am Kreuz, die er geschnitzt hat. Warum lächelst du? Ist das das Lächeln einer gottesfürchtigen Dame?«

Ich lächelte ihn noch mehr an, so kühn wie die Mädchen in den dunklen Toren beim Fluß

Gian lud mich zu einem Becher Wein ein.

Als ich annahm, strahlte er über das ganze Gesicht.

»Um die Wahrheit zu sagen, Mädchen — ich hatte erwartet, daß du dich änderst. Komm mit, wir trinken einen Becher Wein, und dann erzählst du mir alles über deinen armen Bruder.«

Ich will es kurz machen — was dann geschah.

In der Taverne sagte ich ihm, daß ich Geld brauchte, und er sagte mir, daß er mich brauchte. Wir gingen hinter einen Wandschirm, und er nahm mich, ohne viel Worte zu machen. Teilnahmslos betrachtete ich die Geschwulst, die sich an seiner Wange auf- und abbewegte.

»Ein Becher Wein?« fragte Gian, als wir uns wieder an den Tisch setzten.

Ich zog den Rock über meinen wunden Schenkeln glatt und dachte an das Geld, das er mir gegeben hatte.

»Ich hab' dich gefragt, ob du einen Becher Wein willst?«

Das Geld würde ausreichen, um den Doktor eine Woche lang zu bezahlen.

»Du willst nicht mit mir reden? Bin ich es nicht wert? Hältst du dich noch immer für eine Herzogin? Nach dem, was eben passiert ist? Bin ich noch immer Schmutz unter deinen Füßen?«

Ich sah Gian, der mißmutig über sein stoppliges Kinn strich, ins Gesicht.

»Ja«, sagte ich.

»Gott straft Huren wie dich.«

»Dann tut Er mir leid.«

»Das ist eine Gotteslästerung!« schrie er mir nach, als ich aufstand und wegging.

Am Wandschirm drehte ich mich noch einmal um und sah, wie Gian den Lumpen an seinem Hals mit beiden Händen umklammerte, als hielte er sich daran fest. Ich sah auch die Geschwulst und seine verschwommenen Augen, die mich beleidigt von der Seite ansahen.

»Du wirst in der Hölle landen«, murmelte er.

»Dann werden wir uns dort ja wiedersehen. Leider.«

Es war das Beste, was ich je gesagt hatte.

Es war schon Nacht, als ich ins Haus zurückkehrte.

Mein Bruder hustete immer schlimmer und warf sich unruhig hin und her. Ich bemühte mich, seine würgenden Hustenanfälle zu dämpfen, aber mitten in der Nacht rief eine Stimme von unten: »Sorg dafür, daß er still ist, sonst muß er hier raus!«

Es war Clotilda.

Bei jedem neuen Anfall erstickte ich Niklas fast. Ein glühender Eisenbarren hätte sich nicht heißer anfühlen können als der Kopf und der Körper meines armen Bruders. Er litt schrecklich. Er sperrte den Mund auf wie ein Vogel, der trinken will. Seine Lippen zuckten, aber er brachte nichts heraus, keinen Speichel, nichts. Als wäre sein Inneres, nachdem es geleert war, ausgetrocknet. Er zitterte und zuckte, wurde in meinen Armen steif und schlaff, während ich ihn hielt und weinte und ihm ein Tuch in den Mund stopfte, damit sein Husten nicht zu hören war. Gegen Morgen wurde er ruhiger, und ich hielt seine heißen Hände. Ich beugte mich dicht über ihn und flüsterte: »Weißt du noch, wie wir im Frühling immer am Fluß gesessen und zugesehen haben, wie das Eis zerbrach und das Rad sich wieder zu drehen begann?« Ich sah ihm in die Augen und lächelte. »Auf der ganzen Welt gibt es keinen Bruder wie dich.«

Ich konnte nicht weitersprechen, die Worte blieben mir in der Kehle stecken, wie das Eis immer im Fluß steckengeblieben war damals neben der Mühle. Ich drückte seine Hand, und seine Finger gaben den Druck zurück, und ich schöpfte neue Hoffnung. Aber dann bekam er wieder einen Hustenanfall. Das erste Licht der Dämmerung fiel durch die Ritzen im Dach, und ich sah in sein blasses, ausgehöhltes Gesicht mit den blauen Augen, die weit offenstanden, als suchten sie etwas.

»Bald wirst du bei unseren Eltern sein, Bruder«, sagte ich. Wieder drückte ich seine Hand ganz fest, aber er erwiderte den Druck nicht.

Ich beugte mich vor und starrte in sein Gesicht. Sah er mich? Ich wußte es nicht. Plötzlich hatte ich das Gefühl, als würde mein Körper von mir abfallen wie Erdklumpen von einem steilen Berg. Ich biß die Zähne zusammen, um meine Angst zu unterdrücken.

Ich hielt ihn fest, ganz fest und ließ ihn nicht los, bis ein Sonnenstrahl über sein Gesicht und unsere Hände fiel. Und erst dann merkte ich, wie steif seine Finger waren. Und ich ließ sie vorsichtig los und legte sie auf seine Brust und faltete sie. Und ich berührte sie mit meinen Händen. »Niklas! Bist du von mir gegangen?« fragte ich. Aber meine Worte wurden durch die Stille davongetragen wie das Eis auf dem Fluß. Ich saß dort bei Niklas, bis Clotilda von unten nach mir rief.

Ich weiß noch, daß der alte Holzschnitzer einen Steinmetzen ausfindig machte, der am Turm mitgearbeitet hatte und mich kannte. Dieser Steinmetz spendete einen Grabstein für meinen Bruder. Ich glaube, ich habe ihm am Grab dafür gedankt.

Und als ich mich umdrehte und all die Holzschnitzer sah, die gekommen waren, dankte ich ihnen auch. Das Geld, das noch übrig war, nachdem ich den Priester bezahlt hatte, gab ich den Totengräbern — zwei Juden, auf deren Jacken vorn gelbe runde Flicken aufgenäht waren. Es war ein kalter Tag, und sie schimpften über den harten Boden.

Der alte Holzschnitzer hielt meine Hand, während der Priester die Totenrede hielt. Dann hoben die beiden Juden meinen Bruder, der in ein weißes Leichentuch gewickelt war, aus dem Holzsarg! Ich hatte ihn nur gemietet, damit die Holzschnitzer nicht noch mehr zahlen mußten. Und dann legten sie Niklas in das Grab.

Nachdem er mit Erde bedeckt war, gingen alle fort.

Ich blieb stehen und sah den beiden Juden zu, die den Grabstein an seinen Platz legten. Ich betrachtete ihre gelben runden Flicken, während sie sich mit dem schweren Stein abmühten.

Wohin war Jakob, der Buchkopierer, gegangen?

Als ich ihn im Haus unseres Onkels kennenlernte, hatte Niklas gerade damit angefangen, mit einem kleinen Messer zu schnitzen.

Ich beobachtete, wie sich die gelben Flicken bewegten, als die beiden Juden die Erde über dem Grab festtraten. War Jakob auch tot? Mutter, Vater, Onkel Albrecht, Hubert, Niklas — und Jakob?

Niklas hätte für das Grab ein hübsches Kreuz geschnitzt. Dann hätte es ausgesehen, als würde er aus dem Boden steigen, ans Licht, hinauf in den Himmel.

Aber er lag unter einem flachen Grabstein, der ihn niederdrückte. Mir kam es nicht so vor, als sei er dort unter dem Stein. Nach einem letzten Blick auf das Grab ging ich nach Hause.

31

»Dein Bruder ist gerade erst beerdigt worden, und du weinst nicht einmal«, sagte Clotilda. Sie wartete, als wollte sie meine Tränen sehen. Aber ich stand vor ihr wie ein Stein, und da schickte sie mich wieder an die Arbeit.

Ich fegte, wischte Staub, schüttelte Kissen auf und entfernte Fettflecken aus den Kleidern. Als ich im Hof das Spülwasser ausschüttete, kamen mir plötzlich drei Worte über die Lippen, so klar wie das Läuten einer Glocke. Ich hatte sie ausgesprochen, aber sie schienen nicht von mir zu kommen, sondern von jemand anderem, aus einem anderen Kopf.

Ich war erschüttert und zitterte am ganzen Leib und begann, schnell das Rebhuhn zu rupfen, das der Meister für einen seiner seltenen Gäste zubereiten ließ. Die Federn saßen fest in der Haut und ließen sich nur schwer herausziehen, weil das Rebhuhn noch nicht lange tot war. Ich versuchte, mich auf diese Dinge zu konzentrieren – auf den Gast des Meisters und die Federn des Rebhuhns.

Ich arbeitete fieberhaft, um die schrecklichen Worte zu vergessen, die aus meinem Mund gekommen waren.

Und dann, ganz plötzlich, während ich auf das Tier starrte, sagte ich sie wieder ganz deutlich und mit fester Stimme: »Ich hasse Gott.«

Und dann noch einmal: »Ich hasse Gott« – mit fester Stimme, ohne Zögern. Sie donnerten wie ein Glockenschlag.

Ich sah mich nach allen Seiten um, um festzustellen, ob mich jemand gehört hätte. Aber auf dem Hof waren nur Schweine und Hühner und das halb gerupfte Rebhuhn in meinen Händen.

»Ich hasse Gott, ich hasse Gott«, sagte ich immer wieder und wieder. Wie ein Fluß strömten die Worte aus meinem Mund. »Ich hasse Gott, ich hasse Gott, ich hasse Gott« und hörte nicht auf. Mir rann der Schweiß über das Gesicht. Was würde geschehen, wenn mich jemand hörte? Aber die Worte ließen sich nicht zurückhalten. Immer wieder und wieder kamen sie über meine Lippen.

Ich machte mich an dem Rebhuhn zu schaffen, zog wie wild an den Federn, während ich mich mit aller Kraft bemühte, diese drei Worte zu vergessen, die mich zur Hölle verdammen konnten.

Und so begann die Zeit der drei Worte.

Zuerst sagte ich sie immer laut, aber schon bald konnte ich sie flüstern, nur vor mich hinmurmeln, so daß ich nach ein paar Tagen nicht mehr befürchten mußte, es könne sie jemand hören. Und nach einer Woche murmelte ich sie auch nicht mehr vor mich hin – ich sagte sie nur noch in Gedanken.

Obgleich das immer noch schlimm genug war, hatte ich wenigstens meine Stimme in der Gewalt.

Aber das Schlimmste lag noch vor mir.

Mit der Zeit wurde mir nämlich bewußt, daß ich die Worte ja zu jemandem gesagt hatte. Zuerst war mir nicht klar, zu wem. Dann wurde mir eines Tages bewußt, daß ich diese schrecklichen Worte zu Gott selbst sagte. Es waren nicht nur leere Worte, die ein unverschämtes Mädchen einfach so in die Luft sagte. Sondern es war Trotz, der sich gegen Gottes Thron richtete.

Das war das Schlimmste: Jedesmal, wenn mir diese Worte durch den Kopf gingen: »Ich hasse Gott, hasse Gott, hasse Gott«, dann hörte Gott mir zu.

Am Sabbat war es fast unerträglich, denn wenn die Glocke der Kathedrale die Stadt zur Messe rief, verkroch ich mich unter der Decke und tat so, als wäre ich krank, hielt mir die Hände fest vor die Ohren, um den Ruf Gottes und die Worte meines schrecklichen Widerstands nicht hören zu müssen.

Ich hatte die Knie bis ans Kinn hochgezogen und lag in Schweiß gebadet auf meinem Lager und überließ mich meinen verderbten Gedanken. In der dunklen Welt, die ich mir selbst geschaffen hatte, sagte ich unserem Schöpfer immer wieder, wie sehr ich Ihn haßte, weil Er mir Niklas fortgenommen hatte. Ich spürte am ganzen Körper Haß und Entsetzen. Und mit der Zeit wurde alles immer schlimmer, denn in diesem schwarzen Tal des Schreckens begann ich, die Nähe Gottes zu spüren. Ich stellte mir vor, wie ich vor Seinem Thron stand. Und mir wurde klar, daß Er nicht nur in meiner Nähe war, sondern in meinem Kopf, in dem Er sich verkroch wie ein rachedurstiger Dämon, der dem Klang meiner Worte lauschte, die mir selbst wie der donnernde Uhrenschlag vom Turm in den Ohren dröhnten.

Natürlich merkte Clotilda bald, daß etwas nicht stimmte mit mir.

Ich lauschte auf die Worte, die ich nicht aufhalten konnte, genausowenig wie Menschen einen Fluß aufhalten können, der über seine Ufer tritt. Ich lauschte nur noch auf den Lärm in meinem Kopf, daß ich gar nicht hörte, wenn sie mir auftrug, dieses oder jenes zu tun. Selbst wenn sie es mir ins Ohr schrie, hörte ich es kaum.

»Was ist los mit dir, Mädchen?«

Ich murmelte eine Entschuldigung oder suchte schnell nach irgendeinem Vorwand.

»Hast du dir etwa ein Kind machen lassen? Oder hast du gestohlen? Welche Bosheit ist dir ins Gesicht geschrieben? Bist du vom Teufel besessen? Hast du dich dem Teufel verschrieben? Sprich!«

Sie war der Wahrheit näher, als sie hätte wissen können.

Eines Morgens nach der Arbeit im Haus beschloß ich, jemandem zu erzählen, was mit mir los war. Jemand mußte mir helfen, meinen schrecklichen Widerstand zu brechen.

Und dabei konnte mir nur Niklas helfen.

Ich nahm einen Umhang gegen die Kälte und verließ das Haus. Vor dem Haupttor, an dem sich die Straße teilte, bog ich in den Weg ein, der zu dem kleinen Wäldchen führte, in dem Niklas Kaninchen und die anderen Tiere begraben hatte.

Es war düster und neblig. Ich watete bis zu den Knöcheln in dem kalten Schlamm. Als ich den kleinen Friedhof unter den kahlen Bäumen erreicht hatte, setzte ich mich auf einen Felsbrocken.

»Niklas«, sagte ich. »Ganz bestimmt bist du hier bei Kaninchen und den anderen und nicht auf dem Friedhof in der Stadt.«

Und nach einer Pause fügte ich hinzu: »Ja. Ich weiß, daß du hier bist.«

Über mir raschelten die kahlen Zweige der Bäume. »Ich sündige, Bruder«, fuhr ich nach einer Weile fort. »Ich sage schreckliche Dinge. Und ich weiß nicht, was ich dagegen tun soll.« Ich sah die Kreuze an, die in den kleinen Erdhügeln steckten, und sagte: »Aber du kannst mir auch nicht helfen, nicht wahr? Wenn du nur für mich beten könntest. Wenn du mir helfen könntest —«

Aber ich bat vergeblich. Obwohl ich sicher war, daß mein Bruder zugehört hatte, wußte ich, daß er mir nicht helfen konnte, weil er tot war. Er konnte mir nicht helfen, selbst wenn er die Macht fände, zu sprechen und zu beten und zu bitten. Ich sah die Kreuze an, die er geschnitzt hatte, und die Gräber, die er ausgehoben hatte, und ich war froh, meinem Bruder so nah zu sein. Nach einer Weile, als der Wind immer kälter wurde, stand ich auf und ging zurück in die Stadt.

Als ich im Haus war, merkte ich, daß etwas Merkwürdiges geschehen war. Seit ich bei Niklas gewesen war, hatte ich nicht ein einziges Mal die bösen Worte gesprochen. Ich schöpfte wieder Hoffnung.

Aber in der folgenden Nacht kurz vor dem Einschlafen dröhnten die Worte plötzlich in meinem Kopf wie Donnerschläge: »Ich hasse Gott, ich hasse Gott, ich hasse Gott!«

Wieder lag ich die ganze Nacht in meinem Schweiß und kämpfte gegen das Entsetzen.

Während dieser Zeit wanderte ich oft durch die Straßen der Stadt und versuchte, die Worte aus meinen Gedanken zu verbannen.

Eines Tages starrte ich etwas an, ohne es zu erkennen — so gewaltig waren die Worte, so gnadenlos nahmen sie mich gefangen.

Ich stand vor einer kleinen Kirche.

Wenn ich darüber nachdenke, frage ich mich, ob mich die Worte selbst nicht dort hingeführt haben, denn ich betrat die Kirche, ohne zu überlegen, als hätte ich gar keine andere Wahl. Eine Reihe Menschen nahm das Bußsakrament entgegen. Eine andere wartete darauf, die Beichte abzulegen.

Wie von selbst stellte ich mich in die Reihe vor dem Beichtstuhl. Teilnahmslos beobachtete ich, wie der Vorhang aufging, wie jemand herauskam und ein anderer hineinging, wie sich der Vorhang wieder schloß. Ich wartete, hörte die Turmuhr zweimal schlagen, dann dreimal. Schließlich stand ich ganz vorn in der Reihe.

Ich schob den Vorhang auf die Seite, ging hinein und kniete mich in der Dunkelheit hin, und der Vorhang ging wieder zu.

Ich begann sofort — eine Flut von Worten stürzte von meinen Lippen. Seit dem Tod meiner Eltern hatte ich nicht mehr gebeichtet.

»Vater, ich habe gesündigt. Ich habe gelogen.«

»Sei wahrhaft in deiner Beichte, Kind, und erbitte Gottes Gnade.«

Immer weiter sprudelten die Worte aus mir heraus. Ich erzählte dem Beichtvater, daß ich meinen Bruder nicht immer freundlich behandelt hatte. Daß ich manchmal faul war. Ich war neidisch auf Menschen, die besseres Essen und ein besseres Zimmer hatten als ich.

Immer wieder sagte der Priester: »Sei wahrhaft in deiner Beichte, Kind, und erbitte Gottes Gnade.«

Als ich ihm von meinem Haß auf die Haushälterin erzählte, bei der ich lebte, sagte er: »Du sollst nicht hassen. Haß ist eine Sünde, weil wir Gottes Kinder sind. Sei wahrhaft in deiner Reue. Erbitte Gottes Gnade für das, was du getan hast.« Danach räusperte er sich, als wollte er damit andeuten, daß er bereit war, mir Vergebung zu erteilen.

»Vater«, sagte ich. »Da ist noch etwas. Ich habe mit einem Mann gesündigt ohne das heilige Sakrament der Ehe.«

Der Beichtvater sagte mir dann, was ich bereits wußte — daß das eine besonders schwere Sünde sei, denn für eine Frau ist ihre Reinheit der Schlüssel zum Himmel.

Als er das sagte, glaubte ich, seine Stimme wiederzuerkennen. Vorher war ich mir nicht sicher gewesen, aber jetzt wußte ich es: Ich hatte diese Stimme schon einmal gehört, hatte dieser weichen zögernden Männerstimme gelauscht, die nach den richtigen Worten suchte.

Mein Beichtvater war der Priester, der die Glocke gesegnet hatte, der am Rande der Wiese gewartet hatte, der meine Hand gedrückt hatte, bevor er hastig davongelaufen war.

Da ich meinen Beichtvater nun kannte, hätte ich vielleicht vorsichtiger sein sollen, aber ich wollte auch noch die schlimmste Sünde von allen beichten.

»Vater, ich habe noch mehr gesündigt.«

»Ja, mein Kind?«

»Ich hasse Gott.«

»Kind, beachte, was du sagst. Dies ist Sein Haus.«

»Diese Worte gehen mir im Kopf herum. Drei Worte: Ich hasse Gott. Immer wieder und wieder und wieder. Seit mein Bruder gestorben ist, haben sie mich begleitet: Ich hasse Gott, hasse Gott. Aber das kann ich doch nicht meinen. Nicht wahr? Ich glaube an den Himmel und die Hölle. Ich kann es nicht wirklich meinen, Vater.«

»Aber du sprichst diese Worte aus.«

»Ja, ich spreche sie aus.«

Eine lange Zeit herrschte Schweigen. »Das ist eine schwere Sünde, mein Kind. Was ist mit deinem Bruder geschehen, daß du diese Sünde begehst?«

»Er ist am Fieber gestorben. Er ist tot.«

»Wir müssen alle sterben, mein Kind. Der Tod ist die Rückkehr des Lichts zu seinem Ursprung. Das Licht in der Seele fliegt zurück zu Gott, woher es gekommen ist.«

»Ja. Mein Bruder konnte nicht sprechen. Er hatte ganz weißes Haar. Er war unschuldig und gut und ist auf schreckliche Weise gestorben.«

»Ah«, hauchte der Priester, und in seinem Ton lag Wiedererkennen. An der Beschreibung meines Bruders erkannte er mich schließlich wieder.

Ich lag auf den Knien und lauschte seiner sanften Stimme, die mir die Schwere meiner Sünde darlegte. Sei vorsichtig, sonst wirst du abtrünnig, warnte er. Er sprach von der ewigen Verdammung, aber voller Mitgefühl, so daß ich nur auf diese sanfte menschliche Stimme hörte, die meiner gequälten Seele wohltat.

Als er schwieg, antwortete ich. Ich sprach Worte, die mich selbst erstaunten. »Reue für das, was in meinem Kopf vorgeht, wird mich nicht retten, Vater — nicht, wenn es immer wieder geschieht. Wenn ich Gott gleichgültig bin, bin ich verdammt.«

»Gleichgültig?«

»Ich erbitte Gottes Gnade, aber diese Worte kommen immer wieder. Wenn Er mir nicht hilft, ist Er dann nicht gleichgültig? Wenn Er allein die Worte aufhalten kann, es aber nicht tut?«

»Es steht uns nicht an, Unserem Herrn zu sagen, was Er tun soll.«

Wieder schwiegen wir eine lange Zeit.

Dann kam mir ein Gedanke. Ich sagte: »Wenn Er die Worte nicht aufhalten kann, könnt Ihr sie dann nicht aufhalten, Vater? Habt Ihr die Macht dazu? Hat Gott Euch diese Macht gegeben?«

Wieder herrschte Schweigen. Jemand in der Wartehalle hustete. Wie lange war ich schon im Beichtstuhl?

»Erzähl mir von dem Mann«, sagte er.

»Von welchem Mann?«

»Von dem Mann, mit dem du gesündigt hast.«

»Der Mann, mit dem ich gesündigt habe?« Einen Augenblick lang hatte ich diese Sünde vergessen.

»Er war jung«, sagte ich. »Er hatte nichts Böses im Sinn. Er begleitete mich von einer anderen Stadt hierher.«

»Als seine Geliebte?«

»Mein Onkel hatte ihn dafür bezahlt, daß er mich hierherbrächte.«

»Du warst also nicht seine Geliebte?«

»Nein, das war ich nicht.«

»Aber du hast mit ihm gesündigt?«

»Ja, das habe ich, Vater.«

»Und wo hast du diese Sünde begangen?«

Ich zögerte. »In den Wäldern.«

»Einmal?«

Wieder zögerte ich. »Nein.«

»Mehrmals?«

»Ja, Vater.«

»Wie oft?«

»Das weiß ich nicht mehr genau.«

»Dann hat dich der Mann also nicht gezwungen?«

»Nein, Vater. Er hat mich nicht gezwungen.«

Vergeblich starrte ich auf das dunkle Holzgitter, um einen Blick auf das Gesicht des Priesters zu werfen. Mit jeder Frage stieß er mich weiter zurück. Er war an Hubert interessiert, nicht an meiner Seele.

»Also hast du in die Sünde eingewilligt?«

»Ja, Vater. Ich habe eingewilligt.«

»Freiwillig? Ohne Zwang?«

»Ja.«

»Bist du ganz sicher? Ohne Zwang?«

»Ja, Vater.«

»Er hat dir nichts versprochen?«

»Nein.«

»Hat er dir versprochen, dich zu heiraten oder dir etwas zu schenken?«

»Nein. Er hat mir nichts versprochen, Vater.«

»Willst du damit sagen, daß du aus Begierde eingewilligt hast?«

Ich sagte nichts, und er wiederholte die Frage. »Du hast aus Begierde eingewilligt? Du hattest den Wunsch, diese Sünde zu begehen?«

»Ja, Vater.«

An dem gequälten Ton seiner Stimme merkte ich, daß ich ihn verletzt hatte. Bohrten sich meine Antworten wie Nadeln in sein Herz? In sein *Herz*?

»Bereust du, diese Sünde begangen zu haben?«

»Es tut mir leid, sie begangen zu haben. Aber ich habe dafür gelitten.«

»Ich verstehe diese Einstellung gegenüber deiner früheren Begierde. Aber wenn du es noch einmal tun könntest, ohne das Leid zu erfahren, von dem du gesprochen hast, würdest du es dann wieder tun? Würdest du es wieder tun? Und mit demselben Mann?«

Ich antwortete nicht.

»Würdest du es tun?« beharrte er auf seiner Frage.

Ich dachte: Wenn ich ihn nur sehen könnte!

Dann sagte ich: »Die Liebe ist eine Macht, die von Gott kommt. Oder kommt die Liebe nicht von Gott?«

Als er keine Antwort gab, fragte ich noch einmal: »Kommt die Liebe nicht von Gott?« Er schwieg, durch die Stille hörte ich nur seinen Atem.

Ich beugte mich vor und fragte leise: »Ist es Liebe?«

Dann war es völlig still, als hätte er aufgehört zu atmen.

Schließlich sagte ich mit dem Mut der Verzweiflung: »Vater, Eure Liebe kommt von Gott.«

Konnte die Liebe uns retten? Uns beide retten?

Dieser Gedanke ging mir durch den Kopf, aber ich fand keine Worte dafür. »Sprecht mit mir. Ich möchte Euch zuhören, Vater«, flüsterte ich. »Nicht hier, an einem anderen Ort. Irgendwo«, drängte ich. Und ich konnte diese Worte genausowenig zurückhalten, wie ich die drei verwerflichen Worte zurückzuhalten vermochte.

»Sagt mir, was ich tun soll«, sagte ich. »Laßt mich Eure Stimme hören, denn ich glaube Euch. Ihr allein könnt mich retten. Es ist Gottes Wille, das weiß ich jetzt. Kommt mit mir irgendwohin, damit ich Eure Stimme hören und in Euren Armen liegen kann, denn Eure Liebe kommt von Gott.«

Plötzlich hörten die Worte auf, als würden sie von einer Mauer aufgehalten. Mein Atem kam stoßweise und durchdrang die Stille. Ich hörte mein Herz klopfen. Und dann kam es zu mir aus der Dunkelheit wie ein Donnerschlag: ICH HASSE GOTT. Ich unterdrückte ein Schluchzen, das in mir aufstieg — denn wenn es über meine Lippen käme, würden all meine Qualen und meine Pein aus mir herausströmen.

»Bitte«, sagte ich, ohne zu wissen, was ich wollte.

Er schwieg.

»Vergebt mir«, bat ich.

Hinter dem Holzgitter blieb es still. Er würde nichts sagen. Und mir kam es so vor, als sei dies die letzte Chance, die ich in meinem Leben hatte.

Ich stand auf, legte die Lippen an das Holzgitter, das uns trennte: »Ich werde auf Euch warten.« Ich holte tief Luft und fügte hinzu: »Ich werde bis zum Sonnenuntergang vor der Kirche warten. Wenn Ihr kommt, ist es Gottes Wille. Ich werde mit Euch gehen, wohin Ihr wollt. Ich sehe es ganz deutlich. Wir müssen einander helfen. Ich werde bis zum Sonnenuntergang dort bleiben. Ich werde warten.«

Ich schob den Vorhang auf die Seite und lief an den Menschen vorbei, die in einer Reihe standen und warteten. Sie müssen mir nachgesehen haben. Hatten sie mein Herz schlagen hören, als ich im Beichtstuhl war?

Ich kauerte mich neben der Kirchenmauer auf den Boden und beobachtete die Sonne, die immer tiefer stand, ihre Schatten wurden länger, bis sie in einem Meer von Dunkelheit versanken. Es war still. Auch in meinem Kopf war es still, denn die drei Worte waren nicht wiedergekommen. Ich dachte an nichts anderes als an die Stille, sah, wie sich das Licht veränderte.

Dann kam ein scharfer Wind auf. Vor Kälte zitternd, stemmte ich mich dagegen und wartete, aber der Priester kam nicht.

Als es dunkel geworden war und die Steine in der Mauer und am Boden nur noch verschwommene Konturen waren, sah ich ein letztes Mal zur Kirchentür und ging dann weg.

Als ich wieder in meiner Kammer war, wußte ich das eine: Gott war an diesem Tag nicht gleichgültig gewesen. Wie ein Sturm tobten die bösen Worte in mir, und ich rollte mich auf meinem Lager zusammen, ganz klein, mit geschlossenen Augen, und dankte dem Herrn. Während die bösen Worte in meinem Kopf dröhnten, sagte ich mit lauter Stimme: »Ich danke dir, allmächtiger Gott, danke, danke, danke.«

Ich sprach gegen das Hämmern der drei schrecklichen Worte an.

Ich schrie: »Danke, danke, danke, o Herr!« Ich zitterte vor Erleichterung, denn Gott hatte mich davor bewahrt, einen guten Menschen ins Verderben zu stürzen.

32

Als ich an einem Sabbatmorgen nach der Messe zusammengerollt auf meinem Lager lag und mir die Hände fest gegen die Ohren drückte, spürte ich plötzlich einen stechenden Schmerz zwischen den Schultern.

Ich machte die Augen auf und sah Clotilda, die sich mit geballter Faust über mich beugte, als wollte sie gleich noch einmal zuschlagen.

»Der Meister will, daß du das Haus verläßt. Heute. Jetzt.«

Ich richtete mich langsam auf und bemühte mich, ruhig zu bleiben, damit ich ihr keinen Anlaß gab, mich noch einmal zu schlagen.

»Der Meister will, daß ich gehe? Warum will er, daß ich gehe?« Obgleich ich mich bemühte, ruhig zu bleiben, zitterte meine Stimme.

»Mit dir stimmt was nicht. Ich weiß es, und der Meister weiß es auch. Er will, daß du gehst.« Ihre großen Hände warteten nur darauf, ihre Arbeit zu tun, falls ich Einwände hätte. »Also mach, daß du wegkommst. Heute. Jetzt.«

Es bestand natürlich keinerlei Aussicht, den Meister umzustimmen – nicht, nachdem er Clotilda das Versprechen gegeben hatte, mich wegzuschicken. Er würde seine Stärke beweisen wollen, obgleich er in Wirklichkeit nur tat, was ihm Clotilda sagte.

Und die Herrin war bestimmt in ihrem Zimmer, mit ihrem Rosenkranz, in einer anderen Welt.

Daher zuckte ich nur die Schultern und stand auf und glaubte, daß jetzt alles für mich zu Ende sei in diesem Haus.

Aber schon im nächsten Augenblick wußte ich, daß ich nicht so leicht davonkommen würde, denn Clotilda hatte nur gewartet, bis ich mich bückte, um mir die Schuhe anzuziehen, um mir noch einmal einen harten Schlag zwischen die Schultern zu versetzen. Ich preßte mein Gesicht an den Boden und schaute auf ihre Schuhe, die groß und schwarz waren, nur eine Handbreit von meiner Nase entfernt. Ich wußte, daß sie mich schrecklich verprügeln würde.

Sie brach in Lachen aus, aber ich rührte mich nicht.

Dann hörte sie zu lachen auf, und ich hörte sie nur noch laut atmen.

»Dieses Kaninchen«, sagte sie schließlich. »Das habe ich totgemacht. Ich habe es erstickt.«

Meine Arme schienen plötzlich auf schreckliche Weise von einem eigenen Willen besessen, sie schossen vor und packten die festen Waden über den Schuhen. Ich fühlte das warme Fleisch zwischen meinen Fingern, die zuerst zurückzuckten, als wären sie mit glühenden Kohlen in Berührung gekommen — genauso fühlte sich Clotilda für mich an. Aber sie ließen nicht los, als sie zurückzuckten, und zogen Clotildas Füße mit. Ich riß die Füße unter ihr weg! Sie fiel um wie ein gefällter Baum und stürzte krachend gegen die Wand.

In der Stille, die darauf folgte, fragte ich mich, was geschehen war.

Es dauerte eine Weile, bevor ich glauben konnte, daß ich Clotilda überwältigt hatte. Das Kaninchen mußte mir die Kraft und den Mut verliehen haben. Ich richtete mich auf und sah die schwere Frau an, die in sich zusammengesunken an der Wand lehnte, ihr Kopf hing schief zur einen Seite. Einer ihrer muskulösen Arme lag quer über ihrem Bauch, ihre schweren stämmigen Beine, die in riesigen Schuhen steckten und nach oben zeigten, waren reglos wie der Tod.

War sie wirklich tot?

Ich bückte mich und starrte angestrengt auf die großen Brüste, die sich hoben und senkten. Sie atmete also. Und plötzlich kam über ihre halb geöffneten Lippen ein leises Stöhnen.

Schnell zog ich einen Rock und mein Mieder an, suchte meine paar Sachen zusammen und lief, so schnell ich konnte, aus dem Haus.

Wohin sollte ich gehen? Ich hatte keine Ahnung.

Aber als ich an Arbeitern und Lastträgern vorbei durch die Straßen lief, spürte ich, wie ich lächelte. Die Priester sagen uns, wenn wir geschlagen werden, sollen wir auch die andere Wange hinhalten, aber in Wahrheit spürte ich in meinem Körper eine Leichtigkeit, die ich noch nicht gekannt hatte und die nur von Rache herrühren konnte.

Aber dann, nicht weit entfernt vom Haus, hörte ich sie wieder in meinem Kopf dröhnen – die drei Worte, die meinen Untergang besiegelten. Ich hasse Gott, ich hasse Gott, ich hasse Gott! So mächtig waren die Worte, daß ich gar nicht bemerkte, wohin mich meine Füße trugen. Plötzlich stand ich vor der Tür des Glockenturms.

Sie war mit einem Vorhängeschloß versehen. Ich ging um den Turm herum in einen Hof, der mit Brennholz und alten Maurerbrettern und zerbrochenen Steinen übersät war, und kam zu einem niedrigen Gebäude, das aus denselben Steinen gebaut war. Als ich vor Monaten das letzte Mal auf den Turmplatz gekommen war, war es gerade gebaut worden.

Ich klopfte an die Tür und mußte lange warten, ehe mir geöffnet wurde – gerade als ich wieder gehen wollte.

Vor mir stand Barnabas mit seinem großen grauen Vollbart und lächelte mich an. Ein in Gold gekleideter Engel hätte mir in diesem Augenblick nicht schöner erscheinen können.

»Da ist sie ja«, rief er. »Meine kleine Uhrenmacherin. Komm herein, komm herein. Willkommen im Haus des Hüters der Uhr«, sagte er stolz und zog mich in einen engen rauchigen Raum.

Ich erinnerte mich an unser letztes Gespräch. Damals hatte er über diese neue Arbeit, die mit so vielen Aufgaben verbunden war, noch nichts Genaues gewußt. Die Stadt erwartete von ihm, das Uhrwerk zweimal täglich aufzuziehen, den Unterschied zur Sonnenuhr zu prüfen, die Uhr neu einzustellen, ihre beweglichen Teile zu ölen, aufzupassen, daß die Zugseile nicht durchgeschabt waren.

»Nimm die Stelle an«, hatte ich ihm geraten.

Jetzt hatte er eine Unterkunft in diesem kleinen Haus hinter dem Turm und einen Lohn, der ausreichte, seine fünfköpfige Familie zu ernähren.

Als ich an jenem Tag zitternd und verstört bei ihm auftauchte, zögerte er keinen Augenblick, mich bei sich aufzunehmen. Er und seine junge Frau gaben mir zu essen und steckten mich im Nebenzimmer ins Bett.

Am nächsten Morgen hatte ich mich ein wenig erholt und ging zu ihnen an den Tisch, an dem sie saßen. Barnabas rauchte eine Tonpfeife. Seine blasse junge Frau fütterte einen kleinen Jungen mit Brei.

»Ihr wart sehr freundlich zu mir«, sagte ich. Ihre Großzügigkeit hatte in mir wieder den Wunsch geweckt weiterzuleben.

»Und jetzt hoffe ich, ihr habt noch ein bißchen mehr Freundlichkeit für mich«, sagte ich zu ihnen. »Du kennst mich gut, Barnabas. Du weißt, daß ich die Pläne von meinem Onkel gebracht habe.«

Er nickte.

»Daß ich an der Uhr so lange und so hart wie jeder Mann gearbeitet habe.«

Ich sah, daß seine junge Frau über meine kühnen Worte erstaunt war — sie war kaum älter als ich. Während ich sprach, wurden ihre Augen rund und erschrocken.

»Was du sagst, stimmt«, erklärte Barnabas. Sein Gesicht sah aus, als würde er lächeln, obgleich er ein sehr zurückhaltender Mann war.

»Ich weiß nicht, wohin ich gehen soll«, fuhr ich fort. »Sie haben mich aus dem Haus, in dem ich gearbeitet habe, davongejagt ohne mein eigenes Verschulden. Und ich habe kein Geld. Aber wenn ihr mir einen Winkel im Turm überlaßt, wo ich schlafen kann, und ein bißchen Brei jeden Tag gebt, dann werde ich es euch mit der Zeit zurückzahlen. Und ich will niemandem etwas Böses antun«, sagte ich und drehte mich zu der jungen Frau um, die ihr Baby fütterte.

Barnabas räusperte sich. »Was du sagst, hört sich gut und ehrlich an. Du hast die Pläne gebracht. Du hast so viel und so hart wie jeder Mann gearbeitet. Es wäre ein Unrecht an das Angedenken deines Onkels, wenn ich dir nicht zu essen und einen Platz zum Schlafen geben würde. Du bist hier willkommen, und wir verlangen dafür nichts von dir.«

So kam es, daß ich im Herzen der Uhr lebte.

Ich schlief neben der Glocke in dem Turm über dem Räderwerk.

Ich hatte eine Wolldecke und eine Schale für den Brei, den mir eins der Kinder zweimal am Tag brachte, meistens das ältere Mädchen, das mit ernstem Gesicht zusah, wie ich die Schale mit einem Stück Brot auswischte. Natürlich konnte diese Mildtätigkeit nicht allzulange anhalten – der Wächter der Stadtuhr war kein reicher Mann; seine Frau war schwanger, bald würde er einen weiteren Mund zu füttern haben.

Aber ich blieb vierzehn Tage dort wie ein verwundetes Tier und verließ den Glockenturm nur, um schnell zur Latrine zu gehen. Den ganzen Tag hockte ich neben der Glocke, die die Stunden anschlug, und des Nachts hörte ich, in die Decke gehüllt, ihr lautes Dröhnen im Schlaf.

Die Schläge der Uhr wetteiferten mit den dröhnenden Schlägen der Worte in meinem Kopf. Die Glockenschläge waren so laut, daß ich meine trotzigen Worte nicht hören konnte. Wenn eine Stunde geschlagen wurde, saß ich stumm in diesem ohrenbetäubenden Lärm, und mein Kopf war plötzlich frei von Haß. Der Lärm war wie ein Sturzbach, der sich in ein Dorf ergießt und allen Abfall mit sich fortspült.

Je länger ich im Glockenturm war, um so seltener kamen die Worte zurück. Am Ende waren sie kaum noch zu hören.

Aber ich war mir nicht sicher, ob ich auch von ihnen befreit sein würde, wenn ich außerhalb des Glockenturms war. Würden die drei Worte dann nicht zurückkehren und mir ihre schreckliche Nachricht in die Ohren schreien? Es gab nur eine Möglichkeit, es herauszufinden – ich mußte die Uhr verlassen.

Und so ging ich eines Morgens die Treppe hinunter und hinaus ins grelle Sonnenlicht. Barnabas' Frau und die Kinder beobachteten mich neugierig vom Hof aus. Ich lächelte ihnen zu und ging hinaus auf die Straße unter die vielen Menschen, die alle zum Markt strömten.

An jenem Tag fand ich Arbeit auf einem Weizenfeld, das zum Bistum gehörte.

Es lag gleich vor den Toren der Stadt und wurde von Männern und Frauen bestellt, die vom Land in die Stadt gekommen waren, um dort ihr Glück zu machen. Die Not hatte sie ausgerechnet zu der Arbeit gezwungen, die sie hinter sich gelassen hatten, als sie von zu Hause weggegangen waren. Es war harte Arbeit, aber die Frühlingsluft bewirkte für mich dasselbe wie die Glocke der Uhr — sie befreite meinen Kopf von Trotz und Schrecken.

Jeden Morgen gingen wir in der Dämmerung alle zusammen von der Stadt aufs Feld, um zu säen. Wir folgten dem Mann mit dem Pflug, der mit einem Haken und einem langen Balken und einer dicken hölzernen Pflugschar ausgestattet war, die im Acker Furchen zog. Wir gingen hinter ihm her; den Pflug zogen vier Ochsen, die der Aufseher des Bistums mit einem Lederriemen antrieb.

Wenn ich mich an der warmen Sonne bückte, hörte ich die Stimmen meiner Kameradinnen, die klagten oder zufrieden waren — manchmal beides gleichzeitig, wie mir schien. Die menschlichen Stimmen und Geräusche reinigten meinen Kopf und meine Gedanken.

Wenn hinter dem Wald vom Turm die Stunden schlugen, mußte ich an die Zeit denken. Ich dachte an sie, während sich meine Hände über den frischgepflügten Boden bewegten und Samenkörner darin versenkten.

Die Zeit. Ich war jetzt achtzehn und eilte so schnell durch die Zeit, daß ich bald alt sein würde. Wo ich auf dem Feld hinblickte, sah ich Menschen, die nicht viel älter waren als ich und die schon gebeugt gingen durch die harte Arbeit und die von Krankheiten ausgezehrt waren. Ich verspürte Liebe für sie, wenn ich sah, wie die Zeit sie in einen Wirbelsturm gezogen hatte. Wir alle wurden durch die Zeit geschleudert, ohne einen sicheren Halt zu haben. Wir wurden von den Stunden herumgewirbelt und aufgesogen und würden am Ende in einiger Entfernung an einen Punkt gelangen, an dem Gott die Hand ausstrecken und behutsam jedes Staubkörnchen auflesen und wieder zu Seiner Herde geben würde, jedes einzelne von ihnen.

Wir bückten uns tief über den Boden, um den Samen auszusäen, und eilten gemeinsam durch die Zeit, und ich freute mich über jeden Tag, da dies geschah.

Einmal sah ich in der Nähe des Markts Clotilda auf der Straße. Sie kam mir entgegen. Natürlich war mein erster Gedanke wegzulaufen. Aber ich hatte schon gesehen, wie Hunde zu wilden Bestien wurden, wenn einer aus ihrer Mitte eine Schwäche zeigte, daher zwang ich mich weiterzugehen.

Als wir uns fast gegenüberstanden, trafen sich unsere Blicke. Zu meinem Erstaunen sah ich in den Augen der großen Frau den Ausdruck von Angst, während ich mich bemühte, keine Angst zu zeigen.

Sie hatte Angst vor mir!

Und dann ging Clotilda tatsächlich auf die Seite, als wollte sie einem Höllenwesen Platz machen, das außer ihr niemand sah. An dem Sabbat, an dem sie mich aufgefordert hatte, das Haus zu verlassen, mußte sie über meinen unverhofften Angriff genauso überrascht gewesen sein wie ich selbst. Seither war sie sicher der Überzeugung, daß ich geheime teuflische Kräfte besaß.

Aber ihre Angst war für mich eine größere Genugtuung als alles andere. Mit forschen Schritten ging ich an Clotilda vorbei und warf ihr im letzten Augenblick ein kurzes triumphierendes Lächeln zu. Wieder trafen sich unsere Blicke. Diesmal verstanden wir uns — sie würde es nie wieder wagen, Hand an mich zu legen. Niemals. Wir waren für immer quitt.

Das Leben im Uhrenturm wurde besser. Als ich Barnabas meinen ersten Lohn aushändigte, lächelten er und seine Frau vor Freude und Überraschung, und ich merkte, daß sie von dem seltsamen Mädchen im Turm nie etwas erwartet hätten.

Da ich jetzt für Unterkunft und Essen zahlte, bot mir Barnabas' Frau einen Platz in ihrer Wohnung an. Ich schlief nicht mehr im Turm, sondern teilte mir ein Bett mit ihrer jüngeren Tochter. Ich half Clara — das war der Name der Frau — und den beiden Mädchen, für Barnabas und den Jungen das Essen zuzubereiten, und dann aßen wir Frauen alle zusammen.

Manchmal kam das ältere Mädchen mit mir zum Turm, und wir saßen lange zusammen und sahen zu, wie sich das Gehwerk und das Schlagwerk mit ihren Rädern wie eisengraue Ochsengespanne durch die staubige Luft des Uhrenturms bewegten. Wir beobachteten, wie sich das Steingewicht an seinem Seil langsam dem Boden näherte und das Kronrad sich jeweils um einen Zahn weiterdrehte, das Plättchen, das das Kronrad steuerte, wobei es wie eine Wiege hin- und herschwang.

»Clara«, sagte ich zu ihr, denn sie hieß wie ihre Mutter, »du kannst auch alles über die Uhr lernen.«

»Nein, nicht ich.«

»Und warum nicht?«

»Weil ich nichts weiß.«

Clara hatte große ernste Augen, und sie waren so sanft und weich wie die ihres Vaters, dem wir oft zusahen, wenn er das Seil aufrollte, um das Steingewicht wieder nach oben zu ziehen.

»Clara«, sagte ich und sah in ihr trauriges blasses Gesicht, »kein Mensch weiß etwas, wenn er damit beginnt, etwas zu lernen. Erst später, wenn er gelernt hat.«

»Aber wer soll mir denn etwas beibringen?«

»Ich habe von jemandem gelernt, und du kannst von mir lernen.« Und dann nahm ich die zusammengerollten Zeichnungen mit in den Turm und zeigte ihr darauf jeden Teil der Uhr. Clara lernte schnell. Mit ihren langen weißen Fingern verfolgte sie auf der Karte, was ich ihr erklärte, und als sie verstanden hatte, wie die Zeichnungen auf der Karte zu den einzelnen Eisenteilen paßten, die sich langsam vor unseren Augen drehten und bewegten, strahlte sie vor Freude, und wir lächelten uns an.

So vergingen die Tage, bis der Frühling vorbei war und es Sommer wurde.

33

Auf den Feldern, auf denen ich das Unkraut zwischen dem heranreifenden Korn jätete, gelangten die drei schrecklichen Worte nur noch selten ans Sonnenlicht. Sie schienen von der Wärme ausgetrocknet und vom Wind davongetragen — wie das Unkraut, das ich aus dem

Boden riß und auf die Seite warf. Vielleicht würde ich eines Tages wieder beten können. Ich hatte aufgehört zu beten, denn es kam mir wie eine zweifache Sünde vor, Gott in Gedanken zu beleidigen, ihn aber gleichzeitig wieder zu preisen. Wenn ich mich schon der Gotteslästerung schuldig machte, wollte ich nicht auch noch zur Betrügerin werden. Aber wenn ich aus der Ferne vom Stadtturm die Stunden schlagen hörte, fühlte ich, wie die schrecklichen Worte ihre Macht über mich verloren und — wie der Ton einer Glocke — immer schwächer wurden.

Aber auch das von Sonne überflutete Feld und die Stimmen und Geräusche meiner Kameradinnen konnten in mir nicht das Gefühl von Glück wecken. Immer wieder kam aus dem nahen Wald und über die Felder der Gedanke an den Tod meines Bruders wie ein Sturmwind zu mir und machte meine Augen blind und zerriß mir die Brust vor Kummer und Schmerzen.

Er war ganz in meiner Nähe auf dem kleinen Friedhof mit Kaninchen und den anderen, das wußte ich, und so hatte ich das Gefühl, mit ihm sprechen zu können und von ihm gehört zu werden. Jedesmal, wenn der Gedanke an seinen Tod über mich kam, sagte ich: »Niklas«, mit angehaltenem Atem, daß die andern es nicht hören konnten. Ich sagte: »Bald versinkt die Sonne hinter dem Rand des Himmels.« Und dann sagte ich: »Aber morgen kommt sie hinter der anderen Seite wieder hervor.« Die Vorstellung, daß mit der Sonne Tag für Tag dasselbe geschah, würde ihm gefallen. Auf diese Weise versuchte ich, den Tod meines Bruders zu ertragen, wenn der Gedanke daran wie ein Sturmwind übers Feld jagte.

Tag für Tag wurde das Korn höher. Die Früchte, die wie Köpfe aus den obersten Blättern ragten, hatten einen Bart, genauso wie die jungen Männer, die heranwuchsen. Ich liebte den Geruch des reifenden Korns, warm und erdig, und wenn ich etwas Gelbes sah, hatte ich immer das Gefühl, daß es wie Korn riechen müsse.

Gewöhnlich lockerte ich zusammen mit zwei Mädchen meines Alters den Boden mit einer Hacke. Das eine Mädchen hieß Marie. Sie hatte breite Schultern und kräftige Arme, und tagsüber steckte sie ihre Haare unter ein Kopftuch, aber am Abend, wenn sie das Tuch abnahm, fielen ihr die weichen dunklen Strähnen über die

Schultern und den Rücken. Die Männer machten ihr Anträge, aber Marie wartete auf einen Jungen aus ihrem Dorf, der eines Tages kommen würde, um sie wieder nach Hause zu holen.

Katharina, das andere Mädchen, trug ein Kind im Leib, und die andern auf dem Feld sagten immer, daß wir eines Abends eine Seele mehr als sonst nach Hause bringen würden. Wer der Vater war, wußte sie nicht. Auf die groben Späße der Feldarbeiter antwortete sie: »Es ist mir egal, wer es ist. Ich will nur, daß mein Junge gesund und kräftig wird.« Sie wurde wütend, nur wenn jemand sagte, daß es ein Mädchen würde. »Nein!« schrie sie dann. »Es wird ein Junge. Das weiß ich ganz genau. Ich kann sein kleines Ding fühlen, wie es mich kitzelt.«

Eines Nachmittags waren wir gerade an dem Rand des Feldes angekommen, hinter dem der Wald anfing. Das Korn war schulterhoch und strahlte würzige gelbe Wärme aus, und unsere Hacken fuhren zwischen den Furchen in den Boden und rissen das Unkraut heraus. Ein starker Wind war aufgekommen, der uns so laut in den Ohren dröhnte, daß wir uns gegenseitig nicht hören konnten, obgleich wir nur eine Hackenlänge voneinander entfernt waren. Das Korn wogte im Wind wie ein großes Meer.

Plötzlich nahm ich aus den Augenwinkeln eine Bewegung wahr.

»Ist da jemand?« rief ich.

Dann teilte sich das Korn, und zwei Männer standen vor uns, ihre Jacken und Beinkleider waren zerrissen. Einer von ihnen trug Gamaschen von einer Rüstung, der andere ein verrostetes Bruststück und einen Eisenhelm. Einen Augenblick lang war ich überzeugt, daß ich die Gesichter der beiden Männer kannte — sie hatten beide das gleiche Gesicht wie der Mann, der meine Mutter erstochen hatte.

»Mädchen«, schrie der eine gegen den Wind an und verzog das Gesicht zu einem hämischen Grinsen.

In seinem Gürtel steckte ein Dolch.

Der andere, der etwas größer war, hatte ein Schwert an seinem breiten Ledergürtel. Ohne das Gesicht zu verziehen, sah er von Marie zu mir und wieder zu Marie, ohne Katharina zu beachten.

Ich beugte mich nach vorn, sie waren dicht vor mir und meiner Hacke — so daß sie mich hören konnten.

»Wir haben nichts«, sagte ich. »Wir arbeiten hier nur auf dem Feld.«

»O doch, ihr habt *etwas*!« rief der eine zurück.

»Wenn ihr brav seid«, sagte der andere, »tun wir euch auch nicht weh. Zieht eure Kleider aus.«

»Wir schreien um Hilfe.«

»Da könnt ihr den ganzen Tag schreien, bei dem Wind, da hört euch doch keiner. Zieht eure Kleider aus. Los.«

»Das werden wir nicht tun«, sagte ich und hob die Hacke hoch.

Der größere der beiden schnaubte verächtlich durch die Nase und zog langsam sein Schwert. »Mit deiner Hacke wirst du nicht viel ausrichten.«

»Wir haben drei Hacken. Und ihr seid nur zwei«, sagte ich. »Marie«, sagte ich. »Katharina.« Ich spürte sie an meiner Seite, ohne sie zu sehen.

»Glaubt bloß nicht, ihr könntet es mit uns aufnehmen. Drei Mädchen!« Der Große kam einen Schritt näher. »Wir kriegen euch schon. Und dann schneiden wir euch die Kehle durch, wenn ihr die Hacken nicht weglegt. Los. Legt sie weg!«

»Nein!« schrie ich. »Wir haben die Hacken heute morgen am Schleifstein geschärft. Sie sind scharf und gehen durch Fleisch und Knochen. Durch alles.«

Die beiden Männer, die in dem dichten gelben Korn standen, sahen uns eine Weile ausdruckslos an. Der Wind fuhr zwischen die Ähren und schüttelte sie wie Eisensplitter. Dann schickte uns eine Wolke, die sich vor die Sonne schob, einen großen Schatten, der quer über das Feld fiel. Der dunkle blaugraue Schatten war so groß und kam so plötzlich, daß sich die Männer erschrocken umdrehten und ihm staunend zusahen, als er über das Korn fegte, direkt auf uns zu.

Ich weiß noch, daß ich aufschrie. »Die Hand Gottes! Die Hand Gottes!« rief ich, während er über uns hinweg- und weiterraste.

Die Worte durchfuhren mich, wie der Wind durch ein Feld fährt — sie kamen einfach, waren da.

Und als der Schatten wieder verschwunden war, waren auch die Männer verschwunden. Wie vom Erdboden verschluckt, ohne eine Spur zu hinterlassen, als hätte es sie nie gegeben.

Plötzlich krachte und donnerte es über den Baumwipfeln des Waldes. Und ich lachte, und Marie lachte auch. Wir fielen uns in die Arme und lachten und weinten und zitterten vor Erleichterung.

Sie schrie mir ins Ohr: »Aber die Hacken sind doch gar nicht scharf! Mit denen könnte man nicht einmal Butter schneiden!«

»Mein Stiel ist locker! Wenn ich kräftig aushole, fliegt die Hacke durch die Luft!«

»Du hast gesagt ›Die Hand Gottes!‹« rief Marie. »Das war sie! Das war die Hand Gottes!«

Dicke Wolken zogen über uns hinweg und sandten einen heftigen Regenschauer auf uns herab. Marie und ich standen wie in einem Regenschleier, wir hielten uns fest umschlungen und weinten und lachten gleichzeitig. Dann hörten wir plötzlich ein anderes Geräusch — ein langes gequältes Stöhnen, dem ein spitzer Schrei folgte.

Wir drehten uns um und sahen Katharina zwischen den Ackerfurchen, die sich schnell in Schlamm verwandelten, am Boden liegen.

»Es ist soweit«, sagte Marie. »Daran sind die Männer schuld.«

Wir liefen zu Katharina, die instinktiv die Beine gespreizt hatte. Sie glänzten vom Regen und lagen wie dünne Stäbe vor dem geschwollenen Bauch, der wie ein großer Erdhügel aussah. Ihre Hände gruben sich in den feuchten Boden, gruben sich immer tiefer ein. Ich hatte gesehen, wie die Tiere in unserer Mühle ihre Jungen auf die Welt brachten, und hatte auch schon Pferde fohlen gesehen, aber es war das erste Mal, daß ich bei der Geburt eines Menschen dabei war.

Nur wenige Minuten später — während Marie sie an den Schultern festhielt und auf den Boden drückte — stöhnte Katharina laut, ihr Körper zuckte und wollte sich aufbäumen, und sie stöhnte noch lauter, und dann kam zwischen ihren gespreizten Beinen ein kleiner nasser Kopf zum Vorschein, der Regen wusch das Blut ab, und dann holte Katharina tief Luft und drückte und stieß langsam den restlichen Körper ihres Kindes hinaus in die Welt. Ich hielt es fest, während der Regen auf uns niederprasselte.

»Schneid' die Nabelschnur durch!« rief Marie.

Ich nahm die Hacke und trennte mit ihrer Schneide die Schnur durch, die Katharina mit dem Baby verband. Der Kopf sah viel zu groß aus für den winzigen Körper, daß ich lachen mußte. Ich hielt das Kind hoch hinauf in den Regen, um den Schlamm und das Blut abzuwaschen.

Ich hätte es fast nicht gehört, als Marie rief: »Du mußt es schlagen! Schlag es! Damit Leben reinkommt!«

Das tat ich. Mit einem harten Klaps auf sein winziges Hinterteil schlug ich Leben in seine Lungen. Das Baby fing kräftig an zu schreien. Ich hatte seine Lebensglocke angeschlagen.

»Was ist es?« fragte Katharina und hob den Kopf, um besser durch den Regen sehen zu können.

»Ein Mädchen«, sagte ich leise, und ich wußte, daß es nicht das war, was sie hören wollte.

»Was? Zeig es mir!«

»Ein Mädchen«, sagte ich und hielt ihr das Baby hin.

»Ist alles in Ordnung? Ist sie kräftig?«

»Alles in Ordnung. Und hör nur, wie sie schreit.«

Katharina warf den Kopf nach hinten und lachte, lachte so gewaltig, wie ich es ihr in dem Augenblick gar nicht zugetraut hätte. »Sie ist groß, gesund und kräftig! Gott sei gedankt!« rief sie wieder und wieder atemlos. Und sie rief es noch immer, als ein paar Männer kamen und sie vom Feld trugen. Marie, die das Baby in ein Stück Sackleinen gewickelt hatte, folgte ihnen. Der Sommersturm war vorübergezogen, und über dem Feld war der Himmel klar und blau wie ein See.

»Du lächelst ja«, sagte ein Feldarbeiter zu mir.

Ich drehte mich um und sagte: »Ja. Warum?«

»Es ist das erste Mal, daß du lächelst.«

»Heute habe ich die Hand Gottes gesehen.«

»Und wo?«

»Hier«, rief ich glücklich und breitete die Arme aus.

Und es war vielleicht eine Woche später, als ich den warmen Boden hackte und mir plötzlich bewußt wurde, daß ich mich nicht daran erinnern konnte, wann ich die drei schrecklichen Worte das letzte Mal ausgesprochen hatte. Sie gehörten nicht mehr zu mir. Es waren Worte, die aus einem anderen Leben stammten. Und seitdem habe ich sie nie wieder ausgesprochen.

34

Im Sommer wurde Barnabas krank. Eine Zeitlang dachten wir, er würde sterben, aber dann pflegte ihn seine Frau langsam wieder gesund. Auf den Feldern gab es bis zum Herbst nur wenig Arbeit, und so hatte ich Zeit für die Uhr. Zusammen mit Clara kümmerte ich mich um sie. Barnabas war einverstanden, denn wenn der Stadtrat von seiner Krankheit erfuhr, würde er ihn vielleicht nicht behalten und sich einen anderen Turmwächter suchen.

Clara und ich zogen die Uhr zweimal täglich auf. Zuerst lösten wir die Walze vom Uhrwerk. Dann stellten wir das Gesperr ein, damit das Gewicht nicht herunterfiel. Zweimal am Tag zogen wir mit dem dreispeichigen Aufzug den Stein über die Winde durch den Uhrenturm nach oben. Wir drehten eine Speiche, bis sie senkrecht stand, dann die nächste, Speiche für Speiche, immer um die große Trommel. Das war gar nicht so einfach, und wenn sich das Sperrwerk löste, mußten wir schnell das Seil festhalten, damit das Gewicht nicht wieder herunterfiel. Unsere Hände schwitzten auf dem Holz der Speichen. Unsere Blicke begegneten sich vor Angst, daß uns die Winde entgleiten und sich das Seil abspulen könnte und der Stein dann donnernd bis auf den Boden des Turms fiel. So zogen wir das Gehwerk auf.

Und dann kam das Schlagwerk, das wir ebenfalls aufziehen mußten. Aber das war nicht so schwer, weil das Gesperr an dieser Trommel besser funktionierte. Zweimal am Tag mußten wir es tun, und irgendwie schafften wir es immer, und die ganze Zeit plagte uns Claras achtjähriger Bruder, auch helfen zu dürfen.

Clara und der Junge begleiteten mich, wenn ich die Uhr ölte. Sie hockten sich dicht neben mich, wenn ich den Schatten prüfte, den die Sonnenuhr warf, um zu sehen, um wieviel unsere Uhr am Tag schneller oder langsamer geworden war. Und wenn ich auf der Waag kleine Gewichte hin und her rückte, um die Uhr wieder in die richtige Zeit zu bringen, stellten sie sich dicht hinter mich und sahen mir über die Schulter.

Und während wir weitergingen, erklärte ich ihnen, was es mit den einzelnen Teilen auf sich hatte. Bald verstand auch der Junge, was ein Kronrad, ein Laternentrieb und eine Welle waren. Nachts, wenn sie schlief, sah Clara im Traum ein Hemmwerk, das hin- und herwippte, und Eisenräder, die sich wie Sterne am Himmel drehten. Der Junge glaubte, das Ticken des Uhrwerks zu hören, wann immer er die Augen schloß. Wir drei teilten das Leben der Uhr, unserer Uhr.

Ich sagte ihnen, daß unsere Uhr eigentlich Schlagfiguren haben müßte. »Krieger aus Holz, die mit einem Hammer gegen die Glocke schlagen.«

»Gibt es das denn?« fragte Clara.

»Ja. In manchen großen Städten. Und vielleicht gibt eines Tages auch unsere Stadt das Geld für ein solches Schlagwerk aus. Und auch für ein Zifferblatt.«

»Ein Zifferblatt?«

»Das ist eine runde Scheibe mit Zahlen drauf. Bis jetzt haben die Uhren noch keine Zifferblätter, aber mein Onkel Albrecht wußte, wie man sie macht. Die Zeiger auf der Scheibe zeigen uns die Zeit an.«

»Ohne daß die Glocke anschlägt?«

»Man sieht einfach nur hinauf zum Turm und kann die Zeit von den Zeigern ablesen, die sich über die Scheibe bewegen. Nicht nur die vollen Stunden. Auch die Zeit zwischen den Stunden.«

Ihre blassen Gesichter sahen mich ungläubig und voller Staunen an.

»Ja«, sagte ich zu ihnen. »Eines Tages wird es das geben.«

Als sich die Blätter bunt färbten, konnte Barnabas wieder aufstehen und herumgehen. Und schon bald wollte er die Seilwinde wieder selbst bedienen. Aber er war noch sehr schwach, und ich stellte mich dicht neben ihn, falls er sie nicht halten konnte. Aber er hatte den Ehrgeiz, es allein zu schaffen und das Gewicht hinaufzuziehen.

Immer wenn er eine Speiche in die richtige Stellung gebracht hatte, lächelte er mir mit schmerzverzerrtem Gesicht stolz zu.

»Anne«, sagte er eines Tages, als wir zusammen zusahen, wie sich das Kronrad tickend weiterdrehte, »ohne dich wäre ich heute nicht mehr der Wächter der Uhr. Denn du hast die Uhr für mich in Gang gehalten. Du hast meine Familie gerettet.«

»Clara hat mir geholfen.«

Er fuhr mit seinen großen Händen durch die Luft. »Ja, aber sie ist ein Mädchen.«

Mich betrachtete Barnabas also nicht als Mädchen, obgleich ich nur zwei Jahre älter war als seine Tochter. Weil ich die Uhr kannte, hatte ich seine Welt betreten, oder zumindest stand ich an der Schwelle zu ihr, was anderen Frauen niemals gelingen konnte. Er akzeptierte mich, aber es machte mich nicht glücklich. Denn ich konnte nicht verstehen, warum seine Tochter nicht neben uns stehen sollte.

Deshalb sagte ich noch einmal: »Clara hat auch geholfen.« Aber Barnabas starrte mich nur verwundert an.

»Ja«, sagte ich, »ohne Clara, die auch geholfen hat, wärst du heute nicht mehr Wächter der Uhr.«

Danach haben wir nie wieder über Clara gesprochen. Zum einen auch, weil ich viel zu erschöpft war, wenn ich abends von der Ernte auf den Feldern heimkam, um überhaupt noch etwas sagen zu können. Und außerdem sah Barnabas, wenn ich an ihm vorbeiging, immer weg, als wüßte er nicht, was er mit mir reden sollte. Und nach einiger Zeit kam Clara nicht mehr in den Turm und der Junge auch nicht. Und dann ging ich schließlich auch nicht mehr hin.

Barnabas wachte den ganzen Tag über das Uhrwerk und die Räder, die sich dort oben drehten.

Ich wußte, daß ich nach der Ernte, die bald vorbei sein würde, seine Familie verlassen mußte, denn dann würde ich wieder kein Geld verdienen. Aber wohin sollte ich gehen? Ich lebte nun schon so lange in der Stadt, daß ich mich an sie gewöhnt hatte und mir gar nicht mehr vorstellen konnte, irgendwo anders hinzugehen. Und natürlich wollte ich auch in der Nähe des Friedhofs bleiben, auf dem Niklas, Kaninchen und die anderen lagen. Und ich würde Clara und

Barnabas und die ganze Familie vermissen. Ich würde die Uhr vermissen.

Die Ernte war vorüber, aber ich durfte trotzdem bei Barnabas und seiner Familie bleiben, auch wenn ich kein Geld für Unterkunft und Essen hatte.

Ihre Großzügigkeit verschaffte mir die Möglichkeit, mich in Ruhe nach einer neuen Arbeit umzusehen. Ein Metzgerladen nahm mich. Er gehörte zwei Brüdern, denen ich von ihrem dritten Bruder empfohlen war, auf dessen Feld ich bei der Ernte geholfen hatte.

Das Vieh wurde im hinteren Teil des Ladens geschlachtet, und die Metzger warfen den Abfall einfach auf den Boden, der schmutzig und voller Blut war. Ich mußte alles wegräumen, außerdem mußte ich die Ziegen und Schweine aus den Ställen zu ihrem Tod führen. In dem Laden roch es durchdringend nach dem Eingeweide, das an der kalten Luft dampfte. Wie sehr ich am Abend meine Hände und Arme auch wusch und bürstete bis zu den Ellenbogen hinauf − der Gestank des Todes blieb an meinem Körper hängen. Ich brachte der Familie immer Fleischstücke mit, worüber sie sehr froh war, trotzdem, der Geruch, den ich ausstrahlte, war so unangenehm, daß sich sogar Clara von mir zurückzog und ich eine eigene Pritsche bekam, um allein darauf zu schlafen.

In der Straße, in der ich arbeitete, gab es eine ganze Reihe Läden. Und ich lernte viele Dinge. Ich sah, wie der Fischhändler seine abgestandenen Fische mit Schweineblut anstrich, damit sie rot und frisch aussahen. Ich sah, wie der Käsehändler seinem milden Käse einen kräftigeren Geruch verlieh, indem er ihn in Brühe tauchte. Ich sah, wie der Bäcker seine Brotlaibe auf einer Waage wog, die er vorher verstellt hatte. All diese Täuschungen und Betrügereien bedrückten mich, aber die drei schrecklichen Worte kamen mir trotzdem nie wieder über die Lippen, nicht einmal, wenn die Tiere, die ich in den Schlachtraum führte, jämmerlich schrien und mich an den Friedhof erinnerten, auf dem Niklas Kaninchen und die anderen Tiere begraben hatte. Ich konnte Gott nun nicht mehr hassen, selbst wenn die Welt um mich herum aus Lüge und Betrug bestand. Und nach Tod roch. Ich war dankbar für das Geld, das gerade ausreichte, um meine Unterkunft zu bezahlen, und für die Fleischstücke, die ich jeden Abend nach Hause bringen konnte.

Eines Abends, als ich gerade mit einem Beutel voller Fleischstücke auf dem Heimweg war, rief jemand hinter mir: »Anne! Anne!«

Ich drehte mich um und sah im Nebel einen ziemlich kleinen, aber kräftigen Mann. Er lächelte und kam auf mich zu, und da erkannte ich in ihm einen der Holzschnitzer aus der Künstlergilde wieder.

»Geht es dir gut, Mädchen?« fragte er und musterte mich von oben bis unten.

»Ganz gut. Ja. Ich bin zufrieden. Und wie geht es dir?«

»Es hat sich viel verändert. Komm mit auf einen Becher Bier, dann erzähl' ich dir alles«. sagte er. Und so ging ich mit ihm in eine Taverne, wo wir uns in eine stille Ecke setzten. Er erzählte mir, daß die meisten Holzschnitzer Meister Dollmayr verlassen hatten. Sie hatten sich am Stadtrand eine eigene Werkstatt eingerichtet.

»Und ich bin der Zunftmeister«, sagte er stolz. »Die Zunft —«

»Ihr habt eine eigene Zunft?«

»Wir sind jetzt die Holzschnitzerzunft. Im Unterschied zur Malerzunft. Die haben sich auch von ihm getrennt, weißt du. Ich bin Zunftmeister«, wiederholte er. »Die Zunft hat mich gewählt. Wir haben jetzt niemanden mehr über uns. Wir wählen unseren Zunftmeister selbst. Ich überwache die Qualität der Waren, die wir herstellen. Ich lege die Arbeitszeit fest. Wenn die Uhr abends sechsmal schlägt, sage ich zu ihnen: ›Die Zeit ist um!‹ Ich bereite die Prüfung für die Gesellen vor — wir haben jetzt vier. Ich passe auf, daß die Mitglieder pünktlich ihren Beitrag zahlen. Und ich achte darauf, daß wir beim nächsten Jahrmarkt angemessen vertreten sind. Ich bin der Zunftmeister«, wiederholte er.

Ich erinnerte mich, daß er immer freundlich gewesen war. Er hatte nie Schwierigkeiten gemacht. Aber ein guter Schnitzer war er nicht, daran erinnerte ich mich auch.

»Und was sagt Meister Dollmayr dazu?« fragte ich.

»Was kann er schon sagen? Wir sind freie Menschen. Und wir stellen Schnitzereien von Rittern und Damen und auch von Heiligen her, und sie verkaufen sich alle gut.« Er machte eine Pause und dachte nach. »Dein Bruder wäre bei uns Geselle geworden. Auch wenn er die Prüfungen nicht begriffen hätte — bestanden hätte er sie bestimmt.«

»Und Werimbold«, sagte ich, »macht er jetzt auch mit euch Geschäfte?«

»Ja. Alle Kaufleute machen mit uns Geschäfte. Möchtest du noch ein Bier?«

Ich trank noch ein Bier, aber als er mir dann noch ein drittes anbot, lehnte ich ab und stand auf, um zu gehen. Durch den rauchigen, nur von Kerzen erleuchteten Raum sah er mich an.

»Anne«, sagte er und zögerte dann.

Als wir hinauskamen an die frische Abendluft, sagte er noch einmal: »Anne.«

Ich wünschte ihm eine gute Nacht.

»Anne«, sagte er. »Ich bin Witwer. Mir geht es jetzt gut als Zunftmeister. Und du siehst aus, als könntest du ein besseres Leben vertragen. Habe ich recht?«

»Ich bin ganz zufrieden.«

»Aber bei mir hättest du es besser. Ich bin nicht gerade groß, aber ich bin stark und ehrlich. Komm mit mir nach Hause. Ich werde mich gleich morgen in der Kirche um alles kümmern. Ich werde das Aufgebot bestellen. Ich werde die Hochzeit vorbereiten.«

Ich legte ihm die Hand auf den Arm und sagte: »Ich danke dir, mein Freund. Aber ich bin zufrieden, so wie es ist.«

»Worauf wartest du? Was kannst du im Leben Besseres erwarten als das, was ich dir anbiete?«

»Ich weiß es nicht.«

»Siehst du? Das ist für uns beide eine gute Lösung. Gott hat sie auf unseren Weg gelegt.«

»Vielleicht«, sagte ich. »Aber für den Augenblick bin ich zufrieden, wie es ist.«

35

Als ich eines Abends vom Fleischerladen kam, traf ich Clara im Hof. Sie sagte mir, daß ihr Vater oben in der Uhr sei und mich sehen wolle. Clara warf mir einen merkwürdigen Blick zu, als sie es sagte.

Ich kletterte die Treppe zur Uhrenkammer hinauf und fand Barnabas dort mit zwei Fremden. Der jüngere Mann, der ziemlich groß war und eine Wollmütze aufhatte, senkte den Blick und sah zu Boden, als ich hereinkam. Der ältere Mann hatte einen Bart und trug einen Lederumhang, der an den Schultern mit einer Goldkette zusammengehalten war. Er trug hohe Stiefel aus weichem Leder, und an seinem Gürtel hing ein großer Geldbeutel. Er sah wie ein reicher Kaufmann aus, aber wegen seiner breiten Schultern auch wie ein Handwerker.

Er nickte ernst, als Barnabas sagte: »Das ist sie — Anne, das Uhrenmädchen.«

Dann ging Barnabas, ohne noch etwas zu sagen. In der Stille hörten wir seine schweren Schritte, als er die Treppe hinunterstieg.

Im Schein der Fackel sahen mich die beiden Männer prüfend an, der ältere ging um mich herum, wie man um ein Zugtier herumgeht, um sich von seiner Stärke zu überzeugen.

»Ich will eine Uhr bauen«, sagte er schließlich und blieb vor mir stehen.

Er stand so dicht vor mir, daß ich die kleinen Adern auf seinen Wangen sehen konnte. Der jüngere Mann stand hinter ihm und starrte mich finster an, wodurch sein an sich hübsches Gesicht häßlich wirkte.

»Ich werde in einer Stadt im Norden genauso eine Uhr bauen wie diese hier«, sagte der ältere Mann.

»Und ich möchte, daß mir Barnabas dabei hilft. Was sagst du dazu?«

Dieser Mann fragte ein Mädchen nach seiner Meinung? Seine Frage überraschte mich. »Barnabas weiß alles über diese Uhr, mein Herr. Ja, er kann Euch helfen.«

»Kann er auch die einzelnen Teile einer Uhr zeichnen?«

»Nein, aber er weiß, wie sie zusammengehören.«

»Kannst du die Teile einer Uhr zeichnen?«

»Ja, mein Herr, das kann ich.«

»Hast du diese Zeichnungen hier gemacht?« Er drehte sich zu dem jungen Mann um, der meine Zeichnungen aus seinem Leinenbeutel zog.

Meine Zeichnungen! Barnabas mußte sie den Männern gegeben haben.

»Nun?« fragte der ältere Mann.

»Sie gehören mir«, sagte ich und streckte die Hand aus.

Der junge Mann runzelte die Stirn und steckte sie wieder in seinen Beutel.

»Wo hast du, ein Mädchen, so etwas gelernt?« fragte der ältere Mann.

»Bei meinem Onkel. Er hat es mir gezeigt.«

»Wer war dein Onkel?«

»Ein Waffenschmied.«

Der Mann nickte. Da ich es von einem Mitglied meiner Familie gelernt hatte, schien ihn zu überzeugen. Dann mußte ich es rechtmäßig gelernt haben.

»Barnabas war sehr krank«, sagte er. Er stand in seinem Lederumhang dicht bei der Uhr und sah zu, wie die Waag hin- und herschwang. »Barnabas will nicht in den Norden kommen. Es geht ihm gut hier.«

Als ich nichts erwiderte, drehte er sich um und sah mich an.

»Ja«, sagte ich, »es geht ihm gut hier.«

Die beiden Männer starrten mich an, als kämpften sie mit einem Gedanken, der ihnen nicht gefiel.

»Barnabas meint, wir sollten dich mitnehmen«, sagte der Ältere nach langem Schweigen.

»Das hat Barnabas gesagt?«

»Er sagt, du könntest uns helfen, weil du mehr von Uhren verstehst als er.«

Das hatte Barnabas gesagt? Der gute Barnabas!

Die beiden Männer tauschten wieder Blicke aus. Dem Jüngeren konnte ich deutlich ansehen, daß ihm der Gedanke nicht gefiel, ein Mädchen mitzunehmen.

Dann sagte der Ältere: »Du würdest Essen und eine Unterkunft bekommen.«

»Auch Geld?«

Der ältere Mann bewegte die Lippen, ohne etwas zu sagen. Ich glaube, er war über meine Kühnheit erstaunt. Dann sagte er: »Essen und Unterkunft sind nicht genug? Wenn du auch Geld willst, mußt du aber hart arbeiten.«

»Ich habe gelernt, hart zu arbeiten, mein Herr.«

»Wie alt bist du?«

»Achtzehn.«

»Und nicht verheiratet?« Der Mann starrte auf den Boden. Schließlich räusperte er sich und sah mich an. »Also gut. Auch Geld.«

»Mein Herr, Ihr wollt also, daß ich helfe, Eure Uhr zu bauen?«

»Ja, das will ich. Ich bin Konrad, der Goldschmied, und bald werde ich ein Uhrenmacher sein.«

»Werdet Ihr eine Figur bauen, die die Stunden anschlägt?«

»Warum fragst du?«

»Weil diese Uhr keine hat.«

»Weißt du, wie man so was baut?«

»Mein Onkel wußte es«, sagte ich ausweichend. Einen Moment lang sah ich einen hölzernen Mann vor mir, der sich gerade zur Glocke umdrehte, Jakob der Trommler mit rollenden Augen und roter Nase.

»Weißt du, was ein Zifferblatt ist?« fragte der Mann.

»Mein Onkel wußte es. Oder vielmehr wußte er, wie man an einer Uhr eins anbringen kann, wenn man es ihm gesagt hätte.«

»Du erzählst mir von deinem Onkel. Aber was ist mit dir? Kannst du es auch?«

»Ich weiß, wie man Zahnräder aufeinander abstimmt. Wenn man mich Versuche anstellen ließe, könnte ich es.«

»Versuche kosten Geld.«

»Ich weiß.«

Der Mann zupfte nachdenklich an seinem Bart. »Wenn wir eine Figur bauen, die die Stunden anschlägt, könntest du die Räder dann so machen, daß sie auch alle halben und Viertelstunden anschlägt?«

307

»Das würdet Ihr wollen, Meister Konrad?«

»Das Teure daran wäre die Figur. Wenn sie an Ort und Stelle angebracht ist, könnte sie genausogut die Stunden und die Zeit dazwischen anschlagen.«

Ich spürte, wie ich ganz aufgeregt wurde. Ich sah diesen Mann jetzt in einem völlig anderen Licht. »Das hängt ganz von den Kerben ab, die am Rad sind«, sagte ich eifrig. »Wenn ein Schmied ein paar Versuche machen würde, die Kanten richtig zu schneiden, und wenn es ihm gelänge, dann könnte sie so oft anschlagen, wie Ihr wollt.«

»Du scheinst dir deiner Sache ziemlich sicher.«

Aber von seinem Gesicht konnte ich ablesen, daß ihm meine Selbstsicherheit nicht gefiel. Ich muß ihm dreist vorgekommen sein. Trotzdem sah ich ihn fest an und sagte: »Ja, ich bin mir ganz sicher.«

»Ich habe mich entschieden«, sagte Meister Konrad. »Du kommst mit uns. Niemand wird dich ausnutzen. Und du wirst deine eigene Arbeit haben.«

Er drehte sich zu dem jungen Mann um und sagte: »Komm, Martin«, und dann drehte er sich wieder zu mir um und sagte lächelnd: »Übermorgen brechen wir auf.«

»Falls ich mitkomme, mein Herr, werde ich es bis dahin wissen.«

Erstaunt und ärgerlich verzog er das Gesicht. »*Falls* du mitkommst? Du weißt es noch nicht?«

»Ich muß erst darüber nachdenken, ob ich hier weg will.« Und dann sagte ich mit einer Kühnheit, die ich mir versagt hätte, wenn ich vorher nachgedacht hätte: »Und jetzt möchte ich erst einmal meine Zeichnungen zurück haben.«

Wieder herrschte tiefes Schweigen. Dann kam der jüngere Mann, ohne den älteren anzusehen, zu mir. Er hielt mir den Beutel hin, den ich ihm hastig aus der Hand riß.

»Das ist mein Sohn Martin«, sagte Meister Konrad.

Ich nickte Martin kurz zu und sagte dann zu dem Vater: »Wenn ich an Eurer Uhr mithelfe, werdet Ihr alles erfahren, was ich weiß, und wenn Ihr dann noch eine Uhr baut, werdet Ihr mich nicht mehr brauchen und fortschicken.«

»Aha, also das ist es«, sagte Meister Konrad. »Man hat dich

verletzt.« Und dann, viel freundlicher als vorher: »Wenn du bei dieser mithilfst, dann hast du auch das Recht, an der nächsten mitzuarbeiten.«

Ich spürte, wie meine Lippen zitterten, fragte aber trotzdem: »Und wenn Ihr Eure Meinung wieder ändert?«

»Ich werde meine Meinung nicht ändern.«

»Ich glaube Euch«, sagte ich. Und das tat ich wirklich.

Später, als ich mit Barnabas und seiner Familie gegessen hatte, ging ich mit Clara hinaus an die kühle Nachtluft. Es wehte ein scharfer Wind, der Schnee verhieß.

»Du gefällst ihm«, sagte Clara plötzlich.

»Wem?«

»Dem Jungen.«

»Dem doch nicht. Jedesmal, wenn er mich ansieht, verzieht er das Gesicht.«

»Er ist zu mir gekommen, nachdem er mit dir gesprochen hatte, und hat mir alle möglichen Fragen gestellt.«

»Was hat er denn gefragt?«

»Alles über dich. Er fragte, warum du nicht verheiratet seist.«

»Das hat er gefragt?« Ich schnaubte verächtlich durch die Nase. »So was Blödes.«

»Nein, das ist nicht blöd. Er ist ein Mann, und du gefällst ihm.«

»Du bist noch viel zu jung, um über Männer Bescheid zu wissen, Clara.«

»Ja, ich weiß. Trotzdem.«

»Und was hast du ihm gesagt?«

»Ich hab' gesagt, Gott hätte dir noch nicht den richtigen Mann geschickt.«

Ich lachte und sagte: »Das hast du wirklich gesagt?«

»Ja, hab' ich. Und dann hat er gesagt — er sagte: ›Kann schon sein. Aber ich glaube eher, daß sich die Männer vor ihrem unerschrockenen Wesen fürchten.‹«

»Das hat er gesagt?«

»Ja. Und dann sagte er noch: ›Aber ich nicht. Mich stört das nicht.‹«

»Wenn er was wissen wollte von mir, warum hat er mich dann nicht selbst gefragt? Schließlich ging es ja um mich.«

Clara überlegte. Dann sagte sie, während wir beide zum Turm hinaufsahen, der im Mondschein lag: »Manchmal können Worte nicht ausdrücken, was wir sagen möchten. Vielleicht dachte er, du könntest seine Worte falsch verstehen. Manchmal ist es besser, nichts zu sagen.«

Ich mußte an Niklas denken, wie er mich immer mit seinen ernsten blauen Augen angesehen hatte. Manchmal hatte er mir nur mit seinen Augen gesagt, daß er mich liebhatte. »Du hast recht«, sagte ich zu Clara.

36

»Du mußt das Angebot annehmen«, sagte Barnabas am nächsten Morgen zu mir, als wir fröstelnd bei der Uhr standen. »Konrad ist ein guter Mann, ein reicher Mann, ein bekannter Goldschmied. Ich bin sicher, seine Stadt hat Vertrauen zu ihm, weil sie ihn die Uhr bauen läßt. Und er wird dich nicht betrügen.«

»Aber ich will nicht weg von hier. Außerdem will sein Sohn nicht, daß ich mitkomme.«

Barnabas legte den Kopf auf die Seite, auf seinem verwitterten Gesicht lag ein Lächeln. »Ich glaube nicht, daß sein Sohn die Entscheidungen trifft. Der Junge ist nicht viel älter als du.«

Vielleicht stimmte es, dachte ich. Gestern war er mir als jemand Älterer vorgekommen, als jemand Wichtigerer. »Am Gehwerk ist das Seil verschlissen«, sagte ich plötzlich zu Barnabas.

»Ja, ich muß es bald auswechseln.«

»Sind das Sperrad und der Sperrkegel an der Trommel wieder in Ordnung?«

»Ja, Anne.«

»Es wird schwer sein, dich und die Familie zu verlassen.«

»Wir werden dich auch vermissen.«

Ich konnte kaum die Tränen zurückhalten, am liebsten hätte ich geweint, weil ich nun nicht dabeisein würde, wenn er das Seil erneuerte.

»Ich will nicht weg, Barnabas.«

»Aber das ist eine große Gelegenheit für dich. Du wirst uns fehlen, Anne.«

Er sagte es, als habe er mich bereits aufgegeben.

Als ich später in den Hof ging, um die Kinder zu suchen und ihnen Lebewohl zu sagen, hörte ich, wie jemand pfiff. Ich sah um die Mauerecke und entdeckte Martin, der am Boden kniete und einem Hund aus der Nachbarschaft gut zuredete näher zu kommen. Ich zog mich in den Schatten zurück, um ihm dabei zuzusehen. Wenn er nicht immer die Stirn runzelte, sah Martin eigentlich ganz nett aus mit seinen zerzausten schwarzen Haaren und den dunklen Augen — das mußte ich zugeben. Zwar nicht so hübsch wie Hubert, aber auch nicht gerade häßlich. Er hatte viel Geduld mit dem Hund, und als dieser schließlich zu ihm kam und mit dem Schwanz wedelte, streichelte ihn Martin sanft. Obgleich seine Hände groß waren und seine dicken Finger grob wirkten, strich er ganz sanft über das Fell des Hundes, daß ich an Niklas und sein Kaninchen denken mußte.

Schließlich räusperte ich mich und ging mit festen Schritten auf den Hof. Als er mich sah, hörte er sofort auf, den Hund zu streicheln. Ich erwartete, daß er wieder die Stirn runzelte, aber das tat er nicht. Sein Gesicht war ausdruckslos, wie in Stein gemeißelt, er sah weder ärgerlich noch froh aus, aber seine Augen sahen mich nicht unfreundlich an. Diesem jungen Mann, diesem Martin, muß ich wie ein fremdes Wesen vorgekommen sein, dem man vielleicht in einem Wald begegnete, ein Wesen, von dem man Abstand halten mußte, weil man noch nicht wußte, ob es ein Freund oder ein Feind war.

Hinter dem Hof fand ich Clara, die für ihre kleine Schwester eine Stoffpuppe machte. Wir kauerten uns an einem Bach, der durch die Stadt floß, eng aneinander. Es war so kalt, daß sich am Rand Eis gebildet hatte, und Claras Bruder ließ Steine über das langsam dahinfließende Wasser hüpfen. »Clara«, sagte ich, »du wirst mir fehlen.«

»Jetzt werde ich nie mehr etwas über die Uhr erfahren.«

Ich konnte sie nicht trösten, denn wir wußten beide, daß Barnabas nicht wollte, daß seine Tochter auch ein »Uhrenmädchen« wurde.

»Wenn du lernen kannst, lerne es, egal, was es ist«, sagte ich zu ihr.

Aber das war kein großer Trost für jemanden, der so gern zusah, wie sich das Gehwerk durch die staubige Luft des Uhrenturms bewegte.

Dann tat ich etwas, das mein Untergang sein konnte: Ich schenkte ihr meine Zeichnungen. Das bedeutete, daß ich nichts in der Hand hatte, auf das ich mich beziehen konnte, wenn ich an der neuen Uhr arbeitete. Und trotzdem war ich froh, daß ich sie ihr gab, denn sie hatte Tränen in den Augen, als sie sagte: »So etwas Schönes habe ich noch nie besessen.«

Am nächsten Morgen — die Reise nach Norden sollte am Mittag beginnen — zog ich mich in aller Frühe an und ging aus dem Haus, bevor die anderen wach waren. Zuerst stieg ich auf den Turm und sah nach der Uhr.

Ich prägte mir noch einmal alles genau ein, bis ich wußte, daß ich jede Einzelheit im Kopf hatte. Ich würde es nicht vergessen. Dann warf ich einen letzten Blick auf die Uhr und ging die Treppe hinunter. Draußen begann es zu schneien, und ich hielt den Kragen meines Umhangs mit beiden Händen fest.

Ich war noch keine zehn Schritte gegangen, da sah ich ihn. Er versuchte, sich vor mir zu verbergen.

Da ich nicht wußte, was ich sagen sollte, schwieg ich und ging an ihm vorbei. Ich hätte mich gern umgesehen, um festzustellen, ob er mir folgte, aber ich tat es nicht, nicht bevor ich am Stadttor war. Dort blieb ich stehen und drehte mich um. Und da sah ich ihn wieder, geduckt und düster mit Schnee in den schwarzen Haaren.

»Was willst du? Gehst du mir nach?« Er kniff die Augen zusammen, sagte aber nichts, so daß ich Mut faßte. »Glaubst du vielleicht, ich will weglaufen? Vor dir? Vor dir laufe ich ganz bestimmt nicht weg. Außerdem will ich gar nicht weglaufen. Ich will die Uhr bauen. Und vor dir habe ich keine Angst.«

Ich merkte, wie ich rot wurde, und meine Wangen glühten, weil ich solche unerhörten Worte gesagt hatte, aber meine Kühnheit spornte mich an — und er auch. Denn Martin blieb hinter mir, immer mit dreißig Schritt Abstand, als ich über die schneebedeckte Straße ging, die zu dem kleinen Friedhof führte. Am Waldrand blieb ich stehen und sah ihn an. Er war größer als Hubert, aber längst nicht so hübsch.

»Bleib hier draußen«, sagte ich zu ihm.

Wieder kniff Martin die Augen zusammen, blieb aber, wo er war, neben dem Weg, als ich in den dunklen Wald bog.

Zwischen Brombeeren und kahlen Bäumen hindurch führte ein gewundener Pfad. Die Zweige waren mit Eis überzogen. Und dann stand ich vor den Gräbern, einem ganzen Dutzend Gräbern, von Schnee bedeckt, mit ihren Kreuzen, die sich schwarz von dem Weiß abhoben.

Ich setzte mich zwischen die Gräber auf den Boden, fühlte, wie die nasse Kälte durch meine Kleider drang.

»Niklas«, sagte ich und wartete.

Über mir ballten sich Wolken zusammen, hinter dem Gewirr aus schwarzen Zweigen. Es war so still hier. Der Schnee, der lautlos vom Himmel fiel und alles zudeckte, machte die Luft rund um den kleinen Friedhof weich und sanft.

»Du hörst mich doch, nicht wahr?« sagte ich. »Und jetzt hör mir genau zu, lieber Bruder. Ich bin gekommen, um dir zu sagen, daß ich weggehen muß. Ich muß diesen Teil der Welt verlassen. Heute, Niklas. Jetzt.«

Die Erde war so still wie die Gräber. Die Kreuze über den schneebedeckten Hügeln sahen aus wie Arme, die sich in stiller Freude ausstreckten. Es war kein schlechter Platz. Es war ein guter Platz. Alles, was hier war, gehörte hierhin, in das weiße Schweigen.

»Ich weiß, daß du immer hier sein wirst«, sagte ich. »Du und Kaninchen und die anderen. Verbergt euch hier. Heimlich. Alle zusammen. Gott hat euch hierhergebracht, damit ihr in Sicherheit seid.«

Wie gewöhnlich verriet ich Niklas nicht meine geheimen Gedanken. Ich erzählte ihm nicht, daß ich die feste Absicht hatte, ihn mit mir zu nehmen in meinen Gedanken. Ich sagte ihm nicht, daß ein Teil von ihm von hier fort und mit mir gehen würde. Daß er irgendwie auch dorthin reisen würde, wo ich hinreiste, vielleicht weit, weit von Kaninchen und den anderen entfernt. Daß er in meinen Gedanken mit mir gehen würde. Daß wir uns manchmal zusammen fürchten würden und in der lauten Welt unglücklich sein würden. All diese Wahrheiten würde er noch früh genug erfahren.

Aber in diesem Augenblick, in dem ich ihm sagte, daß ich von hier fortging, mußte er wissen, daß er immer in Sicherheit sein würde.

Schließlich stand ich auf und ging durch das Gebüsch und die Bäume zurück. Hinter dem Wald auf dem Weg, auf dem ich ihn zurückgelassen hatte, saß Martin. Als er mich sah, stand er auf.

Warum war er hier? Warum war er mir gefolgt? Aber noch bevor ich eine Antwort wußte, brach ich in Tränen aus und weinte.

Weinte so sehr, daß ich zu Boden fiel und der Länge nach im Schnee lag. Weinte, ohne zu denken, ohne etwas zu wissen, außer daß mir die Tränen salzig über das Gesicht liefen und daß sich meine Brust hob und senkte wie ein Boot auf dem Fluß. Ich weinte, bis mein Körper und meine Seele ganz leer waren und so leicht wie der Schnee, der auf mich herabfiel.

Als ich mich schließlich aufrichtete, sah ich Martin durch einen Schleier von Tränen. Er saß geduldig da und sah mich an, ohne die Stirn zu runzeln, aber auch ohne zu lächeln − sein Gesicht wirkte noch immer wie aus Stein gehauen und zeigte mir, wie fremd ich ihm war.

»Frag mich nicht, weswegen ich geweint habe«, sagte ich zu ihm, wütend, weil er mir zugesehen hatte.

Er fragte nicht.

»Fragst du nie etwas?« sagte ich und wischte mir mit dem Ärmel das Gesicht ab. »Warum bist du mir nachgegangen?« Aber natürlich bekam ich keine Antwort. Ich stand auf und schaute ihn an.

»Du redest nicht viel, nicht wahr?«

Er sah mich an.

»Willst du mir nicht sagen, warum du mit mir hierhergekommen bist?«

»Damit du in Sicherheit bist.«

Er hätte nichts Besseres sagen können, um mir zu gefallen, trotzdem war ich nicht gerade freundlich. »Ist das alles?«

Er stand nur da und sah mich an.

Nun ja, er redete nicht viel, würde wahrscheinlich nie viel reden. Aber das gefiel mir. Niklas hatte auch nie geredet, und ich war es gewohnt, das Reden allein zu besorgen. Und mit Martin würde es wahrscheinlich nicht viel anders sein. Wichtig fand ich, daß er, wenn nötig, würde reden können.

Ich ging weiter den Weg entlang und winkte ihm mitzukommen. Er kam.

Wir waren schon eine ganze Weile schweigend weitergegangen, als er plötzlich stehenblieb, in seiner Tasche wühlte und etwas herauszog. Er hielt es mir mit ausgestreckter Hand entgegen und sagte: »Hier.«

Es war ein Stück Metall, in das eine diagonal verlaufende Rille geschnitten war, von oben bis unten. An der Spitze war eine Kerbe.

»Hält besser als ein Nagel«, sagte Martin.

Das Ding sah wie das Holzgewinde einer Weinpresse aus, nur war es nicht einmal so lang wie mein kleiner Finger und auch nicht so dick.

»Gar nicht leicht zu machen«, bemerkte Martin.

Ich drehte es in der Hand. Jemand hatte die Rille sorgfältig mit einer Feile ausgebohrt und geschliffen.

»Setzt Metallstücke zusammen. Heißt Schraube.« Das waren mehr Worte, als ich bis dahin von ihm gehört hatte. »Die Schmiede machen sie oben im Norden.«

Ich sah mir die Schraube an und konnte mir vorstellen, daß man sie in ein Loch im Metall drehen und so zwei Teile zusammenhalten könnte. Um sie wieder herauszubekommen, mußte man die Kerbe an der Spitze andersherum drehen. Ich sah Martin an und lächelte.

»Sie gehört dir«, sagte er.

Ich wußte, daß es etwas Wertvolles war, daher konnte ich nicht einfach »danke« sagen. Ich sagte: »Sie bedeutet dir viel, nicht wahr?«

Er wurde rot im Gesicht.

»Und es gibt noch nicht viele davon?«

»Nein. Noch nicht.«

»Sie wird mein kostbarster Besitz sein«, sagte ich. »Ich werde sie gut behüten.«

Er ging mit kräftigen Schritten weiter, ohne mich anzusehen. Weil er soviel größer war, mußte ich weit ausholen, um mich seinen Schritten anzupassen. Zusammen gingen wir auf der Straße zur Stadt, aber in einer Biegung blieb ich stehen und sah zurück zum Wald, der jetzt weit hinter uns lag – ein kleiner dunkler Fleck auf dem flachen weißen Land.

Mardi Oakley Medawar

**Der Heiler
vom roten Fluß**

Roman
368 Seiten
TB 27373-6
Deutsche Erstausgabe

Im Sommer 1866 kommen die Kiowa-Indianer am Regenberg zusammen, um beim Sonnentanz einen neuen Häuptling zu wählen. Doch der Frieden der Versammlung erweist sich als trügerisch. Einer der Klan-Führer wird ermordet – offenbar vom Häuptling einer anderen Sippe. Ein Krieg unter den Klans droht – bis Tay-bodal, der Heiler der Kiowa, vortritt. Eigentlich ist er nur ein Außenseiter, dem niemand Beachtung schenkt, doch nun schwört er, den wahren Mörder zu finden. Tay-bodal ahnt bald, daß nicht nur sein eigenes Schicksal, sondern auch die Zukunft seines Stammes gefährdet ist.

»Ein hervorragend geschriebener Roman mit einer abenteuerlichen, herzergreifenden Geschichte!«

Booklist

Econ & List

Kari Köster-Lösche
Das Deichopfer
Historischer Roman
152 Seiten
TB 27355-8

Nur ein lebendiges Opfer – eingemauert in den Deich – kann den Damm auf Dauer wirklich festigen. Dieser Aberglaube eines kleinen friesischen Dorfes bringt den jungen Deichbauern Bahne Andersen in tödliche Gefahr: Ein Unbekannter hat den neuen Deich beschädigt, doch wird Andresen die Schuld dafür zugewiesen. Der korrupte Deichgraf Eckermann hat gemeinsam mit dem unheimlichen Spökenkieker Boy Spuk dieses Gerücht in die Welt gesetzt und verhindert mit allen Mitteln Andresens Suche nach dem wahren Täter. Nur eine einzige Person hält zu dem jungen Bauern: Gotje, die schöne Tochter des Deichgrafen …

Ein bewegender Roman aus dem Friesland des 17. Jahrhunderts.

Gillian Bradshaw
**Der Leuchtturm
von Alexandria**
Roman
400 Seiten
TB 27530-5

Sharan Newman
**Das Geheimnis von
Abaelard und Heloise**
Roman
432 Seiten
TB 27532-1

Um einem machtgierigen Stadt-
halter zu entgehen, muß die
schöne, heilkundige Charis flie-
hen. Als Mann verkleidet,
gelangt sie nach Alexandria und
avanciert ausgerechnet zum
Militärarzt. Wegen ihrer beson-
deren Heilkunst wird sie verehrt
– bis sie sich haltlos in einen
Mann verliebt. Ein hinreißend
erzählter Roman, der eine tur-
bulente Epoche farbenprächtig
ausgestaltet.

Catherine LeVendeur, Schülerin
im Konvent der sagenumwobe-
nen Äbtissin Heloise, soll nach
einem angeblich ketzerischen
Manuskript suchen. Es könnte
dem berühmten Pater Abaelard,
Heloises Geliebten, gefährlich
werden. Auf gefahrvollem Weg
muß sie sich zur Bibliothek des
Klosters St. Denis durchschla-
gen, da aber findet sie nur den
Bildhauer Garnulf, einen treuen
Freund aus Kindertagen,
erschlagen im Klosterturm.